# TOUT SUR TOUT

CLAUDE GAGNIÈRE

# TOUT SUR TOUT

France Loisirs
123, boulevard de Grenelle, Paris

© France Loisirs, Paris 1986
ISBN: 2-7242-2229-6

# ÉLOGE DU SOURIRE

— *La France, ton sourire fout le camp !*
Français, mon frère, toi qui détins longtemps aux yeux du monde, comme un souriant monopole de l'esprit, n'es-tu pas en train de t'abandonner à la morosité planétaire ?

L'époque étant ce qu'elle est... et la France n'étant plus ce qu'elle fut, les raisons de sourire se font rares. Ne craignons pas de le dire tout net : Français, tu fais la gueule !

Notre pays aux aimables contours n'est plus aujourd'hui qu'un *Hexagone* tristement géométrique. Quant à la langue harmonieuse qu'on y parlait, elle est en train de céder la place à un sabir international, branché sur le *computer* et indexé sur le *dollar*.

Le sourire n'aurait-il plus cours chez nous ou bien le considére-rait-on comme la manifestation d'une joie de qualité inférieure — un *sous-rire* en quelque sorte ? Ce serait dommage, car rien n'est plus subtil que ce courant complice, tout de nuance, qui s'établit entre deux êtres, éclairant les visages et faisant pétiller les regards. Pourtant les occasions de sourire — et de sourire français ! — ne manquent pas. Pour peu que nous laissions de temps en temps nos ennuis au vestiaire, pour peu que nous décidions d'oublier en bloc les tracasseries, les déceptions, la météo, les élections, les trans-ports en commun, le fisc, le patron, les ayatollahs ou les colonels en particulier et les casse-pieds en général, nous nous apercevri-ons que les thèmes aimables ou divertissants peuvent se trouver partout.
Dans ce petit dictionnaire, nous vous proposons une bonne centaine de sujets de conversation que nous avons choisis à dessein curieux, insolites, bizarres, ou inattendus. Puissent-ils vous distraire, vous permettre de tester vos connaissances, de jouer en famille ou d'étonner vos amis.
Le dessinateur Jean-Pierre Desclozeaux, hilare dans sa barbe, a imaginé pour la couverture de ce livre un tableau charmant : puisant à pleine main dans un livre grand ouvert, un Français bien de chez nous sème à tous les vents les grains de la culture. Perché sur son épaule, un coq familier met son grain de sel dans la conversation, cependant qu'au loin, l'Angélus qui sonne, vient ajouter au paysage un grain... de Millet.

— *« Si tu n'as rien d'autre à offrir,* dit un proverbe chinois, *alors, offre ton sourire.* Dussions-nous faire double emploi, c'est avec notre plus beau sourire, ami lecteur, que nous vous faisons l'hommage de ce petit livre.

Claude GAGNIÈRE

◆ Pour trouver l'origine de l'Académie française, il faut remonter jusqu'au XVIe siècle. Un ami de Ronsard, le poète **Baïf**, eut le premier l'idée de réunir au sein d'une assemblée les « beaux esprits » de l'époque. Cette assemblée se nomma l'**Académie**, du nom d'un jardin d'Athènes consacré à un héros grec, Akadémos, où Platon enseigna à l'élite de la jeunesse athénienne.
Le roi Charles IX octroya en 1570 des lettres patentes à cette première Académie. Mais l'expérience fit long feu.

◆ Sous Louis XIII, l'idée fut reprise par un conseiller du roi, **Valentin Conrart** (au nom évocateur d'une bien surprenante pénurie !). Ce Conrart organisait chez lui des réunions de gens de lettres.

◆ Le Cardinal de **Richelieu** était d'un naturel méfiant. Il se dépêcha de donner une allure officielle à ces réunions amicales afin de pouvoir mieux les contrôler : un beau travail de récupération ! Le 13 mars 1634, eut lieu la première séance de la nouvelle assemblée qui, une semaine plus tard, le **20 mars 1634** (date historique) se dota du nom prestigieux d'**Académie française**.
Richelieu, devenu le protecteur officiel de l'Académie, en signera les lettres patentes le 2 janvier 1635. A travers l'Académie française, le Cardinal exercera désormais une véritable dictature sur les lettres.

C'est ainsi que, jaloux du succès du *CID* (1636) que Corneille avait refusé de lui vendre, Richelieu fit condamner la pièce par l'Académie. Dieu merci ! cette cabale n'empêcha pas la tragédie de Corneille d'attirer des foules enthousiastes. Boileau, dans un célèbre quatrain, ironisera sur cette prétention du Cardinal d'étouffer un chef-d'œuvre :

> *En vain, contre le Cid, un ministre se ligue.*
> *Tout Paris, pour Chimène, a les yeux de Rodrigue.*
> *L'Académie en corps a beau le censurer,*
> *Le public révolté s'obstine à l'admirer.*

Le talent eut le dernier mot ! Dix ans plus tard, et après deux échecs, Corneille sera élu à l'Académie.

◆ En 1639, le nombre des Académiciens — qui n'étaient encore que trente-neuf — fut porté à quarante. Ce chiffre donnera lieu par la suite à d'innombrables plaisanteries :

Piron s'est montré féroce :

> *Ils sont là quarante qui ont de l'esprit comme quatre.*

Fontenelle, qui appartenait à l'Académie, se plaignait amèrement :

> *Sommes-nous trente-neuf, on est à nos genoux*
> *Et sommes-nous quarante, on se moque de nous*

◆ **Louis XIV**, dans sa modestie bien connue, exigera de l'Académie française qu'elle n'ait d'autre préoccupation que de chanter ses louanges. C'est ainsi qu'elle deviendra, selon le mot de Guy Breton, une « manufacture de flatteries ».
« Vous pouvez juger, Messieurs, déclara Louis XIV dans un discours aux Académiciens, de l'estime que j'ai pour vous puisque je vous confie la chose au monde qui m'est la plus précieuse : ma gloire ! »
Avec un semblable pedigree, il serait surprenant que l'appartenance à l'Aca-démie française pût être considérée comme une preuve d'indépendance d'esprit.
Pour un auteur célèbre devenu académicien en vertu de son seul talent, que de cardinaux, de nobles, de politiciens à l'échine souple ou de généraux à la retraite, ne rencontre-t-on pas dans ses rangs !

◆ Voltaire définissait l'Académie : « *Un corps où l'on reçoit des gens titrés, des hommes en place, des prélats, des gens de robe, des médecins, des géomètres... et même des gens de lettres !* »

◆ Dans le 1er acte de *Cyrano de Bergerac*, Edmond Rostand s'amuse à faire citer par l'un de ses personnages, quelques noms d'*illustres* Académiciens de l'époque tombés, aussitôt morts, dans l'oubli le plus profond :

*Bardin, Boisset et Cureau de la Chambre*
*Porchères, Colomby, Bourzeys, Bourdon, Aubaud,*
*Tous ces noms dont pas un ne mourra, que c'est beau !*

Au moins, reconnaissons à l'Académie, parmi d'autres mérites, celui d'offrir une parfaite illustration de la relativité de la gloire.

◆ Quel beau Panthéon ne pourrait-on élever à la mémoire — toujours bien vivante, elle ! — de tous ceux qui jamais ne firent partie de l'Académie. En voici une liste classée alphabétiquement :

| | | |
|---|---|---|
| Balzac (4 échecs) | André Gide (candidature | Gérard de Nerval |
| Barbey d'Aurevilly | rejetée pour | Pascal |
| Baudelaire | immoralité) | L'Abbé Prévost |
| Beaumarchais | Jean Giono | Marcel Proust |
| André Chénier | Les Frères Goncourt | Queneau |
| Auguste Comte | Abel Hermant (9 échecs) | Regnard |
| Benjamin Constant | La Rochefoucauld | Jules Renard |
| Paul-Louis Courier | Lamennais | Retz |
| Courteline | Malebranche | Rivarol |
| Alphonse Daudet | Stéphane Mallarmé | Jean-Jacques Rousseau |
| Descartes | Martin du Gard | Saint-Exupéry |
| Diderot | Maupassant | Saint-Simon |
| Alexandre Dumas | Michelet | Scarron |
| (4 échecs) | Mirabeau | Stendhal |
| Gustave Flaubert | Mistral | Verlaine (1 échec) |
| Théophile Gautier | Molière | Zola (24 échecs) |

Le palmarès se passe de commentaire ! Depuis trois siècles qu'elle existe, il est d'usage, pour tout homme de lettres normalement constitué, de moquer l'Académie tout en rêvant d'y entrer un jour afin d'acquérir une bien provisoire immortalité :

*Nous avons quarante oies qui gardent le Capitole et ne le défendent pas.* DIDEROT

*L'Académie ? Le commun des immortels !* JULES RENARD

*Pourquoi dit-on qu'ils sont immortels alors qu'ils ne dépassent jamais la quarantaine ?* ALPHONSE ALLAIS

*L'académie ? Avec une minuscule, c'est un corps de jolie femme. Avec une majuscule, c'est un corps de vieux barbons.* PAUL MORAND

*Quand je n'aurai plus qu'une paire de fesses pour penser, j'irai l'asseoir à l'Académie.* GEORGES BERNANOS

*Immortel ? On ne l'est que pour la vie !* DANIEL ROPS

*Les Académies sont des sociétés comiques où l'on garde son sérieux.* MADAME DE LINANGE

*Qu'est-ce que les membres de l'Académie française, sinon les derniers survivants d'une très ancienne tribu à qui l'État-providence permet encore de se promener le long de la Seine avec des plumes sur la tête.* JEAN D'ORMESSON

## L'UNIFORME DE L'ACADÉMICIEN

*Question* : de quelle couleur est l'habit vert de l'Académicien ?
*Réponse* : il est *noir*, orné de broderies vertes en feuilles d'olivier.

◆ Jean Cocteau, qui fit partie de l'illustre compagnie de 1955 à 1963, surnommait poétiquement les Académiciens, les « sirènes à queue verte ».

◆ C'est **Bonaparte**, grand amateur d'uniformes, qui a doté les Académiciens de leur tenue actuelle. Ceux-ci l'ont échappé belle lorsqu'on sait que le Premier Consul avait pensé tout d'abord les vêtir d'un habit jaune ! On croit généralement que l'uniforme actuel fut dessiné en 1801 par le peintre **David**. En fait, il fut choisi par une commission de trois membres : **Houdon**, **Vincent** et **Chalgrin**. Cet uniforme a évolué au cours des siècles. La transformation la plus importante concerne la culotte « à la française », remplacée aujourd'hui par le pantalon.

◆ Un habit d'Académicien coûte cher, très cher : plus de 50 000 francs (sans parler du bicorne en peluche de soie). Il faut plus de six mois pour le confectionner. Et cet uniforme a peu de chance d'être amorti car les Académiciens peu enclins à se balader accoutrés de la sorte, viennent en civil aux séances de l'Académie.

Et l'épée ? Elle est offerte au futur nouvel Académicien grâce à une souscription organisée auprès de ses amis. La poignée de l'épée est ornée de symboles représentant les diverses activités ou les goûts de l'impétrant. Disons que les prêtres sont dispensés du port de l'épée... ainsi que les femmes.

## L'ACADÉMIE ET LES FEMMES

◆ Aucun article des statuts de l'Académie ne stipule que les femmes ne sont pas admises à y siéger. Et pourtant, il fallut attendre près de trois siècles et demi pour qu'une jupe illustre — celle de Marguerite Yourcenar — vînt s'asseoir au milieu d'une assemblée de trente-neuf pantalons.

◆ Dès l'origine, l'Assemblée s'était montrée résolument misogyne : ni **Madame de Staël**, ni **George Sand**, ni **Colette** ne furent, par ces messieurs, jugées dignes d'y entrer.

◆ En 1970, **Françoise Parturier** pose sa candidature au fauteuil de Jérôme Carcopino. Elle obtient une voix.

◆ En 1975, deux femmes se présentent à la succession de Marcel Pagnol, la chorégraphe **Janine Charrat** qui obtient six voix et **Louise Weiss**, première en date des féministes européennes, qui en obtient quatre. Aucune des deux n'est élue.

◆ Enfin, le 6 mars 1980, **Marguerite Yourcenar** est élue au premier tour par 20 voix contre douze qui vont au Professeur Dorst. Le 2 janvier 1981, elle fut accueillie solennellement sous la Coupole par Jean d'Ormesson qui avait été l'artisan de cette victoire.
C'est ce même farceur de d'Ormesson qui prétend que, désormais, il y a deux portes aux toilettes de l'Académie. Sur

l'une il est inscrit « Messieurs », sur l'autre « Marguerite Yourcenar ».

## A QUOI SERVENT LES ACADÉMICIENS ?

Il est permis, pour terminer, de se poser cette question essentielle et, surtout, de tenter d'y répondre :

◆ Les Académiciens écrivent un « Dictionnaire de la langue française » que personne ne lira. Depuis le XVIIe siècle, il y a eu huit éditions : en 1694, 1718, 1740, 1762, 1795, 1835, 1878, 1935.
Le prochain, au train où vont les choses, risque bien de ne sortir que vers l'an 2100.
En attendant, tous les jeudis de 15 h 30 à 16 h 30, il y a séance de dictionnaire à l'Académie.

◆ Les Académiciens distribuent des prix de vertu et des prix littéraires sans importance (on en a répertorié 143) à l'exception d'un seul : le **Grand Prix du Roman de l'Académie française**, qui est décerné au milieu du mois de novembre — une semaine avant le Prix Goncourt — et qui est d'un montant de 30 000 F.

En 1980, **Paul Morand** a légué une somme importante à l'Académie, à charge pour elle de décerner un prix de 300 000 F à un écrivain pour l'ensemble de son œuvre.

Peu de personnes savent que l'Académie française est — en commun avec les quatre autres Académies composant l'Institut — un riche propriétaire foncier qui possède entre autres :
— le château de Chantilly,
— le château de Langeais,
— le manoir de Kérazan à Loctudy,
— l'abbaye de Chaalis,
— la Mer de Sable, louée à Jean Richard,
— et ... la salle Wagram, à Paris !

## COMPOSITION DE L'ACADÉMIE FRANÇAISE

| | Élu en |
|---|---|
| † ARLAND Marcel (1899-1986) .... | 1968 |
| - BERNARD Jean (1907) .............. | 1976 |
| - BOURBON-BUSSET Jacques (de) (1912) ......................... | 1981 |
| † BRAUDEL Fernand (1902-1985) .. | 1984 |
| - BROGLIE Louis (Duc de) (1892) .. | 1944 |
| - CARRÉ R.P. (1908) .................. | 1975 |
| - CASTRIES (Duc de) (1908) ........ | 1972 |
| - DECAUX Alain (1925) ............... | 1979 |
| - DELAY Jean (1907) .................. | 1959 |
| - DÉON MICHEL (1919) ............... | 1978 |
| - DROIT Michel (1923) ................ | 1980 |

| | Élu en |
|---|---|
| - DRUON Maurice (1918) ............. | 1966 |
| Sec. Perp. depuis le 1.01.86 | |
| - DUMÉZIL Georges (1898) ......... | 1978 |
| - DUTOURD Jean (1920) ............. | 1978 |
| - FAURE Edgar (1908) ............... | 1978 |
| - GAUTIER J. Jacques (1908-1986) | 1972 |
| - GOUHIER Henri (1898) ............. | 1979 |
| - GREEN Julien (1900) ............... | 1971 |
| - GUITTON Jean (1901) ............... | 1961 |
| - HAMBURGER Jean (1909) ........ | 1985 |
| - HUYGHE René (1906) .............. | 1960 |
| - IONESCO Eugène (1912) .......... | 1970 |

**10**

Avant son élection, André Roussin déclara à un journaliste :
*Si je suis élu, je serai « immortel »... et si je ne le suis pas, je n'en mourrai pas !*

## Acrostiche

◆ Un jeu littéraire aussi vieux que le monde... ou presque. Les poètes grecs ou latins s'y livraient déjà avec virtuosité. Le nom d'acrostiche vient d'ailleurs de deux mots grecs :
AKROS qui signifie « extrême », et STIKHOS qui veut dire « vers ».

◆ L'acrostiche est donc le vers qui se trouve à l'extrémité des autres. On le définit comme une pièce poétique dont les premières lettres de chaque vers peuvent se lire dans le sens vertical. On obtient alors un nom qui est souvent, celui de l'auteur ou du dédicataire.

◆ Voici, à titre d'exemple, l'acrostiche que composa François Villon et qui se trouve à la fin de sa *Ballade pour prier Notre-Dame*. Les initiales de chaque vers, lues de haut en bas, composent la signature du poète (à signaler que dans l'ancien français, la lettre J se confondait avec la lettre I).

> *Vous portâtes, digne Vierge, Princesse,*
> *Iésus régnant qui n'a ni fin ni cesse,*
> *Le Tout-Puissant, prenant votre faiblesse*
> *Laisse les Cieux et nous vint secourir*
> *Offrit à Mort, sa très claire jeunesse*
> *Notre Seigneur, tel est, je le confesse.*
> *En cette foi, je veux vivre et mourir.*

◆ Parmi les acrostiches, il en est un célèbre : c'est celui que dédia à Louis XIV un courtisan fort désargenté dans l'espoir que son habile flatterie lui vaudrait la faveur d'une bourse remplie de pièces d'or (à l'effigie du roi).

> *Louis est un héros sans peur et sans reproche*
> *On désire le voir. Aussitôt qu'on l'approche,*
> *Un sentiment d'amour enflamme tous les cœurs.*
> *Il ne trouve chez nous que des adorateurs.*
> *Son image est partout... excepté dans ma poche.*

◆ Par son côté mystérieux, l'acrostiche est une forme poétique en faveur auprès des amoureux. Il permet au poète épris de déclarer sa flamme à l'objet aimé tout en dissimulant son nom aux indiscrets.

> *Je ne saurais nommer celle qui sait me plaire.*
> *Un fat peut se vanter, un amant doit se taire.*
> *La pudeur qu'alarmait l'impétueux désir*
> *Inventa sagement le voile du mystère*
> *Et l'amour étonné connut le vrai plaisir.*

◆ Sur le sens de ce poème, ordinaire en apparence, la belle **Julie** ne se sera pas trompée et elle aura, d'un coup d'œil, reconnu qu'il lui était destiné.

◆ Il est possible de compliquer encore les choses en composant des acrostiches pouvant se lire par les deux bouts. Était-il plus amoureux que le précédent le poète qui, pour sa belle, composa un acrostiche double ? Et **Anna** était-elle deux fois plus aimée que Julie ?

*Amour parfait dans mon cœur imprimA*
*Nom très heureux d'une que j'aime bieN*
*Non, non jamais, cet amoureux lieN*
*Autre que mort défaire ne pourrA*

◆ L'histoire de la littérature, qui se confond parfois avec la chronique du cœur, a retenu l'acrostiche qu'Alfred de Musset écrivit à George Sand dont il était follement épris. Dans le poème ci-dessous, il convient de lire de haut en bas, le premier mot de chaque vers — et non plus les initiales — pour en découvrir le sens caché.

*Quand je mets à vos pieds un éternel hommage*
*Voulez-vous qu'un instant je change de visage ?*
*Vous avez capturé les sentiments d'un cœur*
*Que pour vous adorer forma le Créateur.*
*Je vous chéris, amour, et ma plume en délire*
*Couche sur le papier ce que je n'ose dire.*
*Avec soin, de mes vers lisez les premiers mots*
*Vous saurez quel remède apporter à mes maux.*

◆ Invitation transparente... à laquelle George Sand s'empressa de répondre selon le même code :

*Cette insigne faveur que votre cœur réclame*
*Nuit à ma renommée et répugne à mon âme.*

◆ N'importe quel bon dictionnaire vous dira comment l'histoire s'est terminée.

# Age

Prendre de l'âge est, non seulement la chose la plus naturelle qui soit, mais c'est encore ce qu'on a trouvé de mieux comme moyen de vivre longtemps. Pourtant, de nos jours, vieillir apparaît comme la pire des malédictions. Tous les moyens sont bons pour essayer d'en retarder ou d'en gommer les effets : vêtements, teinture, cosmétiques, postiches, opérations. Faute de pouvoir remonter le temps, on se fait remonter la peau du visage ou des seins. Résultat :

*Ce qu'on appelait autrefois l'âge mûr tend à disparaître. On reste jeune très longtemps, puis on devient gâteux.*
ALFRED CAPUS

A quoi bon ce combat perdu d'avance puisque la vie est une maladie mortelle. La jeunesse n'a jamais été une question d'état-civil mais de caractère.

*On peut naître vieux, comme on peut mourir jeune.* JEAN COCTEAU

Ayons donc la sagesse d'accepter notre âge puisque nous ne pouvons faire autrement. Tous les bons auteurs vous le diront : « Chaque âge a ses plaisirs. »

*L'âge est une grâce qu'il faut mériter et non un poids qui nous écrase.*
JACQUES DE BOURBON BUSSET

Et puis, il ne faut jamais oublier qu'on est toujours le vieux, mais aussi le jeune de quelqu'un.

A l'appui de cette théorie de la relativité, voici quelques « mots » à l'usage de ceux qui pourraient encore croire qu'il existe des âges préférables à d'autres :

*On n'est pas sérieux quand on a dix-sept ans.* ARTHUR RIMBAUD

*C'est une aventure accablante d'être un jeune homme. Il y a une preuve : c'est entre dix-huit et vingt-deux ans qu'on se sent vieillir — qu'on se sent terriblement vieillir !* JEAN PAULHAN

*On n'a pas tous les jours vingt ans*
*Ça nous arrive une fois seulement*
AIR CONNU

*A vingt ans, la Parisienne est adorable,*
*A trente ans, elle est irrésistible,*
*A quarante ans, elle est charmante,*
*Après quarante... Mais non, une Parisienne ne dépasse jamais quarante ans !*
ANDRÉ MAUROIS

*A trente ans, tout est joué : œuvre, carrière, amour, destinée. Après, il suffit de suivre les rails — chemin de velours ou mauvaise glissade, peu importe — on "suit" sa pente. Entre vingt et trente ans, on la "fait".* PIERRE DE BOISDEFFRE

*La trentaine est un âge difficile... La vie est finie, l'existence commence.* A. BAY

*Les alentours de la trentaine, c'est un âge critique pour un homme, celui où l'on fait les grosses bêtises ou plutôt l'âge où les bêtises que l'on fait commencent à être irrémédiables.* JEAN DUTOURD

*Quarante ans est un âge terrible, car c'est l'âge où nous devenons ce que nous sommes.* CHARLES PÉGUY

*On ne comprend pas plus la vie à quarante ans qu'à vingt, mais on le sait et on l'avoue... C'est ça la jeunesse !* JULES RENARD

*A quarante ans, il faut ouvrir ses fenêtres de l'autre côté : on est même un peu en retard.* JULES RENARD

*Passé quarante ans, un homme est responsable de son visage.* LÉONARD DE VINCI

*Personne n'est jeune après quarante-cinq ans, mais on peut être irrésistible à tout âge.* COCO CHANEL

*C'est à cinquante ans qu'on devient vraiment orphelin.* MARC JULLIAN

*Quand j'étais petit, on me disait toujours : « Tu verras quand tu auras cinquante ans ». Eh ! bien m'y voilà à 50 ans. Et je n'ai rien vu. Rien !* ÉRIK SATIE

*A cinquante-deux ans, il n'y a que le bonheur et la bonne humeur en général qui puissent rendre un homme séduisant.* JEAN DUTOURD

*Soixante ans ! Ce déguisement de vieillard qu'il va falloir porter !* JEAN ROSTAND

*Je suis dans la fleur d'un âge qui commence à sentir le chrysanthème.* R. LASSUS

*Un sexagénaire est toujours robuste,
Un septuagénaire est toujours robuste,
Un octogénaire est toujours robuste,
Un nonagénaire est toujours robuste,
Un centenaire est toujours bulgare.* GUSTAVE FLAUBERT

*Quatre-vingts ans ! C'est l'âge de la puberté académique.* PAUL CLAUDEL

*Eh ! n'as-tu pas cent ans ? (...)
(...) Je voudrais qu'à cet âge
On sortit de la vie ainsi que d'un banquet.* LA FONTAINE

Pour terminer, voici une forte pensée de MAURICE CHAPELAN :

*Les gens de mon âge me paraissent plus âgés que moi !*

Comme c'est vrai !

# Allais (Alphonse) — 1854-1905

♦ Sans aucun doute, il est le premier humoriste français... et pas seulement par ordre alphabétique.
A la fin du siècle dernier, où le rire se portait gras de préférence et où les calembours pesaient des tonnes, Alphonse Allais avait inventé un humour, logique et glacé, très proche de l'humour britannique et qui annonce — mais en tellement plus drôle ! — toute la littérature française de l'absurde.

En principe, rien ne vieillit plus vite qu'une œuvre drôle. Pourtant les contes et les « mots » d'Allais continuent, un siècle plus tard, de déclencher le rire et l'émerveillement. Cet humour, étonnant d'actualité, n'a pas pris une ride.

♦ Le petit Charles-Alphonse **Allais**, fils d'un pharmacien d'Honfleur naquit le 20 octobre 1854, le même jour qu'Arthur Rimbaud. Jusqu'à l'âge de 3 ans, il ne prononcera pas un mot, si bien qu'on le croyait muet. Après des études sans

eclat, il fut stagiaire à la pharmacie paternelle.

♦ Au cours de son service militaire, au 119e de ligne, le soldat **Allais** se signala par quelques hauts faits qui lui valurent d'entrer dans la légende. Il se rendit célèbre parmi ses camarades pour s'être écrié :
« Bonjour M'sieurs Dames ! » en entrant dans une salle remplie d'officiers supérieurs.

Lorsque son colonel accorda une permission de nuit aux hommes mariés, le soldat Allais disparut pendant 24 heures : il se justifia en disant qu'il avait droit à une perm' de jour plus une de nuit parce qu'il était bigame.

Il avait pris l'habitude d'appeler ses supérieurs « carporal » « carpitaine », « cormandant » ce qui lui valut d'être considéré comme un idiot et d'avoir la paix.

♦ Il abandonna ensuite la pharmacie

pour se lancer dans le journalisme et la littérature. Il fit ses débuts à Paris, en roulant du tambour au célèbre cabaret du *Chat noir*.

Il fera partie du *Club des Hydropathes* (littéralement : ceux à qui l'eau fait du mal) qui est, en 1878, l'un des centres du mouvement littéraire. Les Hydropathes se scindent en deux écoles : les Hirsutes et les Fumistes dont Allais devint le chef. Il collabore au Journal du *Chat noir* avant d'en devenir le rédacteur en chef. Il ne cessera plus dès lors d'écrire des contes dans le *Rire*, le *Sourire* et le *Journal* où il animera avec une verve étourdissante, une rubrique régulière qu'il a appelée : *La Vie drôle*.

♦ Lorsqu'il était jeune journaliste, il avait pris l'habitude, chaque mois, de venir trouver le caissier du journal et de lui dire :
— Bonjour ! je viens toucher MON appointement.
Après quelques mois, le caissier ne put s'empêcher de lui faire remarquer qu'on devait dire : « MES » appointements.
— Oui, c'est vrai ! répondit Allais, mais je ne vais quand même pas déranger le pluriel pour si peu de chose !

♦ Ses principaux livres sont des recueils de contes qu'il écrivait : *A se tordre* (1891) 8 000 exemplaires vendus en un mois — *Vive la vie* (1892) — *Pas de bile* et le *Parapluie de l'escouade* (1894) — *Rose et vert pomme* (1894) — *Deux et deux font cinq* (1895) — *On n'est pas des bœufs* (1896) — *Le Bec en l'air* (1897) — *Amours, délices et orgues* (1898) — *Pour cause de fin de bail* (1899) — *L'Affaire Blaireau* (1899) — *Ne nous frappons pas* (1900) — *Le Captain Cap* (1902).
A ce qu'il a nommé fort joliment ses « œuvres anthumes », on doit ajouter ses « œuvres posthumes » : *A l'œil* (1921) et les *Templiers* (1952).

♦ Mais il faudrait également citer les énormes blagues dont ce prince des farceurs ne cessait d'émailler sa vie :
★ Assis à la terrasse d'un café, il crie au garçon :
— « Garçon ! un Picon grenadine... et un peu moins de vent, s'il vous plaît ! »
★ Un jour où, avec ses amis, il se trouvait par hasard dans la minuscule gare de DOZULE-PUTOT, il fit venir le chef de gare :
— « Je tiens à vous féliciter : vous avez là une ravissante petite gare... Vous au-riez cela rue Saint-Lazare à Paris, vous auriez un monde fou ! »

★ Voyageant en Belgique, il envoya à l'un de ses amis un bouchon sur lequel il avait gravé ces simples mots : « SOUVENIR DE LIEGE ! »

★ Répondant avec trois mois de retard à une lettre de Jules Renard, il lui écrivit : « Excuse-moi d'avoir tant tardé à te répondre mais, quand ta lettre est arrivée, j'étais dans le fond du jardin. »

★ Il se présenta chez un notaire qui avait une terre à vendre. Il demanda à voir la propriété.
— « Très bien ! J'en prendrai pour deux sous. »
— « Quoi ! Deux sous ? » s'écria le notaire stupéfait.
— « Oui, expliqua Allais. Je n'ai pas besoin de tout ce terrain, il me faut seulement de quoi faire une pipe, une pipe en terre. Et vous m'avez affirmé que la vôtre était de première qualité ! »

★ Il avait dédicacé certains livres de sa bibliothèque du nom de personnages illustres : « A Alphonse Allais, avec le regret de ne pas l'avoir connu » — et il avait signé : VOLTAIRE.

★ Un jour, Allais entre dans une pharmacie :
— Faites-vous des analyses d'urine ?
— Bien sûr.
— Alors, dit Allais, donnez-moi vite un bocal, stérilisé, naturellement !
Allais remplit le bocal et annonça qu'il repasserait le soir même. Il ne revint jamais. Il n'avait aucun besoin d'analyse d'urine. C'était simplement un besoin tout court !

♦ Et cet homme dont les Contes faisaient rire la France entière était un homme lugubre. Personne ne se souvenait de l'avoir vu rire et, lorsqu'il plaisantait, c'était de l'air le plus sinistre.

Comme il écrivait toujours au café, il s'adonna vite à la boisson, à l'absinthe qui, en ce temps-là, faisait des ravages. Sacha Guitry disait de lui qu'il ne l'avait « jamais vu ivre, jamais dégrisé ».

♦ En 1905, Alphonse Allais eut une phlébite. Le docteur lui ordonna six mois de lit. Il préféra se lever et aller au café. Rencontrant un ami, il lui demanda de le reconduire à l'hôtel Britannia, 24, rue d'Amsterdam, où il habitait, en l'absence de sa femme.

— « Demain, je serai mort », lui dit-il. « Vous trouvez ça drôle, mais moi, je ne ris pas. Demain, je serai mort ! »

Le lendemain matin 28 octobre, vers 8 heures, il mourait d'une embolie foudroyante. Il avait cinquante et un ans. On l'enterra au cimetière de Saint-Ouen. Sa tombe disparut en 1944, au cours d'un bombardement.

◆ Alphonse Allais « a rétabli l'équilibre de l'univers en traitant avec désinvolture des sujets les plus sérieux et en dissertant avec gravité sur les choses les plus légères. Il restera sans doute comme un philosophe beaucoup plus important que Kant, Spinoza et Jean-Paul Sartre. Naturellement, c'est aussi un humoriste »

Voici quelques immortels échantillons de la pensée philosophique allaisienne :

★ *On s'est aperçu que les cheveux examinés au microscope apparaissent creux. D'où l'expression « tuyau de poil ! »*

★ *Ce qui frappe le plus l'odorat du voyageur quand il arrive à Venise, c'est l'absence totale de parfum de crottin de cheval.*

★ *Les Italiens sont un peuple tellement musicien qu'au lieu de dire 20 sous comme chez nous, ils disent « une lire ».*

★ *Dieu a agi sagement en plaçant la naissance avant la mort : sans cela, que saurait-on de la vie ?*

★ *L'homme est plein d'imperfections, mais on ne peut que se montrer indulgent si l'on songe à l'époque où il fut créé.*

Comme il n'aimait guère la compagnie de petits enfants turbulents, il avait coutume de dire :

★ *Il est des jours où l'absence d'ogre se fait cruellement sentir.*

★ *Il faut demander plus à l'impôt et moins au contribuable.*

★ *Tout est en tout et vice-versa.*

Il serait dommage de devoir quitter si vite Alphonse Allais. Nous retrouverons cet homme de génie tout au long de ce petit volume. (Voir les rubriques : COMBLES, FABLES-EXPRESS, INVENTIONS, OLO-RIMES, RIMES.)

**Ouvrages consultés :**
— Hervé Lauwick : *D'Alphonse Allais à Sacha Guitry*, Plon.
— *Œuvres anthumes et posthumes d'Alphonse Allais* présentées par François Caradec — La Table Ronde.
— *Humour 1900* — J.-C. Carrière, J'ai Lu.

# Amour

Qu'est-ce au juste que l'Amour lorsqu'on l'écrit avec un grand « A » ?

★ Est-ce un petit dieu malin, aux yeux et à l'arc bandés, tirant ses flèches au hasard, que l'on nomme aussi Eros ou Cupidon ?

★ L'Amour, qui coule de source, qui n'en finit pas de couler, n'est-ce pas un fleuve interminable (4 354 km), un de ces fleuves dont on fait les romans et qu'on appelle aussi SAKHA-LINE ou HEI-LONG-KIANG ?

★ L'Amour, pourquoi s'en ferait-on une montagne à moins d'être Algérien et d'avoir à gravir les 1 977 mètres de ce djebel ?

Oui, mais l'amour, l'amour quotidien, l'amour-toujours, celui qui est enfant de Bohème et avec qui l'on ne badine pas, celui-ci s'écrit avec une minuscule bien qu'il naisse souvent d'une rencontre... capitale ?

Tous les auteurs ont parlé de l'amour, que ce soit pour s'en moquer ou pour le sublimer.

Avec les phrases inspirées par l'amour on remplirait une bibliothèque. En voici quelques unes, à peine de quoi meubler une page ou deux.

_Ce qu'il y a d'ennuyeux dans l'amour, c'est que c'est un crime où l'on ne peut pas se passer d'un complice._ BAUDELAIRE

_L'amour décroît quand il cesse de croître._ CHATEAUBRIAND

_Quand on n'aime pas trop, on n'aime pas assez._ BUSSY-RABUTIN

_Amour ? Le coq se montre, l'aigle se cache._ VICTOR HUGO

_L'amour, tel qu'il existe dans la société, n'est que l'échange de deux fantaisies et le contact de deux épidermes._ CHAMFORT

_L'homme et la femme, l'amour, qu'est-ce ?
Un bouchon et une bouteille._ JAMES JOYCE

_Qui a le plus de plaisir et de bien dans l'amour ? L'homme ou la femme ? Avisez que si l'oreille vous démange et la grattiez de vostre petit doigt, qui a le plus de plaisir ? eh bien ? N'est-ce pas l'oreille ?_ BEROALDE DE VERVILLE

_L'amour consiste à être bête ensemble._ PAUL VALERY

_Si l'amour donne de l'esprit aux sots, il rend parfois bien sots les gens d'esprit._ NINON DE LENCLOS

_L'homme commence par aimer l'amour et finit par aimer une femme. La femme commence par aimer un homme et finit par aimer l'amour._ REMY DE GOURMONT

_L'amour tue l'intelligence. Le cerveau fait sablier avec le cœur. L'un ne se remplit que pour vider l'autre._ JULES RENARD

_L'amour est un repos laborieux._ E. HELLO

_L'amour n'est pas aveugle, il est atteint de presbytie. La preuve, c'est qu'il ne commence à distinguer les défauts que lorsqu'il s'éloigne._ MIGUEL ZAMACOÏS

_En amour, il n'y a que la conquête et la rupture qui soient intéressantes. Le reste n'est que du remplissage._ MAURICE DONNAY

_Le plus beau moment de l'amour, c'est quand on monte l'escalier._ CLEMENCEAU

_Nous vivons en un temps où l'amour se fait vite, c'est-à-dire mal — la faute en est aux affaires, aux automobiles et aux fermetures Éclair._ LOUIS TEISSIER DU CROS

_Aimer, c'est trouver sa richesse hors de soi._ ALAIN

_L'amour est cette merveilleuse chance qu'un autre vous aime encore quand vous ne pouvez plus vous aimer vous-même._ JEAN GUEHENNO

15

## Anagramme

◆ L'anagramme, simple jeu de lettres connu depuis l'antiquité, n'est pas — comme son nom pourrait donner à croire — une quelconque unité de poids, sous-multiple du gramme. Vieux comme le monde, ce jeu pèse pourtant, aujourd'hui encore, d'un poids considérable dans les programmes quotidiens de notre deuxième chaîne de télévision : au jeu « DES CHIFFRES ET DES LETTRES », qui rive chaque soir douze millions de regards au petit écran, c'est l'anagramme qui est reine. Reine et pas roi ! Car autant vous le dire tout de suite pour vous permettre de gagner tous vos paris, « anagramme » appartient au genre féminin.

ANAGRAMME est composé de deux mots du grec ancien :

**Ana** qui indique le « renversement » et **Gramma** qui signifie « lettre ».
Une anagramme, littéralement un renversement de lettres, consiste à fabriquer un mot nouveau ou une phrase nouvelle, en mélangeant les lettres d'un mot ou d'une phrase donnés.

**Aimer** est l'anagramme de **Marie**
**Signe** celle de **singe**,
**Crémerie** celle de **mercerie**, etc.

◆ Semblable en cela à beaucoup d'autres jeux d'esprit, l'anagramme connut une grande vogue à la cour du roi François Ier parmi les lettrés, enchantés de la redécouverte qu'ils venaient de faire du monde gréco-latin.
Ce devint même la coutume pour les écrivains de signer leurs œuvres de l'anagramme de leur nom. **François Rabelais** publia les deux premiers volumes de son _Pantagruel_ sous le pseudonyme d'_Alcofribas Nasier_, qui rappelait au passage qu'il avait le nez fort avantageux.
Le nom de **Voltaire** est l'anagramme de son nom véritable : _Arouet Le Jeune_, ainsi écrit à la latine : AROVET L.I.
**Paul Verlaine** se mettait souvent en scène dans ses poèmes sous le nom de _Pauvre Lélian._
**Boris Vian** signait volontiers _Bison Ravi_ ou _Brisavion_ et **Raymond Queneau,** _Rauque Anonyme_ ou _Don Evané Marquy._

On sait moins que le nom de l'un de nos plus talentueux romanciers et scénaristes, **Sébastien Japrisot** (L'Été meurtrier, La Dame dans l'auto) est formé des lettres de son vrai nom, Jean-Baptiste Rossi. De même, à une lettre près, le nom de **Marguerite Yourcenar** est l'anagramme de son patronyme : Crayencour.

Et **Françoise Giroud**, notre ministre-journaliste, n'a eu pour se fabriquer un nom de plume qu'à bousculer un peu les lettres de son vrai nom, Gourdji.

Quant à l'écrivain **Jean-François Josselin**, il vient de se conformer à cette tradition en signant Jess Lion un polar pastiche de la fameuse Série Noire.

Désireux de dépasser ces acrobaties littéraires, certains voulurent traquer au cœur même des noms leur secrète signification. En véritables alchimistes du verbe, ils manipulèrent les consonnes et les voyelles composant les noms pour tenter d'en extraire le sens qu'un facétieux destin y avait soigneusement dissimulé.

## LES EXEMPLES CÉLÈBRES ABONDENT :

Dans **Pierre Ronsard**, il y a « ROSE DE PINDARE ».

Le nom de la maîtresse de Charles IX, **Marie Touchet** donne, habilement sollicité, « JE CHARME TOUT ».

**Frère Jacques Clément**, l'assassin d'Henri III, ne pouvait d'évidence échapper à sa triste destinée, puisque les lettres de son nom sont celles mêmes de « C'EST L'ENFER QUI M'A CRÉÉ »

**« Napoléon, empereur des Français »** est la parfaite anagramme de cette phrase, saisissant raccourci historique : « UN PAPE SERF A SACRÉ LE NOIR DÉMON. »

Avec les lettres de **« Révolution Française »**, on peut composer cette prédiction hallucinante : « UN VETO CORSE LA FINIRA ».

Plus près de nous, André Breton a réuni à jamais **Salvador Dali** et son sens inné de la publicité payante dans cette anagramme impitoyable : « AVIDA DOLLARS. »

Il en est d'autres qui relèvent surtout de la polémique. Jamais **Proust** ne fut « PUR SOT » et il n'y eut qu'un adversaire politique pour désigner ainsi **Vincent Auriol** : « VOILA UN CRÉTIN. »

L'année 1983 a été marquée par la polémique des « avions renifleurs », qui opposa un ancien Président de la République au Gouvernement de la Gauche. La chose était presque trop belle pour être vraie et pourtant... Lorsque vous faites l'anagramme de **renifleur**, vous obtenez tout simplement « RUINER ELF ».

Dernière victime de l'anagramme politique : **Laurent Fabius** dont le nom donne : « NATUREL ABUSIF. »

# Angleterre

★ Ils sont fous ces Anglais ! Ils s'ingénient à ne faire rien comme tout le monde... je veux dire à ne faire rien comme nous. Peut-on se prétendre civilisé lorsqu'on conduit à gauche, qu'on boit de la bière tiède et qu'on sert le porto à la fin du repas ?

Est-ce à cause de leur teint rose que nous les appelons les « rosbifs » ? Ils nous rendent d'ailleurs la pareille en nous surnommant « froggies », comme si nous mangions des grenouilles à chaque repas.

Nous les imaginons coiffés d'un melon et ils nous voient un éternel béret sur la tête.

Nous sommes bavards, futiles, imaginatifs ; ils sont taciturnes, empruntés et traditionnalistes.

Bref, nous vivons dans deux univers bien différents qu'un océan sépare... c'est-à-dire un bras de mer de 30 km, à peine un large fleuve.

★ Si l'on faisait un sondage d'opinion des deux côtés de la Manche, on aurait la confirmation que le Français n'a jamais eu de plus profond ennemi que l'Anglais... et réciproquement. Mais à une question différente, il serait répondu avec non moins de conviction que la France est la meilleure amie de l'Angleterre... et réciproquement.

★ Depuis 1066, date à laquelle un certain Guillaume le Conquérant envahit l'Angleterre par surprise, nous ne cessons de trouver ce peuple sur notre chemin !

En 1415 à Azincourt, — chez nous ! — ils ont fait percer les rutilantes armures de nos chevaliers par leurs misérables fantassins équipés d'arbalètes, ce qui ne faisait pas partie de la règle du jeu !

En 1715, à Fontenoy, forts de l'autorisation que nous leur avions donnée, ils ont tiré les premiers, révélant ainsi un manque total d'éducation... qui ne leur a pas porté bonheur en l'occurrence.

Ils « nous » ont brûlé Jeanne d'Arc, ils « nous » ont fait mourir Napoléon. Allions-nous par hasard chercher la tranquillité en Afrique, qu'ils venaient à notre rencontre pour nous faire un mauvais parti... et c'était Fachoda... et c'était Mers-el-Kébir.

A force de lui faire la guerre, chaque camp accusait l'autre de n'être pas héroïque. « Prendre la fuite » se dit chez nous « filer à l'anglaise » et chez eux « to take a French leave ».

Pourtant, ces maudits Anglais, nous les avons trouvés à nos côtés sur les champs de bataille des deux guerres mondiales et — mis à part un petit réflexe d'égoïsme aux environs de Dunkerque en 1940 — ils ont vaillamment combattu avec nous dans le camp de la Liberté. Alors ?

« Ennemi héréditaire » ou « entente cordiale » ?

Les deux mon capitaine ! Un point partout et la balle au centre.

Ce qui ne nous interdit pas le moins du monde de plaisanter les Anglais sur leurs ridicules et leurs travers. Et ce ne sont pas les sujets qui manquent.

★ Voici quelques formules choisies parmi les plus percutantes. On remarquera au nombre de leurs auteurs quelques noms anglais, ce qui prouve que ce peuple possède au moins une qualité incontestable : *l'humour*.

*Les Anglo-Saxons : des neurasthéniques aux joues roses.* Julien Green, *Journal.*

*Les Anglais, c'est drôle quand même comme dégaine, c'est mi-curé, mi-garçonnet.* L. F. Céline, *Mort à crédit.*

*C'est drôle, vous autres Anglais, quand vous êtes à côté d'une jeune fille, c'est vous qui avez l'air vierge.* R. de Flers, *Les Vignes du Seigneur.*

*Les Anglais sont occupés, ils n'ont pas le temps d'être polis.* Montesquieu

## LES DISTRACTIONS EN ANGLETERRE ?

*Il n'est pas interdit de penser que si l'Angleterre n'a pas été envahie depuis 1066, c'est que les étrangers redoutent d'avoir à y passer un dimanche.* P. Daninos, *Les Carnets du Major Thompson.*

*En Angleterre, nous n'avons pas d'autres distractions que le vice et la religion.* Sydney Smith

*Les Français sont des gastronomes de l'amour, les Anglais des exécutants.* P. Daninos

*Dans sa bonté infinie, Dieu a donné la pluie aux Anglais afin de leur fournir pour l'éternité un sujet de conversation.* Anthony Chester

*Il se peut que les Anglais aiment la musique mais ils aiment surtout le bruit qu'elle fait.* Sir Thomas Beecham, chef d'orchestre.

*Si le silence est d'or, l'Angleterre est le pays le plus riche du monde.* Jane Rouch, *Le rire n'a pas de couleur.*

## LA FEMME ANGLAISE ?

*Le féminisme ne peut être une question de sexe puisque le Français est plus femme que l'Anglaise.* Nathalie C. Barney

*Les Anglaises adorent les chevaux mais elles semblent ignorer le bidet.* Hervé Lauwick

*Lorsqu'une Anglaise est habillée, ce n'est plus une femme, c'est une cathédrale. Il ne s'agirait pas de la séduire mais de la démolir.* Gavarni

*Ses robes viennent de Paris mais elle les porte avec un fort accent anglais.* Saki

*L'Angleterre est le paradis des femmes, le purgatoire des hommes et l'enfer des chevaux.* John Florio

## LA CUISINE ANGLAISE ?

*Devant la cuisine anglaise, il n'y a qu'un seul mot : « soit ! »* Paul Claudel, *Journal.*

*On ne trouve en Angleterre de fruits mûrs que les pommes cuites et de poli que l'acier.* COMTE DE LAURAGAIS

*La cuisine anglaise : si c'est froid, c'est de la soupe, si c'est chaud, c'est de la bière.* ANONYME

*En France, nous avons 300 sauces et 3 religions. En Angleterre, ils ont 3 sauces mais 300 religions.* TALLEYRAND

## LA POLITIQUE ANGLAISE ?

*La Grande-Bretagne elle-même est une île flottante qui, selon les inflexions de sa politique, se rapproche ou s'éloigne de l'Europe.* ALFRED FABRE-LUCE

*L'Angleterre qui reproche à la Russie sa Pologne ne voit pas l'Irlande qu'elle a dans l'œil.* VICTOR HUGO

*L'Angleterre, cette colonie française qui a mal tourné.* CLEMENCEAU

*Je ne pardonnerai jamais à la perfide Albion d'avoir brûlé Jeanne d'Arc sur le rocher de Sainte-Hélène.* CHRISTOPHE, *La Famille Fenouillard.*

## L'ÉGOÏSME ANGLAIS ?

Un titre de journal anglais : « *Brouillard sur l'Angleterre, le continent est isolé.* »

*L'Angleterre attend de chaque Américain qu'il fasse son devoir.* Parodie américaine du célèbre ordre du jour de l'AMIRAL NELSON

Pour terminer laissons le dernier mot à ce grand sociologue que fut Alphonse Allais et qui résume bien la tendance qu'ont les Anglais de faire toujours tout à l'envers :

« *Alors qu'en France nous donnons à nos rues des noms de victoires, en Angleterre ils leur donnent des noms de défaites : Trafalgar Square, Waterloo Place, etc.* »

---

## *Arc de Triomphe*

◆ A l'ouest de Paris s'élevait une colline que les Parisiens — qui exagéraient quelquefois ! — appelaient MONTAGNE DE CHAILLOT. Il y a de cela quatre siècles, elle était couverte de vignes et de jardins qui descendaient jusqu'aux Tuileries.

★ 1628 : MARIE DE MÉDICIS, désireuse de prolonger la perspective des Tuileries, y fit ouvrir une allée jusqu'à notre actuel Rond-Point des Champs-Élysées. Baptisée le *GRAND COURS*, elle fut prolongée cent ans plus tard jusqu'au sommet de la colline. Un demi-siècle après, en 1772, elle atteindra le PONT DE NEUILLY. Cette superbe avenue champêtre qui escaladait la colline, avant de la redescendre jusqu'au fleuve, était une réussite. Mais le besoin se faisait sentir de parachever l'œuvre en érigeant un monument à son point culminant.

★ L'architecte SOUFFLOT, trouvant la pente trop raide, ordonne que l'on rase le sommet de la MONTAGNE DE CHAILLOT. Les travaux commencent en 1774 : la montagne y perdra 16 m de hauteur.

★ 1806 : NAPOLÉON veut élever un gigantesque monument à la gloire de la GRANDE ARMÉE. Mais, où le mettre ? L'Empereur a une préférence pour la Place de la Bastille. Après divers emplacements, on lui propose de faire dresser ce monument au sommet de la Montagne de Chaillot où il deviendrait le centre d'un nouveau quartier aristocratique. Le problème de l'emplacement du monument ainsi résolu, restait à décider de sa forme. Parmi les projets soumis à l'Empereur figurait celui d'un immense éléphant, symbole de la Campagne d'Égypte, qui cracherait de l'eau par sa trompe et dont les flancs abriteraient un musée militaire. Ce pachyderme de 24 m de hauteur serait coulé en bronze avec le métal des canons pris à la bataille de FRIEDLAND ; il serait entouré de vingt-quatre bas-reliefs de marbre illustrant les sciences et les arts. On en fit un modèle en plâtre qu'on installa Place de la Bastille pour que les Parisiens puissent l'admirer (Décret impérial du 24 février 1811). Ce pauvre éléphant vieillit tristement, oublié sous son hangar vitré. On finit même par le peindre en vert (Dans « *Les Misérables* », Victor HUGO imagine que Gavroche habite à l'intérieur de l'Éléphant de la Bastille). Napoléon, grand admirateur de la civilisation romaine et désireux d'imiter la gloire des empereurs, se décide en faveur d'un Arc de Triomphe qui serait placé au sommet de la Montagne de Chaillot. Il en pose la première pierre le 15 août 1806, jour de son 37e anniversaire. Les travaux se poursuivront pendant une année sans que l'on sût la forme définitive qu'aurait le momument.

★ En 1807, le projet de l'architecte CHALGRIN sera retenu parmi tous les autres. Il était temps : les fondations commençaient à sortir de terre.

Trois ans plus tard, les travaux n'étaient guère avancés. Colère de Napoléon qui aurait voulu que l'Arc triomphal fut achevé pour son mariage avec Marie-Louise. A l'Empereur rien d'impossible ! il décide de faire édifier un faux Arc de Triomphe, bâti comme un décor de théâtre, en charpentes de bois et en toiles peintes. En vingt jours, le simulacre est terminé. Le peintre LAFFITE y dessine même quelques bas-reliefs en trompe-l'œil.

Le lendemain de l'entrée officielle de l'Impératrice, le décor sera détruit. Il avait coûté 511 345,29 francs indique Guy BRETON dans ses *« Curieuses histoires de l'Histoire »*.

Les travaux sont abandonnés pendant près de dix ans, de 1814 à 1823, date à laquelle Louis XVIII décida que l'Arc serait terminé. Les piliers montent, on termine la voûte.

Les travaux seront interrompus une fois encore par la Révolution de Juillet, mais reprendront dès l'avènement de Louis-Philippe. Enfin, le 29 juillet 1836 l'Arc, commencé depuis trente ans, est inauguré.

Haut de 50 m, large de 40 m, profond de 22 m, il a fière allure. Il a coûté 9 651 115 francs. Ce qui est drôle, nous dit Guy BRETON, c'est que chacun des régimes qui a participé à son érection a versé, à peu de chose près, la même somme :

| | |
|---|---|
| L'Empire | : 3 200 000 francs |
| La Restauration | : 3 100 000 francs |
| Louis-Philippe | : 3 350 000 francs |

L'Arc n'est pourtant pas achevé : il lui manque un « couronnement ». Quel groupe de statues va-t-on placer à son sommet : un aigle entouré de soldats ? La France assise sur un lion ? Le char de la Patrie tiré par quatre chevaux ?

Lorsqu'en 1840, les cendres de Napoléon ramenées de Sainte-Hélène doivent passer sous l'Arc de Triomphe, on construit à la hâte, en bois et en plâtre, un groupe représentant « Napoléon sur un trophée d'armes conquises et entouré des attributs de la Victoire ». Il ne durera que le temps de la cérémonie. On décidera, en définitive, de ne rien mettre du tout. Et c'est bien mieux comme ça.

Depuis, l'ARC DE TRIOMPHE, a connu des heures tragiques et glorieuses.

En **1871** — Les Prussiens viennent y camper pendant trois jours. Lorsqu'ils partiront, « les Parisiens allumeront des feux de paille sur les Champs Élysées pour assainir l'air ».

**1er juin 1885** — Funérailles nationales de Victor Hugo. Le catafalque géant est dressé sous la voûte.

**16 avril 1919** — Le sergent Godefroy passe en avion sous l'Arc de Triomphe.

**14 juillet 1919** — Défilé de la Victoire.

**28 juin 1921** — Inhumation sous la voûte, du Soldat Inconnu.

**1923** — Sur la suggestion de deux écrivains, MM. Gabriel BOISSY et BINET-VALMER il est décidé qu'une flamme éternelle brûlera sous l'Arc, afin de commémorer le sacrifice de nos morts.

**14 juin 1940** — Les Allemands y défilent en vainqueurs.

**26 août 1944** — Effaçant quatre années d'humiliation et de deuils, ce sera le défilé triomphal de tout le peuple de Paris descendant les Champs-Élysées derrière le Général de GAULLE et les principales personnalités de la France Libre.

**Documentation** *« Curieuses histoires de l'Histoire »* Guy BRETON Presses Pocket

---

# Argent

Nous sommes tous égaux devant une commune nécessité, celle où nous nous trouvons de devoir travailler pour gagner de l'argent. Bien sûr, l'inégalité commence avec la somme d'argent reçue par chacun en échange de son travail.

Ce que les économistes nomment la hiérarchie (ou l'éventail) des salaires est plus ou moins accentuée selon les pays. En France, que l'on classe volontiers parmi les pays les moins égalitaires, la différence s'accroît encore avec le vocabulaire : il n'existe pas moins d'une bonne douzaine de façons de gagner sa vie.

Un employé touche des **appointements**.
Un officier ministériel perçoit des **émoluments**.

**20** Un médecin, un avocat, des **honoraires**.
Un employé de maison, des **gages**.
Un employé de commerce, une **guelte**.
Un commerçant, des **bénéfices**.
Un représentant, une **commission**.
Un propriétaire, un **loyer**.
Un fonctionnaire, un **traitement**.
Un travail à durée déterminée entraîne une **vacation**.
Un militaire reçoit une **solde**.
Un administrateur de société perçoit des **jetons de présence** et des **tantièmes**.
Un comédien, un **cachet**.

Le mot qui pourrait convenir à la plupart des cas serait le mot **salaire** dont l'étymologie rappelle les temps lointains où l'homme travaillait pour gagner son sel.

**EN ARGOT**, la notion d'argent est celle qui — juste après le sexe — aura engendré le plus de mots différents.
Classés alphabétiquement, voici quelques-unes des appellations argotiques qui ont été employées depuis le début de ce siècle pour désigner l'argent en général, les billets ou la monnaie.

L'**artiche**, l'**aspine**, l'**aubert**, les **balles**, les **biftons**, le **blé**, le **carbi**, le **carbure**, les **fafiots** ou les **fafs**, le **flouze**, le **fric**, le **grisbi**, du **love**, de l'**oseille**, de l'**osier**, des **pépettes**, du **pèze**, des **picaillons**, du **pognon**, des **radis**, des **ronds**, la **soudure**, les **talbins**, la **vaisselle de fouille**, etc.

**LA LANGUE VERTE** possède aussi sa propre échelle des valeurs monétaires dont l'énoncé permet de suivre la dégradation progressive qu'a connue le Franc depuis la Belle Époque jusqu'à mardi dernier :

**1 sou** (5 centimes) : un FLÈCHE, un BOURGUE.
**5 sous** (25 centimes) : un LINCSÉ.
**10 sous** (50 centimes) : un LIDRÉ.
**1 franc** (20 sous) : un LINVÉ, un BADIGEON.
**2 francs** (40 sous) : un LARANQUÉ.
**5 francs** : une THUNE, une BOUGIE.
**20 francs** : un CIGUE.
**20 francs-or** : un COQ, un COQUELICOT, un NAP'.
**50 francs** : une DEMI-PILE, une DEMI-JAMBE, une DEMI-JETÉE, une DEMI-LIVRE.
**100 francs** : une PILE, une JAMBE, une LIVRE.
**1 000 francs** : un LACSÉ ou LACSATIF, un BARDA, un SAC, un RAIDE, un TICKET ou un TICKSON.
**1 000 000 centimes** : une UNITÉ, une BRIQUE.
**1 000 000 francs** : un BATON.

Et voici quelques-unes des pensées profondes que l'argent a inspirées :

◆ *Il faut choisir dans la vie entre gagner de l'argent et le dépenser : on n'a pas le temps de faire les deux*. Édouard Bourdet *(Les Temps difficiles)*.

◆ *L'argent n'est que la fausse-monnaie du bonheur* E. ET J. DE GONCOURT

◆ *Nous ne pensons qu'à l'argent : celui qui en a pense au sien, celui qui n'en a pas pense à celui des autres.* Sacha Guitry

◆ *C'est déjà bien ennuyeux de ne pas avoir d'argent, s'il fallait encore s'en priver !* Paul Morand

◆ *Personne n'accepte de conseils, mais tout le monde accepte de l'argent : donc l'argent vaut mieux que les conseils.* Jonathan Swift

◆ *L'argent ne fait pas le bonheur de celui qui n'en a pas.* Boris Vian

◆ *Quand j'étais jeune, je croyais que, dans la vie, l'argent était le plus important. Maintenant que je suis vieux, je le sais !* Oscar Wilde

◆ *Il faut regarder l'argent de haut, mais ne jamais le perdre de vue.* André Prévot

◆ *Il faut mépriser l'argent, surtout la petite monnaie.* François Cavanna

◆ *Si l'argent ne fait pas le bonheur... rendez-le !* Jules Renard

# Automobile

Les premiers véhicules automobiles étaient propulsés par la seule énergie connue à l'époque : la vapeur.
**1769** - L'ancêtre fut « LE FARDIER » à trois roues de François Nicolas CUGNOT - Construit sur ordre du Duc de Choiseul aux frais du roi.
Une énorme chaudière à l'avant - 2 cylindres en bronze - vitesse : 3,5 km/h.
**1771** - Deuxième « FARDIER » de CUGNOT - capacité de charge 5 t - vitesse : 3,5 km/h. Ce véhicule présentait un inconvénient de taille : il fallait s'arrêter toutes les 10 minutes pour faire remonter la pression.
Pendant près d'un siècle, les voitures automobiles ressembleront à des locomotives. Puis, chemin de fer et automobile évolueront de façon séparée.
**1861 - 1865** - « LOCOMOTIVES ACTS » en Grande-Bretagne. Ces décrets limitent la vitesse des *locomotives routières* à 6 km/h sur route et à 3 km/h dans les villes. Pour avertir du danger, un homme à pied doit les précéder en agitant un drapeau rouge.
**1862** - Mémoire d'ALPHONSE BEAU DE ROCHAS, énonçant le principe du « cycle à 4 temps ».
**1864** - Le moteur à explosion est mis au point par l'allemand OTTO, le bien nommé !
**1872** - Char à vapeur « l'OBÉISSANTE » d'Amédée BOLLÉE, un fondeur de cloches du MANS - 12 voyageurs.
**1875** - « l'OBÉISSANTE » relie LE MANS à PARIS (230 km) en 18 heures.
**1878** - « LA MANCELLE » d'Amédée BOLLÉE - premier moteur à cylindres verticaux placés sous le capot à l'avant.
**1879** - « La MARIE-ANNE » d'Amédée BOLLÉE remorque 100 t. en palier à 10 km/h.
**1880-1881** - Voitures de Camille FAURE et Jules RAFFARD (à accumulateurs) et TROUVÉ (à piles).
**1883** - Premier moteur à pétrole de Gottlieb DAIMLER.
**1883** - Le filateur Edouard DELAMARRE - DE BOUTTEVILLE réalise avec son chef mécanicien Léon MALANDIN la première voiture automobile actionnée par un moteur à explosion (d'abord, au gaz d'éclairage puis à l'essence de pétrole) qui ait roulé en vitesse sur une route. C'était un break de chasse sous la caisse

duquel avait été installé un moteur de 8 CV.
**Mai 1885** - Fonctionnement de la première voiture à essence : MOTORWAGEN de K. F. BENZ de Karlsruhe - tricycle de 250 kg - 15 km/h.
**1887** - Premier tricycle à vapeur du marquis Albert de DION.
**1889** - Première voiture à vapeur de Léon SERPOLLET.
**1889** (1er mai) - La « JAMAIS CONTENTE » électrique de Camille JENATZY dépasse pour la première fois au monde la vitesse de 100 Km/h (105,882 Km/h).
**1902** - SERPOLLET bat le record mondial de vitesse pure qu'il porte à 120,805 km/h.

◆ Et puis en quelques années, vont intervenir la plupart des progrès qui rendront possibles les performances de la voiture d'aujourd'hui :
**1895** - **Le pneu démontable**, invention des Frères MICHELIN de Clermont-Ferrand.
**1898** - **La boîte de vitesses** avec prise directe et marche arrière, construite par Louis RENAULT.
**1905** - **Le frein à disque**, par le constructeur Alexandre DARRACQ.
**1908** - Sortie de la ROLLS-ROYCE « Silver Ghost » - La meilleure voiture du monde d'après la publicité.
**1908** - Henry FORD commercialise la FORD T., première voiture construite en grande série sur chaîne de montage - 350 pièces. Toutes les voitures rigoureusement semblables pour arriver au prix le plus bas possible - « Le client peut demander n'importe quelle couleur pourvu qu'elle soit noire ».
**1912** - **Le démarreur électrique** dû à CADILLAC.

**1933** - La COCCINELLE « VOLKSWA-GEN » est conçue en Allemagne par Ferdinand PORSCHE à la demande d'Hitler. Il en sera fabriqué 20 millions d'exemplaires.
**1946** - Sortie de la 4 CV RENAULT;
**1949** - Sortie de la 2 CV CITROËN. Elle avait été préparée en 1938 (« un parapluie sur 4 roues ») et la guerre en avait interrompu la réalisation.
**1954** - Naissance de la D.S. CITROËN.

♦ L'auto (« *la bagnole* » disait le Président Pompidou) est indissociable de notre vie quotidienne. Depuis 1898, elle a son Salon. Le premier s'est tenu à Paris sur la terrasse des Tuileries. Puis, en 1901, il fut transféré au Grand-Palais. Depuis, l'auto est devenu l'objet d'un culte passionné, un moyen de promotion sociale, un inépuisable sujet de conversation, un symbole érotique, une façon d'affirmer sa virilité et une arme meurtrière (voir ACCIDENTS). Accessoirement, elle est un moyen de se déplacer.

♦ *« Le jour où les autos penseront, les Rolls-Royce seront nettement plus angoissées que les taxis »* Henri Michaux

♦ *« Tu sais pourquoi les producteurs de films ont tous des Rolls-Royce ? C'est parce que, dans le métro, il faut payer comptant ! »* Michel Audiard

♦ *« Une 2 CV usagée vaut mieux qu'une Rolls neuve... à condition qu'elle vienne de la droite.* Francis Blanche

♦ *Le chauffeur est, de loin, la partie la plus dangereuse de l'automobile.* Léo Campion

♦ *Les Français mettent dans leur voiture autant d'amour-propre que d'essence.* Pierre Daninos

## *Automobile (morts en)*

Rutilante, dorée sur tranches, brillant de tous ses chromes, irrésistiblement attirante, l'automobile n'est trop souvent que le véhicule éclatant du deuil et de la mort. Par milliers chaque année, le week-end de préférence, des inconnus ont rendez-vous sur la route avec leur destin, sans qu'ils représentent autre chose qu'une unité supplémentaire dans la statistique globale du ministère des Transports.

Pourtant, lorsque des personnages célèbres meurent au volant, il arrive que leur voiture entre avec eux dans l'histoire, la grande ou la petite.

★ **Mercredi 28 juin 1914**, l'Archiduc **FRANÇOIS-FERDINAND D'AUTRICHE** et son épouse morganatique, la duchesse de Hohenberg se trouvent à **Sarajevo**, capitale de la Bosnie, récemment annexée par l'Autriche, afin d'assister aux grandes manœuvres de l'armée. Aucune surveillance autour du cortège bien que la police ait été prévenue d'un complot fomenté par « la Main Noire », un mouvement terroriste pour l'indépendance de la Bosnie. L'Archiduc et son épouse ont pris place dans une GRÄF UND STIFT décapotable. A un carrefour, pendant que le chauffeur manœuvre, un étudiant de 19 ans, GAVRILO PRINCIP, les abattra de deux balles, une pour chacun. Cet attentat est à l'origine de la première guerre mondiale.

Si François-Ferdinand et la duchesse peuvent être considérés comme les deux premiers des 8 500 000 morts de la Grande Guerre, PRINCIP en sera l'un des derniers puisqu'il mourra de tuberculose en 1918 dans la prison où il purgeait une peine de vingt ans.

★ **Marseille** est en fête ce **9 octobre 1934**.
Dans une DELAGE noire de type D8 immatriculée 6068 CA 6, le roi **ALEXANDRE de Yougoslavie** et le ministre français des Affaires étrangères **Louis BARTHOU** remontent la Canebière sous les ovations. On a rabattu la capote pour que la foule puisse voir les deux personnalités. Soudain, un homme saute sur le marche-pied du véhicule et décharge son revolver sur les deux hommes qui vont mourir aussitôt. L'assassin est un Bulgare nommé VETITCHKO qui sera abattu par un cavalier de l'escorte.

★ **Le Prince LEOPOLD de BELGIQUE et sa femme**, la reine ASTRID de Suède sont en vacances en Suisse. Le jeudi **29 août 1935**, ils partent en promenade sur la route qui longe le lac des QUATRE-CANTONS, à bord de leur TORPEDO PACKARD de type 1932 (18 CV - 12 cylindres en V). La reine a 30 ans, elle est ravissante et adorée du peuple belge à qui elle a donné trois petits princes et

princesse Baudoin, Albert et Jose
phine Charlotte
Soudain, la voiture fait une embardée sur
la route mouillée, franchit le parapet et
entame une folle descente sur la prairie
qui descend vers le lac. Un arbre la
stoppe brutalement dans sa course. La
reine est projetée contre le tronc. Il est
9 h 55. La Belgique vient de perdre sa
reine et trois petits princes sont orphe
lins.

★ **JAMES DEAN** est devenu en trois
films — « A l'Est d'Eden », « La Fureur de
vivre » et « Géant » — l'idole de toute une
génération qui se reconnaît en cet ado
lescent tourmenté. Le **30 septembre
1955,** à bord de son spider gris-argent
PORSCHE 1500 R.S., il roule à tombeau
ouvert sur l'autoroute 41 qui traverse la
Californie de Los Angeles à Salinas où il
doit disputer une course. Il est 17 h 55.
Sur la Nationale 466, une grosse Limou
sine noire arrive près du carrefour. Son
conducteur, un commis voyageur, n'a pas
vu la Porsche. Il s'engage lentement. Sûr
de sa priorité, James Dean ne ralentit
pas. Le choc est terrible. L'acteur, la
nuque brisée, meurt sur le coup. Il avait
24 ans. Sa tombe à **Fairmount** est deve
nue un lieu de pèlerinage.

★ Le **4 janvier 1960**, une FACEL-VEGA
roule à vive allure sur la route de Sens à
Paris. Cette voiture, française par sa car
rosserie est équipée d'un moteur Chrys
ler de 325 CV. Au volant, l'éditeur **Michel
GALLIMARD**, à son côté l'écrivain **Al
bert CAMUS**, à l'arrière Madame Janine
GALLIMARD et sa fille Anne, 18 ans. Ils
reviennent de LOURMARIN, en Provence,
où l'écrivain possède une propriété.
MALRAUX vient de lui proposer de pren
dre la direction de la Comédie Française.
Camus préférerait le Théâtre de l'Athé
née.
Près de Montereau, à VILLEBLEVIN, la
Facel-Vega quitte la route et s'écrase
contre un platane. L'écrivain — âgé de
47 ans — et son éditeur sont tués sur le
coup

★ En **1963, Jean BRUCE** — de son vrai
nom Jean Brochet — a déjà écrit 87 ro
mans d'espionnage dont le héros est
Hubert Bonisseur de la Bath, le fameux
OSS 117.
Il rentrait chez lui à Chantilly à bord de sa
superbe JAGUAR Mark 2 de 3,4 litres,
immatriculée 117 HJ 60. Il tenait au chif
fre « 117 » considéré comme un fétiche !

Lorsque à 180 km/h, au lieu dit « Cham
plâtreux », sur la N 16, peu avant LU-
ZARCHES, sa voiture vint s'encastrer
dans un camion roulant en sens inverse.
Jean Bruce fut tué sur le coup. Pourtant,
OSS 117, son héros continue de vivre de
nouvelles aventures grâce au talent de
Josette Bruce, sa femme.

★ Tout près de Clermont-Ferrand, le
**28 septembre 1973,** à 10 h 40, une
ROLLS ROYCE s'écrase sur la route. A
son bord, le comique **Fernand RAY-
NAUD** vient de trouver la mort. Fatigué
de la vie épuisante qu'il menait, il avait
décidé de se retirer loin de la scène à
47 ans. Il devait l'annoncer le soir même,
à CLERMONT-FERRAND, au cours d'un
récital qui devait être sa représentation
d'adieu.

★ **Lundi 13 septembre 1982** - 9 h 15 :
après quelques jours de vacances passés
avec son époux le Prince RAINIER, **la
PRINCESSE GRÂCE** se prépare à quit
ter leur « Ranch » du Mont-Agel pour
redescendre vers MONACO.
Pas de chauffeur pour conduire la ROVER
3500 de 6 cylindres, Grâce conduira et sa
fille Stéphanie prendra place à ses cô
tés ; sur la banquette arrière elles ont
étalé des robes fragiles.
La route qui descend jusqu'au Golf est
très sinueuse. Après, il reste encore 4 ki
lomètres de lacets qui relient la Grande à
la Moyenne Corniche.
Dans la dernière épingle à cheveux, la
voiture ne ralentit pas, elle passe entre
deux parapets, effectue quelques ton
neaux, heurte des arbres et termine sa
trajectoire folle contre un pilier en ciment
dans le jardin d'une villa. La Rover prend
feu aussitôt. Des témoins accourus réus
sissent à en extraire Stéphanie, puis
Grâce. La souveraine de Monaco mourra
dans la nuit. D'après les premiers témoi
gnages et la position des blessés, on a pu
prétendre que c'était la jeune princesse
Stéphanie qui tenait le volant au moment
de l'accident. Mais, les témoins sont tous
revenus sur leur déposition.

◆ Ce ne sont là que huit morts très
célèbres parmi des centaines d'autres qui
se sont produites en automobile. (Dans le
chapitre « Morts bizarres », sont décrits
les accidents qui ont coûté la vie à la
danseuse ISADORA DUNCAN et à la
comédienne JAYNE MANSFIELD.)
On pourrait ainsi dresser un long martyro
loge de tous les personnages célèbres
qui ont achevé leur existence terrestre

dans la carcasse broyée d'une automobile, du coureur cycliste Jean ROBIC, à la journaliste Françoise CRAMER en passant par la jeune comédienne Françoise DORLEAC, sœur de Catherine DENEUVE, brûlée vive dans le brasier de sa voiture. Mais, ce triste sujet donnerait une note trop noire à un petit livre qui se veut optimiste

## Aymé (Marcel) — 1902-1967

◆ En apprenant la mort de Marcel AYMÉ, le 16 octobre 1967, Jean Anouilh prononça ces mots : « Sans Légion d'honneur, sans jeune ministre ému, sans honneurs militaires et sans brochette de vieillards déguisés, le plus grand écrivain français vient de mourir ».

◆ Toute sa vie, Marcel AYMÉ s'était tenu à l'écart des honneurs officiels : il avait refusé de faire partie de l'Académie Française en répondant à ceux qui le pressaient de poser sa candidature — « Moi pacifiste, j'endosserais à la rigueur un uniforme pour faire la guerre, mais écrivain, pas pour écrire ! »
Ceux qui, après la Libération, voulaient lui faire obtenir la Légion d'honneur n'eurent pas plus de chance. Il leur expliqua qu'il ne pouvait accepter cette distinction, alors qu'on poursuivait des écrivains pour délit d'opinion.
Et pourtant, lui à qui on reprochait d'avoir continué à collaborer pendant l'Occupation à certains journaux comme « La Gerbe » et « Je suis partout », il avait osé écrire le seul article s'élevant contre les mesures antisémites et qui fut refusé par la censure allemande.

◆ C'est dans l'Yonne, à JOIGNY que le 29 mars 1902, naquit le petit Marcel, dernier enfant d'une famille nombreuse. Sa mère meurt lorsqu'il a deux ans et son père, maréchal-ferrant, le confie aux parents de sa femme, petits industriels dans le village de Villers-Robert (Jura).
C'est là qu'il vivra pendant six ans, jusqu'à la mort de sa grand-mère en 1910. Après, il sera ballotté de droite et de gauche, recueilli par son oncle meunier, puis par une tante de Dole.
Bachelier en 1918, il suivra la classe de Maths-Spé à Besançon.
La maladie interrompra ses études. Après son service militaire en Allemagne occupée, il habitera Paris où il tâtera de plu-

sieurs petits métiers : la banque, l'assurance, le journalisme.

◆ En 1925, de nouveau malade, il emploiera ses loisirs forcés à écrire son premier roman, BRÛLEBOIS. Sa connaissance du monde paysan lui permettra d'écrire par la suite LA TABLE AUX CREVÉS (Prix Renaudot, en 1929) et surtout LA JUMENT VERTE (1933) dont la truculence fit scandale et qui lui assura une renommée durable.
Il publiera dès lors un roman par an, ainsi que des pièces et des dialogues de films.

◆ Bien que faisant partie du Paris littéraire dont il est une figure pittoresque et inattendue, Marcel Aymé vit sagement retiré à Montmartre à l'écart des modes. On peut le ranger, comme son ami CÉLINE, parmi les anarchistes de droite. Mais, alors que CÉLINE hurle et tonitrue, Marcel AYMÉ sourit et méprise.
Anarchiste, anticlérical, antimilitariste — malgré un frère général — il ne se fait aucune illusion sur notre humanité.
Sa cible préférée est une certaine bourgeoisie parvenue dont l'idéal est la médiocrité. Le pessimisme qui l'habite est si total qu'il peut se payer le « luxe de la pitié et d'une sorte de tendresse suave pour ces animaux à deux pattes dont on ne sait pas s'ils sont plus bêtes que méchants ».
Marcel AYMÉ est surtout un moraliste. Pour mieux souligner le caractère dérisoire de ses héros, il lui arrive d'introduire dans ses contes des éléments de surnaturel. Il prend un Français tout ce qu'il y a de moyen, sans vice ni vertu notables et il lui attribue un don surnaturel. Par exemple le pouvoir de traverser les murs :

*« Il y avait à Montmartre, au troisième étage du 75 bis de la rue Orchampt un excellent homme nommé DUTILLEUL qui possédait le don singulier de passer à*

*travers les murs sans en être incom-
modé. »*

C'est le début de la nouvelle « LE
PASSE-MURAILLE ». Quelques lignes et
tout est dit.

◆ Et cet autre Français moyen qui se
réveille un beau matin, coiffé d'une auréole :

*« M. DUPERIER était un homme si juste,
si pieux et si charitable que Dieu, sans
attendre qu'il mourût, et alors qu'il était
dans la force de l'âge, lui ceignit la tête
d'une auréole qui ne le quittait ni jour ni
nuit. »*

Voilà le début d'une autre nouvelle intitulée « LA GRACE ». Et il y a des tas d'autres personnages du même tonneau :
celui qui ne vit qu'un jour sur deux, le
peintre dont les tableaux ont le pouvoir
de nourrir ceux qui les regardent...
Avec de tels pouvoirs surnaturels, on
pourrait inventer des héros du genre
superman.
Marcel AYMÉ, lui, démontrera qu'en dépit de leurs dons, ses pauvres héros, ne
poursuivront que des buts étriqués et se
retrouveront aussi minables et démunis
qu'avant.

◆ Marcel AYMÉ n'aimait pas sortir et
n'accordait jamais d'interviews. Ses si-
lences étaient célèbres. Il préférait écouter ses contemporains qui lui fournissaient la matière première de ses romans.
Au cours d'un dîner mondain où on l'avait
traîné, tout le monde parlait, parlait. Lui,
le visage impassible, demeurait silen-
cieux. Sa jeune voisine se tourne vers lui :
— « Je sais, Monsieur, que vous n'aimez
pas parler, mais j'ai parié qu'au cours de
ce repas, vous me diriez au moins quatre
mots »..
— « Vous avez perdu ! » lui répondit
Marcel Aymé avec un grand sourire.

**Romans** : *Le Bœuf clandestin* (1939), *La
Belle Image* (1941), *Travelingue* (1941), *Le
Passe-Muraille* (1943), *Le Chemin des
écoliers* (1946), *Uranus* (1948), *En arrière*
(1950)... parmi les plus célèbres.

**Essai** : *Le Confort intellectuel* (1949).

**Pièces** : *Vogue la galère* (1947), *Lucienne
et le boucher* (1947), *Clérambard* (1950),
*La Tête des autres* (1952).

---

# Balzac (Honoré de) — 1799-1850

◆ Le seul écrivain doué d'assez de
souffle et d'imagination pour entreprendre avec succès le récit de la vie très
extraordinaire d'un certain Honoré de
Balzac n'aurait pu être qu'**HONORÉ DE
BALZAC** lui-même. Tout comme son
père, il fut le modèle le plus achevé du
héros balzacien obsédé par la course à
l'argent et assoiffé de la considération
sociale qu'il procure.

◆ *JE N'AI JAMAIS EU DE MÈRE*

Le père d'**Honoré de Balzac**, onzième
enfant d'une famille pauvre de paysans
du Tarn, se nommait en réalité **Bernard
François BALSSA**. Venu à pied jusqu'à
Paris pour y faire fortune, il échoua à
Tours... c'est-à-dire qu'il réussit à devenir une notabilité locale, administrateur
de l'hospice et adjoint au maire. En même
temps que sa position sociale, son nom
évolue : **BALSSA** devient **BALZAC** (qui
a le mérite d'entretenir la confusion avec
la famille très ancienne des DE BALZAC
D'ENTRAYGUES) et puis, de temps à
autre, *DE* BALZAC. Le fils, lui, adoptera
définitivement la particule hasardée par

le père. A l'âge de 53 ans, Bernard François épouse la jeune et jolie Laure SAL-
LAMBIER qui a 32 ans de moins que lui.
Quatre enfants naquirent, **Honoré** (le
20 mai, jour de la St-Honoré), puis **Laure,
Laurence** et **Henri**. Dès sa naissance, le
petit Honoré fut placé en nourrice puis,
mis en pension au collège de Vendôme.
Il passera huit ans dans cette prison, où
ses parents ne viendront le voir que trois
fois. A la fin de sa vie, le pauvre **Balzac**
souffrait encore de l'indifférence des
siens. *Je n'ai jamais eu de mère*, écrira-
t-il.

◆ *L'AMOUR N'EST PAS SEULEMENT
UN SENTIMENT, IL EST UN ART
AUSSI*

Le premier amour de **Balzac** se prénommait Laure, tout comme sa mère et sa
sœur préférée. **LAURE DE BERNY**, voisine de ses parents à Villeparisis, est
mariée et mère de sept enfants et elle a
45 ans. Après bien des réticences, elle
déniaisera Honoré qui n'en a que 22. Elle
sera pour lui l'amante, l'amie, la mère
qu'il dit n'avoir pas eue, la conseillère et

même la prêteuse de fonds. Il la nommait « dilecta », en latin : l'élue.

Lorsqu'il commence à connaître la gloire, **Honoré de Balzac** s'éprend de la Marquise de CASTRIES, une grande dame, qui « fera marcher » ce parvenu prétentieux et l'humiliera publiquement. Après l'avoir entraîné en voyage à sa suite, elle le congédiera dédaigneusement à Genève. Lui qui croyait atteindre enfin au bonheur, n'avait même pas eu le droit de dégrafer son corset.

Autre conquête de **Balzac** — une Laure de nouveau — la Duchesse d'ABRANTES, veuve du Général JUNOT. Elle n'est plus de la première fraîcheur. *C'est un monument assez délabré* (Stefan Zweig). Mais, pour un écrivain soucieux de documentation historique, quelle mine de renseignements ! Pensez ! Elle avait connu Bonaparte capitaine et avait eu comme amants MURAT, roi de Naples et le Prince de METTERNICH.

Un jour de 1832, **Balzac** recevra une lettre anonyme, signée « l'Étrangère » qui va transformer sa vie. Il découvrira vite l'identité de cette admiratrice : c'est une richissime Comtesse polonaise **EVA HANSKA**. Mariée au vieux Comte HANSKI — de 25 ans son aîné — elle s'ennuie à mourir en Ukraine dans sa propriété de 22 000 hectares où elle règne sur un peuple de 40 000 âmes et un bataillon de 2 000 domestiques.

Première rencontre en Suisse et coup de foudre réciproque. Ce seront 43 jours de bonheur. Le mariage, hélas ! est impossible et il faut se séparer, **Balzac** arrache à sa bien-aimée la promesse de l'épouser lorsque mourra le vieux mari. Celui-ci, peu pressé, les fera attendre dix ans. Enfin ! le 5 janvier 1842, **EVA HANSKA** est veuve, libre et riche. **Balzac**, fou de joie, croit qu'il va pouvoir épouser son amour... et, du même coup, désintéresser ses innombrables créanciers, grâce à l'immense fortune de la veuve.

Mais au moment décisif, voici qu'**EVA** hésite, tergiverse et s'enfuit parce qu'elle se refuse à lier son existence à celle d'un petit bourgeois peu raffiné, malade et couvert de dettes. Pendant sept ans encore, ils continueront de s'écrire et de jouer à cache-cache à travers l'Europe. La santé de **Balzac** empire à un point tel qu'**EVA** n'a plus le cœur de se refuser encore à celui qu'elle sent si près de sa fin.

Le 14 mars 1850 — dix-huit ans après la première lettre de « l'Étrangère » — leur mariage est célébré en l'Église Sainte-Barbe de Berditscheff, en Ukraine. Le « jeune marié » peut enfin revenir à Paris, sa Comtesse au bras. Mais, il est à toute extrémité. Il ne lui reste plus que cinq mois à vivre. Cent cinquante cinq jours seulement qui séparent la nuit des noces de la nuit éternelle. Pauvre **Balzac** qui disparaît au moment même où il croyait enfin avoir gagné le droit d'être heureux !

## ♦ LES AFFAIRES NE REPOSENT PAS SUR DES SENTIMENTS

Le malheur de la vie de **Balzac** fut que ce génie de la littérature se prit toute sa vie pour un grand homme d'affaires. Rêvant de faire fortune d'un seul coup, il se lancera, tête en avant, dans les entreprises les plus folles et y engloutira, non seulement l'argent qu'il n'a pas, mais aussi le patrimoine familial ainsi que celui de **Madame de Berny**.

Agé de 25 ans à peine, il s'improvise éditeur : il se ruine.

Il achète une imprimerie et une fonderie de caractères : c'est la faillite.

A l'âge où certains entrent dans la vie, il a déjà accumulé tant de dettes qu'il ne pourra jamais, même au prix du travail de toute une vie, rembourser ces sommes d'argent grossies sans cesse des intérêts accumulés. Et si encore il économisait ! Mais il vit comme un seigneur : appartement luxueux, loge à l'Opéra, cabriolet à ses armoiries avec chevaux de race et palefreniers en livrée. Il tient table ouverte, reçoit fastueusement, mange comme un ogre et s'habille comme un dandy. Sa canne, au pommeau d'or, ornée de 350 turquoises — une fortune ! — est restée célèbre.

Il lui vient sans cesse des idées géniales qui ne réussissent qu'à l'endetter davantage.

Il achète une mine d'argent en Sardaigne qu'il doit revendre pour une bouchée de pain. Il souscrit pour des actions des chemins de fer du Nord : les cours s'effondrent.

Il fait l'acquisition à Ville-d'Avray d'une villa, « Les Jardies », construite sur un terrain en pente et glaiseux. C'est un gouffre financier.

N'imagine-t-il pas, de surcroît, d'y entreprendre la culture industrielle des ananas ? Ses rêves s'enlisent dans la boue. Il doit de l'argent à tout le monde. Il se cache et fuit les huissiers. Toutes ses maisons ont une double sortie. Il en fait établir le loyer au nom de **Veuve Durand**.

On a calculé qu'il a occupé six cents adresses dans sa vie !

Alors, pour tenter désespérément de faire face à l'armée de ses créanciers et pour échapper à la prison pour dettes, il travaille, il travaille, il travaille...

♦ **J'AIME AUSSI LES ÊTRES EXCEPTIONNELS... J'EN SUIS UN !**

1829 : **Balzac** a 30 ans lorsqu'il publie son premier succès : *le Dernier Chouan*. L'année suivante, plusieurs romans, regroupés dans la rubrique *SCÈNES DE LA VIE PRIVÉE*, lui vaudront une popularité subite. Il est désormais condamné à devenir le forçat d'une production littéraire colossale et ininterrompue.

Dans la seule année 1832, il compose vingt-six romans. Il se couche à 18 heures, se fait réveiller à minuit, écrit douze, quinze et même dix-huit heures d'affilée, sort l'après-midi et se recouche. D'habitude, il s'enfermait pour six semaines ou deux mois, volets clos, rideaux tirés, vêtu de sa fameuse robe de chambre de dominicain, travaillant à la clarté de quatre bougies et se maintenant éveillé en buvant continuellement du café : un café non moulu mais concassé et infusé, une véritable bouillie de caféine.

Aussitôt qu'il absorbe cet excitant, son imagination se déchaîne, ses idées s'emballent.

En 1835, paraît *le Père Goriot* : il l'a écrit en trois jours et trois nuits travaillant jusqu'à vingt heures de suite. Ses cheveux blanchissent et tombent par poignées. Il écrit. Les chefs-d'œuvre s'ajoutent aux chefs-d'œuvre. Il est célèbre dans toute l'Europe.

Il a une idée géniale : faire revenir d'un roman à l'autre les personnages qu'il a créés, procédé qui donne une unité à son œuvre et une réalité au monde qu'il a inventé. Un de ses amis de retour d'Italie et influencé par le souvenir de **Dante** et de sa *DIVINE COMÉDIE* lui suggère comme titre de son œuvre *LA COMÉDIE HUMAINE*. C'est toute la Société du XIXe siècle qui a trouvé son **Dante**. Œuvre colossale qui devait comporter 137 romans. A cinquante ans, il en a écrit 91. Vingt ans de travail fou à raison de 2 000 pages par an !

♦ **LA GLOIRE EST LE SOLEIL DES MORTS**

**Balzac** aurait besoin d'une santé de fer pour achever sa *Comédie Humaine*. Sa manière de vivre est un suicide. Le médecin diagnostique une inflammation méningée et exige le repos absolu.

Mais se reposer n'est pas le genre de conseil que **BALZAC** peut suivre. Il continue de travailler. Ses membres enflent, une albuminurie profonde se déclare. Le 5 août, il se heurte à un meuble et la gangrène se déclare. Pourtant, il continue à faire des plans, des projets pour ses romans futurs.

Dans la nuit du 18 au 19 août 1850, il entre dans le coma, appelant à son secours le **docteur Horace Bianchon**, l'un de ses personnages : *Lui seul peut me tirer de là !* Sa tombe se trouve au Père-Lachaise. Son ami **Victor HUGO** au profit duquel il avait retiré sa candidature à l'Académie française, prononcera sur sa tombe une éblouissante oraison funèbre :

*Voilà l'œuvre qu'il nous laisse, œuvre haute et solide, robuste entassement d'assises de granit, monument ! Œuvre du haut de laquelle resplendira désormais sa renommée. Les grands hommes font leur propre piédestal ; l'avenir se charge de la statue !*

## Bande dessinée

♦ De tout temps, l'homme éprouva le besoin de raconter des histoires au moyen d'images. Déjà, cent trente siècles avant J.-C., quelques-uns de nos ancêtres de l'époque magdalénienne, représentaient sur les parois de la grotte de LASCAUX leur combat quotidien contre les bêtes sauvages.

Dix mille ans après eux, les Égyptiens couvraient de dessins et d'hiéroglyphes les murs des temples de leurs dieux et des tombeaux de leurs pharaons.

Plus près de nous, en 1077, la douce reine MATHILDE finissait de broder sur une toile longue de 70,34 m et haute de 0,50 m le récit des exploits de son Conquérant d'époux, **Guillaume Ier, duc de Normandie** qui, en 1066, était monté sur le trône d'Angleterre.

Vers la fin du XIXe quelques créateurs géniaux entreprirent de raconter des histoires en images. Mais, ce n'étaient pas là de vraies Bandes Dessinées puisqu'il leur manquait cet élément essentiel à la

B.D. qu'on nomme la **bulle** ou, plus scientifiquement le **phylactère**. Il ne faut pas se tromper : c'est le phylactère qui fait la **B.D.** plus sûrement que l'habit fait le moine.

Le mot existe depuis la nuit des temps. C'était à l'origine un porte-bonheur, un étui que les Juifs pratiquants portaient toujours sur eux et à l'intérieur duquel ils glissaient un morceau de parchemin sur lequel ils avaient écrit un verset de la Torah. Au Moyen Age, on appelait **phylactère** une banderolle que les peintres ou les maîtres verriers dessinaient au-dessus des Saints Personnages qu'ils représentaient et dans laquelle ils inscrivaient une phrase attribuée aux-dits Personnages.

Cette origine religieuse et savante de leurs **bulles** n'est sûrement pas pour déplaire aux fervents adeptes de la **B.D.**

## LES ANCÊTRES DE LA B.D.

◆ Parmi les véritables ancêtres de la **Bande dessinée,** quelques noms sont à retenir, celui du Suisse **TOPFFER,** de l'Allemand **WILHELM BUSH** (1832-1908), ainsi que ceux de trois Français, dont deux sont connus, même d'un public enfantin : ce sont **CARAN D'ACHE, CHRISTOPHE et BENJAMIN RABIER.**

★ **CARAN D'ACHE** (1859-1909) ce dessinateur né à Moscou se nommait en réalité EMMANUEL POIRÉ. Il avait choisi son pseudonyme d'après le mot KANRANDASH qui signifie « crayon » en russe. Il est connu pour ses dessins nationalistes et anti-dreyfusards.

★ **CHRISTOPHE** (1856-1945) était, sous son véritable nom de Georges COLOMB, le très sérieux sous-directeur du Laboratoire de botanique à la Sorbonne. Pour amuser les enfants, il imaginait *les Aventures du Sapeur Camember,* du *Savant Cosinus* et de *la Famille Fenouillard,* qu'il signait Christophe (parce que Christophe... Colomb... Ah, Ah, Ah !).

★ **BENJAMIN RABIER** (1864-1939) est le père de *Gédéon,* un canard français presque aussi célèbre que son confrère américain *Donald.*

Mais pour l'historien de la **B.D.,** les œuvres de ces ancêtres n'étaient que balbutiements. Il leur manquait encore la fameuse **bulle**.

## LA B.D. AUX ÉTATS-UNIS

◆ La **bande dessinée** est née aux États-Unis. Elle est un phénomène directement lié à la presse et qui s'est développé avec elle. La naissance officielle de la bande dessinée remonte à 1896, avec *THE YELLOW KID (le gamin jaune)* créé par **OUTCAULT.**

A cette époque, deux journaux se livraient une guerre acharnée : *Le New York World* de Joseph PULITZER et le *Morning Journal* de William Randolph HEARST.

C'est dans le *New York World* que parut pour la première fois un feuilleton en couleur relatant les aventures d'un gamin aux traits chinois qu'on baptisa *YELLOW KID.*

Immédiatement, le journal concurrent allait contre-attaquer et les créations se succéder à un rythme d'enfer :

- En 1897, **RUDOLF DIRKS** crée les *KATZEN-JAMMER,* ces affreux jojos encore connus de nos jours, en France, sous le nom de *PIM-PAM-POUM.*
- En 1902, **OUTCAULT** crée *BUSTER BROWN.*
- En 1913, *BRINGING UP FATHER* (en français : *LA FAMILLE ILLICO*) par **Mac MANUS.**
- En 1920, *WINNIE WINKLE* (en français : *BICOT*) par **BRANNER.**
- En 1924, apparaît pour la première fois *LITTLE ORPHAN ANNIE (la petite Annie)* par **GRAY.**

## LA B.D. EN FRANCE

◆ Comment prononcer en France le mot d'« image », sans évoquer aussitôt « les **images d'ÉPINAL** » qui naquirent en 1825 dans l'imprimerie PELLERIN. D'un dessin naïf, souvent patriotique et toujours moralisatrice, l'image d'Épinal était vendue en feuilles uniques par les colporteurs. Elle connut un succès éclatant pendant tout le XIXe.

◆ En 1889, l'éditeur ARMAND COLIN lance *Le Petit Illustré français,* un journal qui offrait la particularité de présenter chaque semaine sur une double page une histoire en images. Ce journal publia les aventures de *LA FAMILLE FENOUILLARD* et du *SAPEUR CAMEMBER* de **CHRISTOPHE.**

◆ 1905 : Naissance de *La Semaine de Suzette* où, dès le numéro 1, apparaît *BÉCASSINE,* l'immortelle héroïne de **Joseph Porphyre PINCHON.** Son succès incita un éditeur concurrent à publier un journal destiné également aux jeunes filles et ce fut *Fillette* dans lequel paraîtra une histoire qui connaîtra pendant des années un véritable triomphe : *LES MILLE ET UN TOURS DE L'ESPIÈGLE LILI* imaginée par **JO WALLE** et dessinée par **A. VALLET.**

Toutes ces parutions étaient trop sages au goût des cinq frères **OFFENSTADT** qui décidèrent de lancer des journaux plus populaires. Après *Le Petit Illustré*, ils firent paraître *L'Épatant* le 9 avril 1908. Dès son numéro 9, le journal publiait la série en images qui allait assurer sa gloire et consacrer le nom de son auteur : *LES PIEDS NICKELÉS* de **Louis FORTON.**

◆ **3 mai 1925** : voici la date historique que doit connaître tout amateur de **B.D.** C'est celle de la parution du nº 114 du journal *Le Dimanche illustré*. Afin de remplacer à la dernière minute une publicité, on cherche un bouche-trou. Ce sera le premier épisode de la première véritable **bande dessinée** française : *ZIG ET PUCE* veulent aller en Amérique d'**Alain SAINT-OGAN.**

En 1929, **Paul WINKLER,** un journaliste d'origine hongroise fonde l'agence de presse OPERA MUNDI qui représentera en France le *King Features Syndicate*, le plus grand producteur de **B.D.** aux U.S.A.

◆ Comme la plupart des journaux de l'époque se font tirer l'oreille pour publier des histoires en images, **Winkler** en est réduit à créer son propre journal. Avec l'autorisation de **WALT DISNEY** qui a inventé *MICKEY* en 1929, il sortira le 21 octobre 1934 le premier numéro du *Journal de Mickey*. Ce sera un succès prodigieux qui dure encore un demi-siècle plus tard.

**Paul Winkler** consolidera cet engouement pour la B.D. américaine en faisant paraître en 1936 *Robinson* et *Hop-la* en 1937. Le public français fait ses délices de *MANDRAKE*, du *FANTÔME*, de *JIM LA JUNGLE*, de *GUY L'ÉCLAIR (FLASH GORDON)*, de *BRICK BRADFORD* et de l'*AGENT SECRET X9.*

Signalons que la première B.D. française quotidienne est apparue en 1934. Ce sont les *AVENTURES DU PROFESSEUR NIMBUS* de **A. DAIX.**

## LA B.D. EN BELGIQUE

◆ L'histoire de la **B.D.** en Belgique, puis, dans le monde, est dominée par la personnalité d'**HERGÉ.** Né le 22 mai 1907, GEORGES RÉMI publie ses premiers dessins dans une petite feuille de chou — tout étonnée d'être entrée dans la légende — le *Boy Scout belge*, en février 1924. C'est dans ce même journal qu'il publiera la première bande dessinée belge *TOTOR, C.P. DES HANNETONS* à partir de juillet 1926 et jusqu'en 1929. *TOTOR* annonce déjà *TINTIN.*

**HERGÉ** entre ensuite, en 1927, au quotidien belge *Le Vingtième Siècle*. Les dirigeants du journal ont la bonne idée de lui confier un supplément pour les jeunes. Une grande page qui, une fois pliée, forme un petit journal de 8 pages — *Le petit vingtième*. Le premier numéro paraît le 1er novembre 1928. Dès le numéro 11, le 10 janvier 1929, **HERGÉ** commence à faire publier *TINTIN AU PAYS DES SOVIETS.*

Le jeune reporter *TINTIN* ne connaîtra plus désormais un instant de repos. Il découvrira le Congo (1930), l'Amérique (1931), l'Orient avec *LES CIGARES DU PHARAON* (1932), l'Extrême-Orient dans *LE LOTUS BLEU* (1934), l'Amérique du Sud avec *L'OREILLE CASSÉE* (1935), l'Angleterre et l'Écosse dans *L'ILE NOIRE* (1937), l'imaginaire royaume de Syldavie avec *LE SCEPTRE D'OTTOKAR* (1938). La série de *L'OR NOIR* qui conduisait TINTIN dans les Emirats arabes sera interrompue par l'invasion allemande au bas de la planche 56. Le *Vingtième Siècle* ayant cessé de paraître le 8 mai 1940, les lecteurs devront patienter plus de huit ans avant de connaître la suite : le 28 octobre 1948, *L'OR NOIR* paraîtra, mais dans l'hebdomadaire *Tintin*, cette fois.

Autre grand journal de **B.D.** : *Spirou*, lancé par l'éditeur belge **Jean Dupuis,** voit le jour le 21 avril 1938. C'est le dessinateur français **Robert Velter** (ROB-VEL) qui est chargé de créer le personnage de *SPIROU* (en wallon, un « Spirou » est un gamin déluré) qui travaille comme groom au Moustic-Hôtel. Mobilisé en 1939, **Velter** confie à sa femme **Davine** le soin de continuer la série. Après elle, le personnage passera aux mains de **Gillain** (JIJE), de **Franquin** et de **Fournier.**

C'est dans les hebdomadaires *Tintin* et *Spirou* — qui seront rejoints, à partir de 1959, par *Pilote* — que vont naître tous les héros de la **B.D.** d'aujourd'hui, *LUCKY LUKE*, les *SCHTROUMPFS, ASTÉRIX, ACHILLE TALON* et tant d'autres.

En France, à partir de 1962, critiques et exégètes commencent à s'intéresser à la **bande dessinée**. Peu à peu, on voit naître la **B.D. pour adultes,** qu'officialisera en 1972 *L'Écho des Savanes*.

✦ Puis, c'est la floraison des grands mensuels de la **B.D.** moderne : *Charlie, Métal Hurlant, Fluide glacial, Circus, A suivre, Vécu*, qui révéleront la plupart des créateurs d'aujourd'hui : **TARDI, BILAL, BOURGEON, MOEBIUS, MARGERIN, VICOMTE et MAKYO, JUILLARD**... et tant, tant d'autres. Comment les citer tous lorsqu'on pense que paraissent chaque année près de 700 albums (2 par jour !) publiés par les grands éditeurs spécialisés : **Casterman, Dargaud, Dupuis, Glénat, Les Humanoïdes associés, Le Lombard, Fluide Glacial**...

C'est l'âge d'or de la **B.D.** dont les albums se vendent à plusieurs millions d'exemplaires chaque année.

✦ Aujourd'hui, la Bande Dessinée a sa capitale : ANGOULÊME, chef lieu de 50 000 habitants qui accueille depuis 1974, autour du 23 janvier, le Festival de la Bande Dessinée. Chaque année, la meilleure production reçoit l'ALFRED d'or, hommage au pingouin d'Alain SAINT-OGAN.

✦ On en est arrivé aujourd'hui à se demander si les petits personnages d'encre et de papier dont les aventures nous enchantent ne sont pas vivants parmi nous ? Comme n'importe quel général ou politicien célèbres, *TINTIN* et *MILOU* possèdent leur statue dans le **parc de Volvendeel à Uccle** (Belgique). Dans le château de **la Chapelle d'Angillon** (Loire), le même *TINTIN* est la vedette d'un musée où sont exposées 60 toiles de 2,50 m de hauteur et où sont réunis en grandeur nature les 80 personnages qui ont partagé les aventures du reporter à la houppe. *MICKEY, LES SCHTROUMPFS, ASTÉRIX LE GAULOIS* revivent dans de gigantesques parcs d'attraction.
Sans doute éprouvons-nous le besoin d'échapper à la pesanteur de notre planète malade pour nous réfugier dans le monde de la **B.D.** où les rêves ont la légèreté d'une bulle.

## *Barbarismes*

✦ Pour les Grecs de l'Antiquité, étaient **barbares** tous ceux qui n'étaient pas Grecs et qui, par conséquent, commettaient des **barbarismes** en parlant.

Aujourd'hui, point n'est besoin d'aller chercher à l'étranger des gens qui écorchent notre langue : les Français s'en chargent fort bien eux-mêmes. Dresser un catalogue des erreurs, des impropriétés, des contresens, des solécismes quotidiennement entendus, remplirait un gros livre. Risquons-nous à établir une liste des plus fréquents.

| IL NE FAUT PAS DIRE mais | IL FAUT DIRE |
|---|---|
| A**é**ropage | *Aréopage* |
| Cac**a**phonie | *Cacophonie* |
| Carap**a**çonner | *Caparaçonner* |
| Carr**ou**ssel | *Carrousel* |
| Commiss**ai**riat | *Commissariat* |
| Dég**ui**ngandé | *Dégingandé* |
| Dépr**a**dation | *Déprédation* |
| Dilem**ne** | *Dilemme* |
| F**r**atras | *Fatras* |
| Frustr**e** | *Fruste* |
| Hyn**o**ptiser | *Hypnotiser* |

| | |
|---|---|
| Inf**ra**ctus | *Infarctus* |
| Obni**bu**ler | *Obnubiler* |
| Pantom**ine** | *Pantomime* |
| Pécuni**er** | *Pecuniaire* |
| Ré**nu**mérer | *Remunerer* |
| Secréta**i**riat | *Secretariat* |
| **Ra**battre (les oreilles) | *Rebattre (les oreilles)* |
| Être bour**ré** (de remords) | *Être bourrele (de remords)* |

**IL NE FAUT PAS CONFONDRE :**

- **Agoniser** et *agonir* d'injures
- **La ballade** (poème) et la *balade* (à pied)
- **La décade** (10 jours) et la *decennie* (10 ans)
- **La denture** (ensemble des dents) et la *dentition* (évolution des dents)
- **La conjecture** (supposition) et la *conjoncture* (situation)
- **L'acceptation** (consentement) et l'*acception* (sens d'un mot)
- Un magasin bien **achalandé** n'est pas un magasin qui regorge de marchandises mais qui a beaucoup de clients
- Un **quarteron** n'équivaut pas à quatre mais à **vingt-cinq** (le quart de cent)
- Un **avatar** n'est pas une catastrophe mais la *reincarnation d'un dieu*.
- On ne dit pas un **soi-disant** coupable, mais un *pretendu* coupable

- Il ne faut surtout pas dire **vous n'êtes pas sans ignorer**, ce qui signifie exactement le contraire de *vous n'êtes pas sans savoir*, etc.
◆ Et puis, malgré la radio, la presse, la télévision, la publicité, essayons de ne pas tomber dans ce charabia prétentieux qui dérive à la fois du vocabulaire commercial et des audaces verbales d'une minorité snob. Évitons les « mots-tics » à la mode : **s'assumer**, **se conforter** dans une opinion, tenir un discours **gratifiant**, rechercher une **cible**, définir un sujet **pointu**, travailler dans un **créneau**, **s'investir**, être **motivé**, rechercher un **consensus**, avoir le **profil** du poste, **se réaliser**... sans oublier l'inévitable **au niveau de** qui revient à toutes les phrases. **Au niveau du** français... « bonjour les dégâts » ! [1]

---

## *Beaujolais*

◆ La star universellement connue du vignoble mondial est un petit vin rigolo et sans prétention : le **beaujolais**. Dans le calendrier, des Français bien sûr, mais aussi des Anglais, des Américains, des Belges, des Suisses, des Hollandais, des Allemands, le **15 novembre** est un jour de fête, celui où le « beaujolais nouveau » fait son entrée. Le « beaujolpif », comme on l'appelle tendrement à Paris.

◆ Il faut dire que son apparition est savamment orchestrée : à la même heure, compte tenu du decalage horaire, les premiers bouchons qui sautent frappent les trois coups dans le monde entier. En quelques jours, 4 000 camions et 30 Boeing 747 vont repartir la récolte à travers 63 pays. Et c'est aussitôt la fête qui s'organise autour de ce vin qui a toutes les qualités de la jeunesse : le charme, la vie, la fraîcheur, la simplicité,

la bonne humeur. Une fois de plus, dans les bouchons lyonnais ou les bistrots parisiens, on va admirer, en levant son verre vers la lumière, la robe rouge aux reflets violets du vin de l'année et on lui cherchera des comparaisons, à l'aide de savants clappements de langue et de lentes promenades dans le palais. Quel est le goût qui le caractérise cette année ? Est-ce la violette, la framboise, le bonbon anglais, la banane ?

◆ Les ventes de beaujolais nouveau ont progressé à un rythme fantastique :
En 1959, on en commercialisait 17 000 hl
En 1969, 54 000 hl
En 1979, 314 000 hl
En 1983, 450 000 hl
Et elles ne vont pas s'arrêter là !

Les 22 000 hectares du Beaujolais s'étendent de Mâcon à Lyon sur 60 km de long

PLUS JE BOIS
MIEUX JE CHANTE !

et 12 de large. Il faut dire qu'en une vingtaine d'années, le vignoble s'est agrandi de moitié. Succès oblige ! Dans ce territoire du Beaujolais, on trouve neuf grands crus — autant qu'il y a de muses — neuf crus nobles issus pourtant d'un même cépage de Gamay noir à jus blanc. Ce sont, du nord au sud :

## 1. SAINT AMOUR

Un vin aussi aimable et délicat que le nom qu'il porte. Les 240 hectares qui ont droit à cette appellation sont situés en Saône-et-Loire. Ils produisent 12 000 hectolitres.

## 2. JULIÉNAS

Son nom viendrait, paraît-il, de César, le plus célèbre de tous les Jules. La joyeuse équipe du « Canard Enchaîné » lui a assuré une publicité gratuite mais efficace. Sûrement, des neuf crus, il est celui qui se garde le mieux. Ses 490 hectares sont situés aux confins du Mâconnais et du Beaujolais. Ils produisent 24 000 hectolitres.

## 3. CHENAS

Les antiques chênes que les vignes ont remplacés ont donné leur nom à cette commune. Injustement, c'est le cru le plus discret du Beaujolais alors qu'il devrait être le préféré. C'est un vin corsé, généreux, de très bonne tenue. Les 220 hectares de vigne donnent 11 000 hectolitres.

## 4. MOULIN-A-VENT

Le nom de ce vignoble garde le souvenir d'un ancien moulin où les habitants du voisinage venaient faire moudre leur grain. C'est un vin de grande classe, le roi des appellations beaujolaises. 620 hectares de vigne produisent environ 28 000 hectolitres.

## 5. FLEURIE

Ce cru porte fièrement le titre de « Reine du Beaujolais ». Lorsqu'on veut le décrire on emploie les mots d'élégance, de finesse, de souplesse et de distinction. 790 hectares donnent 36 000 hectolitres.

## 6. CHIROUBLES

De tous les crus, il est le plus élevé en altitude, exposé au soleil levant. C'est un vin câlin, très fruité, friand, racé, le préféré des restaurateurs lyonnais, celui que l'on boit le plus volontiers pour arroser les mâchons. 330 hectares produisent 26 000 hectolitres.

## 7. MORGON

Le terroir bien particulier où il est produit lui donne son caractère. C'est « la terre pourrie », selon l'expression des vignerons, du granit transformé en schiste. Charnu et typé, le Morgon dégage toute une symphonie de parfums où dominent des nuances de sherry et de kirsch. 980 hectares pour une production de 48 000 hectolitres.

## 8. CÔTE-DE-BROUILLY

La colline de Brouilly est un bloc de porphyre. Le vin qu'on y produit est riche, fin, distingué, savoureux. 280 hectares donnent une production de 15 000 hectolitres.

## 9. BROUILLY

Dix communes ont droit à cette appellation qui recouvre un vin très fruité, tendre, souple, gai et soyeux. 1 100 hectares pour une production moyenne de 50 000 hectolitres.

*Le beaujolais nouveau est arrivé.* A la vitrine de tous les bistrots, de tous les restaurants fleurit la même petite pancarte, comme une promesse de bonheur. Un jalon de gaieté sur le chemin des saisons, comme un feu d'artifice à la fin de l'automne, comme un brin de muguet au 15 novembre.

# Benoît (Pierre) — 1886-1962

♦ Il fut sûrement l'auteur le plus fécond et le plus vendu de l'entre-deux guerres. Lorsqu'un de ses confrères aux tirages confidentiels lui demandait s'il avait un secret pour écrire ce qu'on appellerait aujourd'hui un « best seller », il répondait :

— Enfantin, mon cher ! Vous prenez une tragédie de Racine et vous la mélangez au *Guide bleu*.

Cette boutade en forme de recette de cuisine contient pourtant les ingrédients qui ont assuré le succès des romans de Pierre Benoît auprès du public immense des femmes : des héroïnes belles, dominatrices et cruelles, la fatalité (voilà pour Racine !) et l'exotisme (voilà pour le *Guide bleu*).

♦ **Pierre Benoît** naquit à Albi en 1886. Jamais il ne fut l'un de ces écrivains qui, peu lus au départ, en arrivent à se hisser d'un livre à l'autre jusqu'aux gros tirages. Pour lui, ce fut le succès immédiat, énorme, éclatant, dès son premier roman, *Kœnigsmark*.

Son livre frais écrit sous le bras, Pierre Benoît se rendait d'un bout de Paris à l'autre, afin d'en déposer un exemplaire chez chacun des dix académiciens GONCOURT qui devaient se réunir bientôt pour décerner leur prix annuel.

Son périple à travers Paris était contrarié par la foule qui avait envahi les rues et qui hurlait sa joie — on était le 11 novembre 1918 !

♦ Autant le dire tout de suite, Pierre Benoît n'obtint pas le Prix GONCOURT qui fut attribué cette année-là à Georges Duhamel. Mais, faveur plus rare encore qu'un prix — fut-il prestigieux entre tous — *Kœnigsmark* se vendit à plus d'un million d'exemplaires. Dès l'année suivante, il publia l'**Atlantide** qui connut un succès encore plus phénoménal et qui demeure au nombre des plus forts tirages de l'édition française. Si l'on additionne les rééditions et les traductions (même en japonais et en braille) on dépasse le chiffre de trois millions d'exemplaires.

♦ L'héroïne de *Kœnigsmark* se prénommait **Aurore**, celle de l'*Atlantide*, **Antinéa**, deux prénoms commençant par la lettre **A**. Pierre Benoît était superstitieux : désormais, le **A** devint l'initiale

fétiche de ses héroïnes : elles seront 42 (voir liste page suivante).

Chaque année, un roman de Pierre Benoît vit le jour avec une régularité de métronome. Sous sa fantaisie de méridional, il était un homme de principes. Qu'on en juge :

• il avait décidé une fois pour toutes que ses romans auraient 318 pages, pas une de plus ou de moins...

• que la scène d'amour et le premier baiser interviendraient toujours vers la page 100...

• que chacun de ses romans contiendrait toujours une allusion à Gambetta (Allez savoir pourquoi !)

• enfin, dans le texte de chacun de ses romans, il glissera — sans guillemets permettant de l'identifier — une phrase tirée de l'œuvre de Chateaubriand. Jamais un critique ne s'en aperçut.

Ainsi, de livre en livre, Pierre Benoît entraîna-t-il en imagination à travers le monde un public ravi de voyager sans quitter ses pantoufles : le Liban, les Antilles, Zanzibar, le désert de Gobi, le Hoggar, les Nouvelles-Hébrides...

*Une sorte de Châtelet intime* écrivit Jean Farran.

*De la littérature de chemin de fer* grinçaient certains critiques.

♦ Le 24 novembre 1931, à 45 ans, Pierre Benoît entrait à l'Académie française où il s'asseyait dans le fauteuil de Porto-Riche.

Longtemps, il demeura le benjamin et l'enfant terrible de la docte Assemblée qu'il étonnait par ses farces. Il en démissionna pourtant avec éclat en 1959 par solidarité avec Paul Morand que le général De Gaulle avait écarté pour des raisons politiques.

♦ L'année de ses 60 ans, Pierre Benoît fit un mariage d'amour avec Marcelle, une très jolie femme, de vingt ans sa cadette. Ils furent heureux pendant quatorze ans dans la vieille propriété qu'il avait fait construire pour elle à **Ciboure** (Pyrénées-Atlantiques).

Hélas ! Marcelle mourut en 1960.

L'écrivain, incapable de surmonter sa douleur, après quelques mois de désespoir, se laissa littéralement mourir de chagrin.

## ◆ LES HÉROÏNES DE PIERRE BENOÎT

| Titres des romans | Année de parution | Prénom de l'héroïne |
|---|---|---|
| *Kœnigsmark* | 1918 | *Aurore* |
| *L'Atlantide* | 1919 | *Antinéa* |
| *Pour don Carlos* | 1920 | *Allégria* |
| *Le Lac salé* | 1921 | *Annabel* |
| *La Chaussée des géants* | 1922 | *Antiope* |
| *M<sup>lle</sup> de la Ferté* | 1923 | *Anne* |
| *La Châtelaine du Liban* | 1924 | *Athelstane* |
| *Le Puits de Jacob* | 1925 | *Agar* |
| *Alberte* | 1926 | *Alberte* |
| *Le Roi lépreux* | 1927 | *Apsara* |
| *Axelle* | 1928 | *Axelle* |
| *Erromango* | 1929 | *Alice* |
| *Le Soleil de minuit* | 1930 | *Armide* |
| *Le Déjeuner de Sousceyrac* | 1931 | *Armande* |
| *L'Ile verte* | 1932 | *Andrée* |
| *Fort-de-France* | 1933 | *Aïssé* |
| *Cavalier 6* | 1933 | — |
| *M. De La Ferté-Boissière* | 1934 | — |
| *La Dame de l'Ouest* | 1935 | *Ariane* |
| *Saint-Jean d'Acre* | 1936 | *Angèle* |
| *Les Compagnons d'Ulysse* | 1937 | *Angelica* |
| *Bethsabée* | 1938 | *Arabella* |
| *Notre-Dame de Tortose* | 1939 | *Armène* |
| *Les Environs d'Aden* | 1940 | *Albine* |
| *Le Désert de Gobi* | 1941 | *Alzire* |
| *Lunegarde* | 1942 (1943-44-45) | *Armance* |
| *Seigneur, j'ai tout prévu* | 1946 | *Aude* |
| *L'Oiseau des ruines* | 1947 | *Agathe* |
| *Jamrose* | 1948 | *Algide* |
| *Aïno* | 1948 | *Aïno* |
| *Le Casino de Barbazan* | 1949 | *Argine* |
| *Les Plaisirs du voyage* | 1950 | *Adèle* |
| *Les Agriates* | 1951 | *Aquilina* |
| *Le Prêtre Jean* | 1952 | *Alverde* |
| *La Toison d'or* | 1953 | *Atalide* |
| *Villeperdue* | 1954 | *Aedona* |
| *Feux d'artifice à Zanzibar* | 1955 | *Azraelle* |
| *Fabrice* | 1956 | *Aydée* |
| *Montsalvat* | 1957 | *Alcyone* |
| *La Sainte Vehme* | 1958 | *Aïda* |
| *Flamarens* | 1959 | *Atjouko* |
| *Le Commandeur* | 1960 | *Amrarida* |
| *Les Amours mortes* | 1961 | *Alcmène* |
| *Aréthuse* (roman inachevé) | 1963 | *Aréthuse* |

Cette liste a été établie grâce à l'aide courtoise de l'éditeur exclusif de Pierre Benoît, les Éditions ALBIN MICHEL. Francis Esmenard, l'actuel P.D.G. est le filleul de Pierre Benoît

# Bernard (Tristan) — 1866-1947

◆ Tristan Bernard vit le jour à Besançon en 1866. Le sort avait choisi de le faire naître dans la même ville et dans la même rue que Victor Hugo. Mais, là s'arrête la ressemblance !

— Le grand poète est venu au monde au numéro 138 de la Grand-Rue, disait Tristan Bernard, alors que moi, plus modestement, je ne suis né qu'au 23 !

Il ajoutait :
— On a mis des plaques sur les deux immeubles. Mais la mienne a été apposée par la Compagnie du Gaz.

◆ Prénommé Paul, il choisit plus tard de s'appeler Tristan.
Était-ce à cause d'une Iseult pour qui son cœur avait battu ?
Pas la moindre trace de romantisme là-dessous :
— J'ai pris le nom de Tristan à cause d'un cheval qui m'avait fait gagner de l'argent. Et c'était rudement rare car, lorsqu'aux courses je suivais un cheval, mon cheval suivait les autres !

◆ Contrairement à la tradition qui veut que les humoristes soient des gens plutôt mélancoliques, Tristan Bernard était un humoriste heureux. Dans sa famille de petits bourgeois, on était drapier de père en fils. Ses études furent assez peu remarquables :
Pascal combattait ses maux de tête par la géométrie. Moi, je combattais la géométrie en faisant semblant d'avoir mal à la tête !

Il ne cherchait pas à dissimuler son penchant inné pour la paresse :
L'homme n'est pas fait pour travailler et la preuve, c'est que ça le fatigue !
Je suis un contemplateur fervent de l'effort d'autrui ! Un paresseux, c'est tout simplement un monsieur qui ne fait pas semblant de travailler.

Et, comme il n'était pas hypocrite, il ne faisait pas semblant :
La vraie paresse, c'est de se lever à 6 h du matin pour avoir plus longtemps à ne rien faire.

Et il disait à sa bonne :
— J'ai demain un rendez-vous important. Réveillez-moi à 7 heures. Si, à 8 heures je ne suis pas levé, laissez-moi dormir jusqu'à midi.

◆ Tristan Bernard fut d'abord directeur sportif du stade Buffalo où se disputaient des courses de vélo. Un portrait de Toulouse-Lautrec nous le montre barbu, ventru, ses culottes bouffantes découvrant des « bas » cyclistes, un melon inattendu surmontant le tout.
Il devint ensuite directeur d'une usine d'aluminium à Creil puis, effectua un passage éclair au barreau comme avocat. Après quoi, il se retrouva lecteur de manuscrits au Théâtre de la Porte Saint-Martin.
N'ayant réussi dans aucun de ces métiers, il entreprit d'écrire des pièces de théâtre. Et ce paresseux qu'on ne voyait jamais travailler écrivit une trentaine de pièces et enchaîna succès sur succès.

◆ On lui doit notamment *l'Anglais tel qu'on le parle* (1899) — *Triplepatte* (1905) — *Le petit café* (1911).
Bien sûr, le succès ne fut pas immédiat et il connut à ses débuts quelques bides — on disait « fours », à l'époque — qu'il prit, comme toujours, avec humour :
— Venez armés, disait-il à ses amis en les invitant à venir voir sa pièce, l'endroit est désert !

Et à un autre qui lui demandait deux places gratuites, il refusait en disant :
— Je ne donne que des rangs entiers !

◆ Tristan Bernard avait une qualité rare : c'était un homme profondément bon qui se réjouissait du succès de ses amis et qui applaudissait à leurs mots d'esprit.
Ce qui lui permit d'entretenir une amitié véritable avec des gens comme Lucien et Sacha Guitry ou Jules Renard.
— Ça n'est pas difficile d'avoir de l'esprit, disait Tristan, lorsqu'on est méchant.

Il avait une philosophie teintée d'indulgence. Ne sont-elles pas d'un grand sage ces remarques ?

★ Pour être heureux avec les êtres, il ne faut leur demander que ce qu'ils peuvent donner.

★ Dans la vie, il ne faut compter que sur soi… et encore pas beaucoup !

★ On ne prête qu'aux riches. Et on a raison : les pauvres remboursent difficilement.

★ Les hommes sont toujours sincères. Ils changent de sincérité, voilà tout !

◆ Ses reparties que tout Paris se répétait ont gardé aujourd'hui encore toute leur drôlerie.

Un jeune auteur lui ayant demandé conseil au sujet du titre qu'il devait donner à sa pièce :
— *Voyons, mon jeune ami, est-ce qu'il y a des tambours dans votre pièce ?*
— *Non, Maître !* dit l'autre, ahuri.
— *Et des trompettes ? Y a-t-il des trompettes ?*
— *Non plus.*
— *Eh bien, à votre place, j'appellerais ma pièce : "Sans tambours ni trompettes".*

Et à cette jeune comédienne qui lui demandait de l'aider à se choisir un nom de théâtre :
— *Comment vous prénommez-vous ?*
— *Maud.*
— *Que penseriez-vous, Mademoiselle, de "Maud Cambronne" ?*

Comme un journaliste lui posait une question sur l'au-delà :
— *L'au-delà ? Je n'ai pas d'opinion là-dessus m'étant plutôt spécialisé dans l'en-deçà.*

◆ Un jour Tristan Bernard pensa à l'Académie française. Il commença par envoyer sa lettre de candidature par pneumatique, ce qui choqua ces Messieurs. Puis, ne voulant pas se soumettre à l'humiliante mais indispensable corvée des visites, il envoya son fils à sa place.

A un journaliste qui lui demandait quand il espérait entrer au Quai Conti, il répondit :
— *Le costume est très cher, mais il paraît qu'on revend les costumes des défunts. J'attendrai qu'il en meure un de ma taille !*

L'un des Immortels déclara :
— *Monsieur Tristan Bernard agit exactement comme s'il voulait ne pas être élu.*

Et c'était sans doute vrai : le bon Maître n'était pas assez solennel ni conformiste pour entrer dans la docte compagnie. Et puis, avait-il besoin de cet honneur supplémentaire ?
Il se consola très vite.
Avec les **MOTS CROISÉS** notamment, où son esprit fit merveille. Il acquit dans cette spécialité une célébrité qui n'est pas près d'être dépassée.

◆ Aux approches de sa quatre-vingtième année, il publia un recueil de poèmes où l'on trouve des vers ravissants :

*Où donc est-il ce temps charmant*
*Où le mot m'arrivait si vite ?*
*Le mot venait d'abord, et la pensée*
*[ensuite...*
*J'étais un poète vraiment !*

◆ Les dernières années de Tristan Bernard furent assombries par la défaite française et par l'occupation nazie. Il portait l'étoile jaune, et tentait quand même de sourire.
*Quelle triste époque que celle où on compte les Bloch et où on bloque les comptes !*
Malgré son âge, il fut arrêté et emmené à Drancy. Il consola sa femme qui pleurait par cette phrase admirable :
— *Jusqu'ici nous vivions dans la crainte, nous allons désormais vivre dans l'espoir !*
Et lorsque Sacha Guitry qui s'inquiétait pour sa santé, lui demanda ce qu'il pouvait lui envoyer, il lui répondit simplement :
— *Un cache-nez !*

## Blanche (Francis) — 1921-1974

◆ L'humour insolent, insolite, incendiaire, burlesque et irrespectueux que nous aimons aujourd'hui, c'est en grande partie à Francis Blanche que nous le devons. Toute sa vie, il n'a eu qu'un but : *FAIRE RIRE* et il y est si parfaitement arrivé qu'il n'existe pas actuellement d'humoriste qui n'ait, peu ou prou, à se réclamer de lui.

◆ Ce diable d'homme s'est essayé à toutes les formes de spectacle et toujours avec bonheur. Passant du cabaret au cinéma, de la chanson au théâtre, de la radio au music-hall, du gag téléphonique à l'opérette, de la poésie à la publicité, il a partout imposé un style, une marque de fabrique.

« Éternel enfant prodige du spectacle » il a éveillé dans la jeunesse le goût de la contestation d'une société qu'il traitait par la dérision. Comme le dit Claude Villers dans sa préface aux **« Pensées »** de Francis Blanche (Éditions du Cherche-Midi), *toute une génération a été nourrie au Francis Blanche.*
Pourtant, en dépit de trente ans passés à

faire le saltimbanque, ce touche-à-tout génial n'a jamais eu la consécration officielle qu'il aurait méritée. Trop doué, il lui arrivait de gaspiller son talent, de s'éparpiller, se faisant au passage étriller par des critiques qui aiment bien pouvoir classer les gens selon des critères précis dans des spécialités bien définies. Heureusement, le public, lui, l'adorait, car Francis Blanche savait le faire rire... et, dix ans après sa mort, le public se tord de rire en entendant le disque de son interview du **Sâr Rabindranah Duval**, ou en revoyant son personnage du **Papa Schultz** dans **Babette s'en va-t-en guerre**.

N'est-ce pas celà la vraie consécration ?

— *Je suis presque aussi célèbre que De Gaulle*, blaguait-il. *Vous en connaissez, vous, des acteurs dont on a donné le nom à une rue et à une place de Paris... et cela, de leur vivant ?*

◆ Francis Blanche était un enfant de la balle, un vrai : son grand-père, **François Blanche**, avait, au début du siècle, monté au Châtelet, la première super-production du théâtre français *le Tour du monde en quatre-vingts jours* dans laquelle il jouait le rôle de Philéas Fogg. Son père, **Louis Blanche**, avait été un excellent comédien. Son grand-oncle, **Louis Varney**, était l'auteur des *Mousquetaires au couvent* et du fameux chant des Girondins : *Mourir pour la patri-i-eu, c'est le sort le plus beau*... Sa tante, la charmante **Catherine Fonteney** lui avait donné ses premières leçons de comédie.

— *Chez moi*, disait-il, *le spectacle n'est pas une vocation ; c'est une charge héréditaire.*

◆ Sa première chanson fut un succès fantastique : il l'avait écrite sur commande pour l'émission de **Saint-Granier** *On chante dans mon quartier*. Et, en 1945, toute la France chantait en chœur *Ploum ploum tra la la*...

Déjà, à vingt ans, il écrivait des paroles de chansons qu'il vendait à Charles Trénet. Le fameux *Débit de lait, débit de l'eau* c'est de lui.

Plus tard, il écrira pour **Édith Piaf** *le Prisonnier de la tour* (*Si le roi savait ça Isabelle...*), pour **Odette Laure** *Ça tourne pas rond dans ma p'tite tête*, pour les **Frères Jacques** *la Truite* sur une musique de Schubert et pour les **Quatre Barbus** *la Pince à linge* d'après la Cinquième Symphonie du regretté Beethoven.

En tout 676 chansons.

Il a même écrit le livret d'une opérette pour les Frères Jacques dont **Guy Lafarge** fit la musique : *la Belle Arabelle*. C'est dans cette opérette que se trouve l'une de ses plus belles chansons : *les Boîtes à musique*.

◆ Dès 1945, il anime avec **Pierre Cour** sa première grande émission burlesque, l'ancêtre des Branquignols, « *Sans rire ni raison* ».

C'est au cours de cette émission qu'il prendra l'habitude de lancer ses fameux slogans publicitaires :

★ *Pour entrer chez vous, une seule adresse : la vôtre !*

★ *Si vous ne vous sentez pas bien... faites-vous sentir par un autre !*

★ *Madame ! N'achetez plus de tissu écossais. Écossez vous-même vos tissus !*

★ *Étudiants, étudiantes, ne vous présentez plus au bac : prenez le Pont de Tancarville.*

★ *Mesdames : si votre poitrine tombe... posez-la par terre !*

★ *Où que vous alliez, où que vous soyez, prenez toujours votre métro à Richelieu-Drouot : Richelieu-Drouot, la station de l'élite.*

★ *Marny... le bas qui fait parler la jambe !*
*André... la chaussure qui fait parler le pied !*
*Rasurel... le slip qui fait parler le...*

★ *Producteurs, scénaristes, vedettes de l'écran, exigez pour tous vos films le metteur en scène André Hunebelle ! Ah ! quel plaisir d'avoir Hunebelle ! Ah ! quel plaisir de pouvoir s'en servir !*

★ *Qui aime bien ses lunettes, ménage sa monture.*

◆ Et on pourrait continuer longtemps encore en citant ces phrases devenues des morceaux d'anthologie. Que d'émissions radiophoniques se sont succédé ! *Les Branquignols* passa de la scène à la radio. Pierre Dac remplaça Robert Dhéry. Mais Francis Blanche était toujours là : *Faites chauffer la colle !* ; *le Parti d'en rire* ; *Studio 22*.

Ce furent ensuite les inénarrables aventures de **Furax** dans *Malheur aux barbus* (1951) et *Signé Furax* en 1956. Et sur les ondes d'Europe N° 1 de 1967 à 1972, *Les Kangourous n'ont pas d'arêtes*. On y entendait **Robert Willard** — qu'il surnommait *Chichinou*, allez savoir pourquoi ! — s'étrangler de rire en entendant les très sérieuses publicités de la station mises à mal par Francis.

C'est ainsi que *Le vin du Rocher, le velours de l'estomac* devenait *La satinette de l'œsophage* sans que ses ventes en pâtissent le moins du monde.

Les auditeurs n'auraient pas manqué pour un pétard le canular téléphonique de la semaine. Certains sont inoubliables : notamment celui de la dame, employée dans une fabrique d'ouvre-boîtes, qui s'étranglait de rire en écoutant Francis lui annoncer qu'il avait le doigt pris dans son appareil coincé dans une boîte de petits pois !

◆ Le cinéma a souvent fait appel à Francis Blanche et pas toujours pour des chefs-d'œuvre. Les metteurs en scène utilisaient surtout sa silhouette de petit gros marrant sans lui proposer d'autres rôles. On le vit dans une trentaine de films.

Deux sont à mettre à part :
**Tartarin de Tarascon** qu'il tourna lui-même en 1961. Ce sera un échec terrible et jamais plus Francis Blanche ne renouvellera l'expérience de la mise en scène.
Pour le public, Francis Blanche, c'était surtout l'inquiétant, le grotesque **Papa Schultz** de la Gestapo qui faisait avouer à un Japonais qu'il était Juif et qui menaçait : *Fusillé sévèrement*. A lui seul, grâce à cette création, Francis Blanche sauva le film de Christian-Jaque **Babette s'en va-t-en guerre**.

◆ Pour terminer, attardons-nous un peu en compagnie de Francis Blanche :

★ *Je ne sais plus que faire : j'ai consulté deux médecins. Le premier veut m'envoyer à Pau pour une maladie de foie — le second à Foix pour une maladie de peau.*

★ *Je n'ai pas de violon d'Ingres et je le déplore. J'aurais aimé passer mes journées au travail et mes nuits au violon.*

★ *On m'a demandé mon opinion sur le mariage entre comédiens. Je ne peux pas répondre : je n'ai jamais été marié à un comédien et aucun ne me l'a d'ailleurs proposé.*

★ *La ville d'Antibes et la ville de Biot (Alpes-Maritimes) vont fusionner. Leurs habitants s'appelleront désormais les Antibiotiques.*

◆ Francis Blanche est mort, âgé de 53 ans, sans avoir eu le temps ni le goût de vieillir. Sur sa tombe, au cimetière d'**Eze-Village** — un des plus beaux coins de France — on a gravé un de ses vers : *LAISSEZ-MOI DORMIR, J'ÉTAIS FAIT POUR ÇA*.

## *Calembour*

◆ Calembour ? Vous avez dit calembour ?

Et l'on vous cite aussitôt la phrase définitive de Victor Hugo : *Le calembour est la fiente de l'esprit qui vole*. Voilà qui est bien ! Mais comment concilier alors le souverain mépris affiché par notre grand poète national avec la floraison de calembours — généralement détestables — qui parsèment son œuvre :

★ *Dis-moi qui tu fréquentes et je te dirai qui tu hais.*

Ou encore, ce pamphlet contre Veuillot :

*O Veuillot, face immonde encor plus que sinistre,*
*Laid à faire avorter une femme vraiment !*
*Quand on te qualifie et qu'on t'appelle cuistre,*
*ISTRE est un ornement !*

★ *C'est une effroyable et admirable chose qu'un incendie vu à brûle-pourpoint.*

★ *Sais-tu pourquoi les sauvages vont tout nus ?*
— *C'est parce que Christophe Colomb les a découverts.*

★ *Dans quels pays les chats se servent-ils de mouchoirs ?*
— *Dans les pays chauds. Parce qu'il y a des moustiques et que les* chasse-mouches ! *(les chats se mouchent).*

◆ Avant Hugo, Molière avait dédaigné le calembour qu'il disait *ramasse parmi les boues des Halles et de la place Maubert*. Quant à Voltaire, il avait décrété tout net : *Il est l'esprit de ceux qui n'en ont pas !*

## UN CALEMBOUR SIGNÉ JÉSUS-CHRIST

Après ces accusations péremptoires, il est temps de laisser la parole à la défense.

◆ Le calembour le plus célèbre est attribué à Jésus-Christ, ce qui, on l'avouera, confère au genre un incontestable brevet de noblesse :

*Tu es* Petrus *et super hanc* petram *ecclesiam meam aedificabo*.

(Tu es *Pierre*, et sur cette *pierre*, je bâtirai mon église.)

Évangile selon Saint Matthieu.

En bas-latin, on s'amusait aussi à jouer sur les mots :

*Ave, ave ! aves esse aves ?* (Salut, grand-père ! veux-tu manger des oiseaux ?)

◆ Au cours du XVIIIᵉ siècle, le calembour eut son prince. C'était le Pierre Dac de l'époque. Il avait nom **Georges-François Mareschal, marquis de BIÈVRE** (1747-1789). (Deux siècles plus tard, Cécil Saint-Laurent donnera à sa fille, surnommée CAROLINE CHÉRIE, une renommée internationale). Le marquis de Bièvre ne pouvait s'empêcher de faire des astuces partout et en tout temps. Lorsqu'il voyait passer un enterrement, il faisait arrêter son carrosse pour que ses chevaux ne prennent pas le *mort* aux dents.

Quand son pâtissier chantait, il lui conseillait de faire un gâteau de *sa voix*.

Il avait écrit une tragédie intitulée VERCINGÉTORIXE où l'on trouvait ces vers qui eurent un gros succès :

*Il plut à verse aux dieux de m'enlever*
*[ces biens*
*Hélas ! sans eux brouillés, que peuvent*
*[les humains ?*

Les personnages de ses œuvres se nomment l'Abbé Quille, la Comtesse Tation, l'Ange Lure ... etc.

Louis XV demanda un jour à Bièvre :
*Marquis, vous qui faites des calembours sur toutes sortes de sujets, faites-en donc un sur moi*. Bièvre s'inclina avant de répondre : *Oh ! Sire ! Votre Majesté n'est pas un sujet !*

Le marquis avait fait planter six ifs dans son jardin. C'est là qu'il conduisait les jeunes filles qui lui plaisaient en leur disant :

— *Voici l'endroit **décisif** !*

Louis XVI, à son tour, appréciera l'esprit de Bièvre. Il lui arriva certain jour de vouloir rivaliser avec lui :

— *Savez-vous, Marquis, de quelle secte philosophique sont les puces ?*

Le marquis réfléchit et donne sa langue au chat.

— *Eh bien !* répond le roi, *elles appartiennent à la secte **d'Épicure***.

Bièvre applaudit : *Des piqûres, Sire, c'est bien normal, comme les poux appartiennent à celle **d'Épictète** !*

◆ Le goût pour le calembour aurait-il été héréditaire chez les Bourbons ?

En 1824, Louis XVIII sur son lit de mort, apostrophe ses médecins :
*Allons ! finissons-en, **Charles attend** !* (charlatans)

◆ 1853 est une date importante dans l'histoire du calembour. C'est l'année où le journaliste **COMMERSON** publie *les Pensées d'un emballeur*. On y trouve des phrases demeurées célèbres comme celle-ci :

*J'aimerais mieux aller hériter à la poste que d'aller à la postérité.*

◆ A partir du Second Empire, le calembour s'installa en maître dans le théâtre, dans les journaux, sur les Boulevards. Jean-Claude Carrière, dans *Humour 1900* (J'ai Lu) réhabilite ce genre injustement décrié :

*Le calembour fait partie intégrante, non seulement de l'esprit, mais encore de l'humour français. Il serait absurde de le mépriser, plus encore de l'ignorer, même si les autres nations le pratiquent moins fréquemment et donc, plus maladroitement que nous. Le calembour est un exercice salutaire, car la liberté de la langue précède souvent la liberté de l'esprit. En coupant, en torturant, en assemblant des mots que rien n'appelait à s'unir, on découvre un rire nouveau.*

◆ 1900 marque l'apogée du calembour, on le retrouve partout, même dans le fond des assiettes. Il existe un calendrier où chaque nom de mois est un calembour :

**JANVIER** ... *ton sort !*
**FÉVRIER** ... *tes chaussures !*
**MARS** ... *pas sur mes pieds !*
**AVRIL** ... *moi sous ton parapluie !*
**MAI** ... *ta main dans la mienne !*
**JUIN** ... *la force au courage !*

JUILLET ... *dit que je l'aime !*
AOÛT ... *toi de là que je m'y mette !*
SEPTEMBRE ... *comme peau de lapin !*
OCTOBRE ... *ioche est bonne !*
NOVEMBRE ... *pas la peau de l'ours !*
DÉCEMBRE ... *garnies à louer !*

◆ En 1902, la sérieuse librairie Chaix édite un ouvrage éducatif permettant d'apprendre les départements, préfectures et sous-préfectures, par le calembour. Voici l'exemple du département de la MAYENNE, chef-lieu LAVAL, sous-préfectures MAYENNE et CHÂTEAU-GONTIER :

★ Ma hyène *apprivoisée attrape une perdrix*
*Et, sans vergogne, elle* l'*avale*
*Si ma chatte Ô Gontier attrape une souris*
*C'est ma* hyène *qui s'en régale !*

◆ Le calembour a ses champions : ils se nomment **CAMI, WILLY** (le premier mari de Colette) et **ALPHONSE ALLAIS**, bien sûr. Ce dernier n'hésitait pas à baptiser ses personnages Laurent Bart, Henry Katt ou Becque-Danlot...
Voici comment Willy, critique musical à ses heures, rendit compte de l'échec de l'exécution de la Marche Slave de Tchaïkovsky.
*Je* Cronstadt *que cette* moujik *a ramassé une* verste, *il n'y a* caviar *le public !*
Aujourd'hui, le calembour fait partie de notre vie quotidienne. On le trouve à haute dose dans la publicité *(SHELL que j'aime !)*, dans les titres de livres *(Je t'apporterai des orages* de Geneviève Dormann ou *Fils de pub* de Jacques Séguéla), dans les enseignes de restaurant *(le Galant Verre)*. Presse, radio, télévision en font une grande consommation. **L'Almanach Vermot**, qui s'était fait une spécialité dans le calembour éprouvé, a perdu une partie de son public. Par contre, **le Canard enchaîné** maintient joyeusement la tradition. Pendant de longues années, l'équipe eut **Alexandre BREF-FORT** comme maître à penser. Sa phénoménale production l'avait fait surnommer « l'Aigle de mots » c'est à lui qu'on doit *Né de paire inconnue, l'Amour avec un grand tas, Un homme se penche sur son basset, Ôte-toi de là que je m'humecte...* etc. Il a eu des émules qui innovent allègrement et qui livrent chaque mercredi aux Français leur provision de calembours frais pondus inspirés par l'actualité.

◆ En 1963, **Jean-Paul GROUSSET** (de l'équipe du *Canard)* avait publié chez Julliard un recueil de 3 000 calembours intitulé finement *SI T'ES GAI, RIS DONC !* On y relève, au hasard, ces chefs-d'œuvre désormais impérissables :

*Splendeurs et misères des cortisones...*
*C'est beau mais c'est twist...*
*Les choses étant ce caleçon...*
*Être reçu England pompe...*
*Je suis en congé de ma lady...*
*Un seul hêtre vous manque et tout est
                                    [dépeupliers...*
*Chassez le naturiste, il revient au
                                    [bungalow ... etc.*

◆ Pour clore ce chapitre consacré au **calembour,** il nous reste à déterminer l'origine de ce mot bizarre. Chaque dictionnaire ayant son explication, ce sera au lecteur de choisir la sienne :

**LAROUSSE** : de « calembredaine » ou de calem (bredaine) et de « bourde ».

**QUILLET** : vocable composé de la particule péjorative « calem » et du suffixe « bourd » pour bourde.

**LITTRÉ** : le mot serait dérivé du nom de l'Abbé de CALEMBERG, personnage cocasse, amateur de facéties, qu'on rencontre dans les vieux contes allemands.

◆ Après tout... qu'importe le nom pourvu qu'il nous reste l'ivresse de faire de bons calembours.
Demandez nos *exquis mots* (comme aurait dit Breffort).

## Calendrier

◆ Depuis la plus haute antiquité, les hommes ont appris à compter les jours et à mesurer le temps qui passe : le soleil et la lune, l'alternance des jours et des nuits leur fournissaient des points de repère évidents.
Mages et astronomes se sont aperçus, grâce à de savants calculs basés sur l'observation, que la lune met toujours le même nombre de jours pour accomplir son cycle de croissance et de décroissance.
De son côté, le soleil, après avoir effectué une révolution complète, revient à son point de départ en un temps toujours identique. Dans toutes les civilisations, le

mois était calculé sur la lune et l'année sur le soleil. L'ennui c'est qu'il n'y a pas un compte exact de mois lunaires dans une année solaire. Il fallait trouver un procédé astucieux pour combler ce décalage, faute de quoi les fêtes du printemps par exemple, risquaient, au bout d'un temps plus ou moins long, de se trouver en été.

◆ Notre calendrier d'aujourd'hui étant issu en droite ligne du **calendrier romain**, il est amusant de voir comment fut résolu ce problème du décalage.
En 753 avant notre ère, **Romulus** fonda Rome et il dota sa ville d'un calendrier de dix mois dont le premier était dédié au dieu **Mars**.
Son successeur, le roi **Numa Pompilius**, pour mettre un peu d'ordre dans ce calendrier, inventa JANVIER et FÉVRIER qui vinrent se placer à la fin de l'année, juste après DÉCEMBRE.
Près de sept siècles plus tard, en 46 avant J.-C., le grand **Jules César** allait faire subir au calendrier une réforme dont les principes, pour la plupart, nous régissent encore de nos jours.
Afin d'assurer la concordance du mois lunaire et de l'année solaire, il institua sept mois de 31 jours, quatre de 30 jours et un de 28 jours, les mêmes que nous connaissons encore aujourd'hui.
Le mois sacrifié, celui qui n'aurait que 28 jours serait FÉVRIER — qui était jusqu'ici le dernier mois de l'année romaine — un mois néfaste consacré aux morts et aux purifications. Puisque de toute façon c'était un mois triste, autant le faire aussi court que possible.
Ainsi s'approchait-on du compte :

$(7 \times 31 \text{ jours}) + (4 \times 30 \text{ jours})$
$+ (1 \times 28 \text{ jours}) = 365 \text{ jours}.$

Comme l'année solaire correspond à 365,25 jours, il manque un quart de jour chaque année. Comment tenir compte de ce quart de jour dans le calendrier ?

◆ « Élémentaire mon cher César ! dirent les astronomes : il suffit de décider que, tous les quatre ans, l'année compterait un jour de plus. » Et ce jour, pour une raison de justice évidente, on l'ajoutera au pauvre mois de février qui se trouvera ainsi un peu moins défavorisé par rapport aux mois normaux.

◆ Tout cela est bel et bon, mais, avec notre logique d'hommes du XXe siècle, nous ne pouvons pas nous empêcher de penser qu'il aurait été possible d'avoir normalement un mois de février de

29 jours — et de 30 jours tous les quatre ans — c'est-à-dire :

| | |
|---|---|
| **Martius :** | 31 jours |
| **Aprilus :** | 30 jours |
| **Maïus :** | 31 jours |
| **Junus :** | 30 jours |
| **Quintilis :** | 31 jours |
| **Sextilis :** | 30 jours |
| **September :** | 31 jours |
| **October :** | 30 jours |
| **November :** | 31 jours |
| **December :** | 30 jours |
| **Januarius :** | 31 jours |
| **Februarius :** | 29 jours |

6 mois de 31 jours, plus 5 mois de 30 jours, plus un mois de 29 jours, on obtient également le compte de 365 jours. Pourquoi n'a-t-on pas organisé le calendrier de cette façon logique ?
A cause des courtisans de l'Empereur qui suggérèrent que l'on donnât son nom de **Julius** au cinquième mois de l'année (Quintilis). C'est ainsi que **Quintilis** devint **Julius**, le mois de Jules.

◆ Mais, l'Empereur avait un neveu, **Auguste**, qui était destiné à lui succéder et ce futur empereur avait, lui aussi, des courtisans.
Ils demandèrent aussitôt que le sixième mois **(Sextilis)** devînt **Augustus**, le mois d'Auguste.
Mais comme **Julius** avait 31 jours, ils ne purent admettre qu'**Augustus** en eût seulement 30 !
On eut donc, à la suite, deux mois de 31 jours et c'est le mois de février qui fit les frais de l'opération en se retrouvant avec 28 jours seulement.

**42** ◆ **Jules César** décida que, désormais, l'année commencerait le **1ᵉʳ janvier**, mais n'en modifia pas pour autant les noms des mois de septembre, octobre, novembre et décembre. Ils conservent le souvenir du temps où ils étaient les septième, huitième, neuvième et dixième mois de l'année alors qu'ils en sont devenus respectivement le neuvième, dixième, onzième et douzième.

Mais cela n'a guère d'importance dans la mesure où personne ne se pose plus la moindre question sur leur étymologie.

◆ En 1582, on s'aperçut que Jules César avait commis une petite erreur dans l'évaluation de l'année solaire : on se trouvait en retard de dix jours sur le soleil. Le **Pape Grégoire XIII** décida alors, pour rétablir la concordance, que le lendemain du 4 octobre 1582 serait le 15 octobre. Et tout le monde, en une nuit, vieillit de dix jours !

Désormais, selon le **calendrier grégorien** — du nom du Pape Grégoire XIII — les années séculaires ne sont plus bissextiles SAUF si le nombre de siècles est divisible par 4 (ex. : 1600 - 2000... etc).

◆ Si notre année civile correspond maintenant de façon presque parfaite avec l'année solaire, cela ne signifie pas pour autant que des erreurs n'aient pas été commises dans le passé. Pendant des siècles, les années avaient été calculées en fonction des règnes des souverains et des papes. C'étaient à des moines érudits que revenait le soin de tenir cette comptabilité.

◆ Au VIᵉ siècle, un moine oriental avait entrepris de calculer combien d'années s'étaient écoulées depuis la naissance du Christ.

On fit une telle confiance aux calculs de ce saint homme que, deux siècles plus tard, on prit la date qu'il avait trouvée comme origine de l'ère chrétienne et **Charlemagne**, en l'an 800, l'officialisa.

Hélas ! On s'aperçut par la suite que le bon moine ne savait pas compter qu'il **s'était trompé de 4 ans** dans ses calculs.

Il était trop tard pour revenir en arrière ou plutôt pour partir en avant. Une rectification eût entraîné tellement de complications qu'on préféra y renoncer.

**Nous sommes donc en réalité, en l'an 1990 de l'ère chrétienne,** alors que tous nos agendas marquent **1986**. Mais cette certitude ne change rien pour autant. Un calendrier ce n'est rien d'autre qu'une affaire de convention.

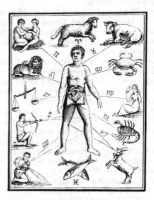

## Centons

◆ Ces centons ne doivent pas être confondus avec les SANTONS des crèches provençales.

Dans la Rome Impériale, on appelait **CENTON** les morceaux de tissu dépareillés que les légionnaires cousaient l'un à l'autre afin de se fabriquer un sous-vêtement qui leur tînt chaud l'hiver sous la cuirasse de métal. Par analogie, on nomma **CENTON** un jeu littéraire, fort en vogue dans le passé, qui consistait à composer un poème original en partant de vers « empruntés » à l'œuvre de poètes différents.

◆ Armez-vous d'une anthologie et amusez-vous à fabriquer, vous aussi, ce genre de patchwork poétique. A titre d'exemple, nous vous proposons ci-dessous un sonnet inédit — ou presque — qui a été composé spécialement à votre intention. Vous y reconnaîtrez peut-être au passage quelques vers qui auront à vos oreilles un air familier. A la fin du sonnet, nous avons indiqué le nom de l'œuvre d'où chaque vers a été extrait ainsi que le nom de leur véritable auteur. Voici donc *LES BEAUX ÉTÉS SANS TOI*, sonnet dû à la collaboration bien involontaire de neuf poètes.

*LES BEAUX ÉTÉS SANS TOI*

*Regarde ! Je viens seul m'asseoir sur cette pierre (1)*
*Où jadis, pour m'entendre, elle aimait à s'asseoir (2)*
*Le ciel est triste et beau comme un grand reposoir (3)*
*L'air est parfois si doux qu'on ferme la paupière (4)*

*Il est d'étranges soirs où les fleurs ont une âme (5)*
*Embaumant les jardins et les arbres d'odeur. (6)*
*Tout commence en ce monde et tout finit ailleurs (2)*
*D'autres vont maintenant passer où nous passâmes. (2)*

*Aux regards d'un mourant, le soleil est si beau ! (7)*
*Les beaux étés sans toi, c'est la nuit sans flambeau (8)*
*Que ne m'est-il permis d'errer parmi les ombres ? (9)*

*Maintenant, ô mon Dieu, que j'ai ce calme sombre (10)*
*Il n'est rien de commun entre la terre et moi (11)*
*Hélas ! en te perdant, j'ai perdu plus que toi ! (12)*

1. Lamartine *Le Lac*
2. Hugo *Tristesse d'Olympio*
3. Baudelaire *Harmonie du soir*
4. Rimbaud *Roman*
5. Albert Samain *Il est d'étranges soirs*
6. Ronsard *Comme on voit sur la branche*
7. Marceline Desbordes-Valmore *Les Séparés*
8. Lamartine *l'Automne*
9. La Fontaine *Adonis*
10. Lamartine *L'Isolement*
11. Hugo *A Villequier*
12. Boileau *A Iris*

---

## Centre de la France

◆ La France, pays des extrêmes, a cependant son juste milieu que les gens sérieux nomment son CENTRE DE GRAVITÉ et les petits rigolos son NOMBRIL.
**Où se situe donc le centre de la France ?**
C'est une commune du Cher, **BRUERE-ALLICHAMPS** (658 habitants) qui se considère depuis longtemps comme ce centre géométrique.
Le *Guide Bleu* « Auvergne - Centre » — Édition de 1924 — précisait déjà : *A l'embranchement des routes de SAINT-AMAND-MONTROND et de LA CELLE, une borne milliaire romaine, relevée en 1757, marque le centre supposé de la France d'alors.*

◆ L'ennui, c'est qu'en 1757, la France ne comprenait ni la Corse (rattachée en 1768) ni la Savoie et le Comté de Nice (français depuis 1860).
**L'adjonction de ces territoires a nécessairement déplacé ce centre de gravité vers le sud-est.**

Deux autres villages revendiquent également le privilège de se situer plus au centre que les autres, ce sont SAULZAIS LE POTTIER (476 habitants) et VESDUN.

L'affaire a pris récemment une certaine importance avec le grandiose projet d'édification d'un monument (en forme de ventre et de nombril féminin) sur l'emplacement précis reconnu comme centre géométrique de la France.

*La France,* disait un ancien Président de la République, *veut être gouvernée au centre !*

Encore faudrait-il savoir précisément où est ce centre !

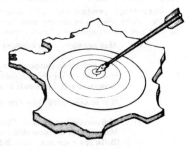

## *Charades*

◆ La charade — dont le nom viendrait du provençal *charrado,* causerie — est une « énigme où l'on doit faire deviner un mot de plusieurs syllabes, décomposé en parties formant elles-mêmes un mot, par la définition des parties et du tout » (Larousse). Tous les enfants connaissent ce jeu aux questions rituelles : *Mon premier ... mon second ... et mon tout.*

◆ Aussi incroyable que ce soit, les charades connurent dans les salons à la fin du XVIIIe et pendant tout le XIXe siècle, une extraordinaire faveur. Devant l'affligeante médiocrité de celles, anonymes pour la plupart, qui nous sont parvenues, il est permis de s'étonner qu'un tel jeu ait

pu faire se pâmer de joie nos lointains ancêtres.

D'après les deux exemples ci-dessous, signés de grands noms, on aura une idée de la qualité littéraire de l'ensemble !

— d'André-Marie AMPÈRE :

> *Mon premier marche,*
> *Mon second nage,*
> *Mon tout vole.*
> **(Ane-Thon) Hanneton**

— de VOLTAIRE :

> *Mon premier est une voiture,*
> *Mon second voiture,*
> *Mon tout est une voiture.*
> **(Car-Rosse) Carrosse**

◆ On rencontre beaucoup de charades écrites en vers. Mais, si l'emballage y gagne en grâce, il ne peut suffire à faire oublier la niaiserie du contenu :

> *Mon premier est métal précieux,*
> *Mon second, habitant des cieux,*
> *Et mon tout est un fruit délicieux.*
> **(Or-Ange) Orange**

> *Mon premier dans les airs lève sa noble tige,*
> *Mon second le traverse et mon tout y voltige.*
> **(Pin-Son) Pinson**

◆ Pourtant, de loin en loin, au milieu de tant de banalité, on découvre un bijou, comme ce joli madrigal que l'amour sûrement inspira à un poète timide demeuré anonyme.

> *Mon premier de tous temps excita les dégoûts,*
> *Mon second est cent fois plus aimable que vous,*
> *Quant à mon tout, hélas ! dont vous êtes l'image,*
> *Tout haut j'en fais l'éloge et tout bas j'en enrage.*
> **(Ver-Tu) Vertu**

◆ Mais la charade peut n'être pas seulement un divertissement aimable à l'usage des classes enfantines. Il existe des charades beaucoup moins classiques, qui font appel aux infinies ressources du calembour et de l'à-peu-près. On entre alors dans un domaine réservé aux adultes, celui du mauvais goût lequel, pris au second degré, fait les délices d'un public d'intellectuels et de gens d'esprit.

◆ Victor Hugo, pendant son exil à Guernesey, a composé pour le plaisir de ses proches, toute une flopée de charades du genre de celles reproduites ci-dessous. Ça ne vaut pas « la Légende des Siècles », mais, ça repose !

> *Mon premier est un étudiant en médecine assis au sommet d'un*
> *[amphithéâtre,*
> *Mon second se compose des dernières lettres du journal,*
> *Mon tout est un chant révolutionnaire.*
> **(Interne assis haut-nal) Internationale**

> *Mon premier est ce que l'on dit à un menuisier qui a compté sur sa note*
> *[des copeaux en trop,*
> *Mon second est la fin de l'homme,*
> *Mon tout est un mets délicieux.*
> **(Biffe tes copeaux - me) Bifteck aux pommes**

◆ Voici une charade très connue qui parut, en 1916, dans le *Journal des Tranchées*.

> *Mon premier est la canne à pêche d'un prêtre bouddhiste détestant l'eau,*
> *Mon second est un plantigrade entouré de maisons d'oiseaux,*
> *Mon tout était une enseigne que l'on pouvait lire autrefois sur un petit café*
> *[de la rue Faubourg-Saint-Denis.*

**(Long bois du bonze hydrophobe - ours ceint de nids)**
**L'on boit du bon cidre au Faubourg-St-Denis**

◆ Il est impossible de ne pas citer cette autre charade non syllabique devenue un classique du genre :

> *Mon premier est un oiseau,*
> *Mon second est ce que disait Alexandre Dumas à son père quand il*
> *lui demandait de faire voir l'heure à leurs domestiques sans ouvrir*
> *la porte,*
> *Mon tout est ce qu'on dit quand on a perdu sa montre à Nogent-le-Rotrou.*

**(Geai-Père Dumas, montre à nos gens l'heure au trou\*)**
**J'ai perdu ma montre à Nogent-le-Rotrou**

\* de la serrure, bien sûr !

Nous sommes ici dans le domaine de la « charade-piège » puisque la réponse est tout entière contenue dans l'énigme.

◆ La suivante est du même tonneau :

> *Mon premier est un délit,*
> *Mon deuxième est du riz,*
> *Mon troisième est un homme très mince,*
> *Mon tout menace l'ivrogne.*

**(Délit-riz-homme très mince) Délirium tremens**

◆ Maintenant que vous êtes entraîné, sauriez-vous trouver la solution de la charade « presque » classique qui est proposée ci-après ?

> *Mon premier est un cul-de-poule,*
> *Mon second est un pet-de-nonne,*
> *Mon troisième, une tête de cochon,*
> *Mon tout fait le tour de Paris.*

**(Chemin d'œuf - Air de Sainte - hure) Chemin de fer de ceinture**

◆ Bien que la charade soit une manifestation exclusive de l'esprit (!) français, de hardis linguistes lui ont découvert des variantes régionales et étrangères.
La charade sait aussi prendre l'accent :

*L'accent alsacien :*

> *Mon premier est un chentarme qui rentre à la caserne,*
> *Mon teussième est un chentarme qui rentre à la caserne,*
> *Mon troissième est un chentarme qui rentre à la caserne,*
> *Mon quatrième est un chentarme qui rentre à la caserne,*
> *Mon cinquième est un chentarme qui rentre à la caserne,*
> *Mon sissième est un chentarme qui rentre à la caserne,*
> *Mon tout, c'est le signe de l'arrivée du printemps en Alsace.*

**(Les six cognes sont de retour) Les cigognes sont de retour**

> *Mon premier est acréaple au bied,*
> *Mon second sert au chefal,*
> *Mon tout est une imbératrice.*

**(Chaussette fine de peau - Harnais) Joséphine de Beauharnais**

> *Mon premier il a tes tents,*
> *Mon teussième il a aussi tes tents,*
> *Mon troissième il a encore tes tents,*
> *Mon tout, il fous mord comme s'il afait tes tents.*

**(Chat-loup - scie) Jalousie**

L'accent arabe :

> *Y en a pas di promièr'*
> *Y en a pus di dosièm'*
> *Y en a pas di troisièm'*
> *Quisqui c'ist ?*
> *C't'on train d'marchandis'*

L'accent belge :

> *Mon premier ça est un combustible solide,*
> *Mon deuxième ça est un combustible solide,*
> *Mon troisième ça est un combustible solide,*
> *Mon quatrième ça est un combustible liquide.*
> *Et mon tout, ça est ce que l'on dit en recevant un coup de pied mal placé.*
> **(Houille ! Houille ! Houille ! Mazout)**

L'accent anglais :

> *Mon premier est une salade,*
> *Mon second est une salade,*
> *Mon troisième est une salade,*
> *Mon quatrième est une salade,*
> *Mon cinquième est une salade,*
> *Mon sixième est une salade,*
> *Mon septième est une salade,*
> *Mon huitième est une salade,*
> *Mon tout est un célèbre écrivain anglais.*
> **(Les huit scaroles) Lewis Carrol**

Et, pour terminer, une *charade corse*, avec ou sans accent :

> *Mon premier est ce que disaient des Corses en reconnaissant Napoléon.*
> *Mon deuxième est ce que disait Napoléon en reconnaissant des Corses.*
> *Mon troisième est ce que la mère de Napoléon disait à son enfant pour*
> *                                                          [l'endormir.*
> *Mon quatrième est ce que répondait alors Napoléon à sa mère,*
> *Mon tout est une préparation pharmaceutique.*
> **(Sire ! - Oh ! des Corses ! - Dors, ange ! - Ah ! Mère !)**
> **Sirop d'écorce d'orange amère**

◆ Passons maintenant au chapitre suivant où l'on verra la charade se compliquer un peu plus, pour notre plus grand plaisir.

## Charades à tiroirs

◆ Avec la **charade à tiroirs**, nous entrons dans un domaine où régna LUC ÉTIENNE, grand maître ès contrepets (voir ce chapitre) et pape incontesté de la charade, deux disciplines fondamentales auxquelles il consacra des livres qui font autorité aujourd'hui (*l'Art du contrepet* (1957), *l'Art de la charade à tiroirs*, (1965) tous deux chez J.-J. Pauvert).

La charade à tiroirs, selon Luc Étienne, *diffère de la charade simple en ce que la définition de chaque élément y est remplacée par un calembour — ou par une cascade de calembours — que nous nommerons* **tiroirs**. Mieux qu'un long exposé, un exemple fameux fera comprendre le mécanisme auquel obéit ce divertissement intellectuel.

> *Mon premier va ça et là,*
> *Mon deuxième est employé des Postes,*
> *Mon troisième ne rit pas jaune,*
> *Mon quatrième n'est pas pressé,*
> *Mon tout est le plus célèbre des auteurs de charades à tiroirs.*

Mon premier, c'est VIC parce que VICAIRE (Vic erre),
Mon deuxième, c'est TOR parce que TORRÉFACTEUR (Tor est facteur),
Mon troisième, c'est HU parce que URINOIR (U rit noir),
Mon quatrième, c'est GO parce que GOÉLAND (Go est lent).
**Et mon tout, c'est, bien sûr, VICTOR HUGO, célèbre pour d'autres raisons, mais qui s'illustra également dans ce domaine.**

★ Voici d'ailleurs l'une de ses trouvailles :

> *Mon premier a été volé,*
> *Mon deuxième se bourre comme une pipe,*
> *Mon troisième vaut cent francs,*
> *Mon tout est une voiture légère.*

Mon premier est TIL parce que ALCALI VOLATIL (Alcali vola Til),
Mon second est BU parce que BUCÉPHALE et que PHALSBOURG (Bu c'est Phale et Phale s'bourre),
Mon troisième est RY parce que RIVOLI, que LYCÉE SAINT-LOUIS et que SAINT LOUIS, c'est CENT FRANCS (Ry vaut Ly - Ly c'est cinq louis).
**Mon tout est donc TILBURY.**

◆ *Comme on le voit par cet exemple*, assure Luc Étienne, *la charade à tiroirs est à la charade simple ce que le bridge est à la bataille ou au nain jaune. Parfaitement impertinente, elle s'adresse à tous ceux qui ne se sont pas laissé prendre au piège de leur propre gravité.*

◆ Bien sûr, il est impossible, rigoureusement impossible, de deviner la solution d'une charade à tiroirs. Le plaisir ne consiste pas à vouloir les résoudre, mais à en voir fonctionner la savante mécanique, à en apprécier l'ingéniosité et à en savourer les trouvailles.
Contrairement à la charade simple du précédent chapitre, la charade à tiroirs est un divertissement d'adultes. Ses tiroirs recèlent bien des équivoques, des plaisanteries salaces et un vocabulaire parfois peu convenable.

◆ Il y aurait de quoi offenser la pudeur des ligues de vertu ou faire froncer le sourcil des professeurs de morale si la charade à tiroirs ne s'avançait voilée. L'audace — s'il y en a une — se trouve dans la réponse et non dans la question.
Si l'on ne veut pas courir le risque d'être effarouché, il suffit de laisser les tiroirs fermés ! Cette mise en garde effectuée, feuilletons notre anthologie de la charade à tiroirs.

> *Mon premier prépare des repas pour les Allemands,*
> *Mon deuxième a de l'inclination pour les chèvres,*
> *Mon troisième est ce que fait mon premier,*
> *Mon tout est un philosophe français du XVIII^e siècle.*

Mon premier est CON parce que CONFÉDÉRATION GERMANIQUE,
Mon deuxième est DI parce que DITHYRAMBIQUE,
Mon troisième est AC parce que ACCÉLÉRATION,
**Mon tout est CONDILLAC.**

> *Mon premier est un vampire nécrophage,*
> *Mon deuxième possède un animal,*
> *Mon troisième insulta l'armée française,*
> *Mon quatrième équivaut à une note de musique,*
> *Mon tout est un ancien Comptoir français des Indes.*

Mon premier est PON parce que PONT SUSPENDU,
Mon deuxième est DI parce que DIABÈTE,
Mon troisième est CHE parce que CHÉCHIA SUR LA TÊTE D'UN ZOUAVE,
Mon quatrième est RY parce que RIVOLI, que LIVONIE et que NIVEAU D'EAU (ni vaut do).
**Mon tout est PONDICHÉRY.**

*Mon premier fait l'amour,*
*Mon deuxième a ce qu'il faut pour le faire,*
*Mon troisième a envie de le faire,*
*Mon tout est un os de l'épaule.*

Mon premier est O parce que OBÈSE,
Mon deuxième est MO parce que MOABITE,
Mon troisième est PLATE parce que PLATE-BANDE,
**Mon tout est OMOPLATE.**

*Mon premier est un pédéraste,*
*Mon deuxième est un pédéraste,*
*Mon troisième est un complice de pédérastes,*
*Mon quatrième sera leur complice en observant la loi du silence,*
*Mon tout est une vraie corrida.*

Mon premier est TO parce que TOPINAMBOUR,
Mon deuxième c'est RO parce que ROBESPIERRE,
Mon troisième c'est MA parce que MACACHE BONO pendant que BONOBÉZEF,
Mon quatrième c'est CHI parce que CHISTERA.
**Mon tout est TOROMACHIE.**

*Mon premier n'admet pas qu'il est britannique,*
*Mon second évacue du bois par derrière et par devant,*
*Mon tout est une grande marque de pianos.*

Mon premier c'est ER parce que HERNIE ÉTRANGLÉE,
Mon second c'est AR parce que ARCHIÉPISCOPAUX.
**Mon tout c'est ÉRARD.**

◆ Pour en terminer avec ce chapitre un peu leste sur la charade et ses tiroirs secrets, il convient de dire un mot de la CHARADE MULTIPLE laquelle, comme son nom l'indique, est susceptible de recevoir plusieurs solutions.
Ainsi de celle qui suit :

*Mon premier sert aux jeux de l'amour,*
*Mon second sert à d'autres jeux,*
*Mon tout fut un grand général.*

Première solution : **CONDÉ**
Deuxième solution : **LA MOTTE-PICQUET**
**Troisième solution : WASHINGTON** — le nom de ce général américain étant prononcé à la française : Vaginj'ton.

◆ Concluons ce chapitre avec Luc Étienne :
*Puissent nos lecteurs, en cultivant l'art subtil de la charade, se délecter de sentir sur eux le regard réprobateur des gens graves, et s'abandonner sans remords et sans fausse honte, en ce siècle férocement utilitaire, au délicieux plaisir d'une occupation inutile.*

## Chats

◆ La France compte cinquante-trois millions d'humains — sans compter les inhumains — et six millions et demi de chats. Plus d'un foyer français sur trois, en moyenne, possède donc un chat. Cent vingt mille des inhumains, cités plus haut, abandonnent chaque année leur chat dans la nature.

◆ Les gens qui ne peuvent pas suppor-ter les chats sont appelés **ailurophobes** (du grec *ailuros* : chat et *phobos* : effroi). Le chat est réputé pour la noblesse de ses attitudes. Certains chats pourtant sont plus nobles que d'autres : ce sont les chats de race pure, dont les parents et les grands-parents sont connus sur cinq générations.

Ces chats de race sont inscrits sur le

*LIVRE DES ORIGINES* (L.O.).

Les chats nobles — et parfois les autres aussi — sont baptisés d'un nom dont l'initiale correspond à l'année de leur naissance

En 1981 : **S**

En 1982 : **T**

En 1983 : **U**

En 1984 : **V**

En 1985 : **W** ... etc.

**Un chat vit, en moyenne, de 15 à 20 ans.**

**Le record de longévité est de 36 ans.**

♦ L'ancêtre de notre chat européen serait le **Kaffir**, qui vivait en Égypte ancienne : la déesse BASTET était représentée sous l'aspect d'une femme à tête de chat.

Tuer un chat, en Égypte, revenait à offenser les dieux et méritait la peine de mort.

♦ Les plus célèbres races de chats sont : l'**Abyssin**, l'**Angora** (dont le nom vient de la ville d'Ankara), le **Birman**, le **Bleu russe**, le **Brun de Havane**, le **Burmèse**, le **Chartreux**, le **Chinchilla**, l'**Européen**, l'**Himalayen**, le **Persan**, le **Rex** et le **Siamois**.

♦ Au Mexique, on trouve des chats sans poil. Sur l'île de Man (dans la Manche) existe une race de chats anoures, c'est-à-dire sans queue.

## LE CHAT ET LES POÈTES :

*Les amoureux fervents et les savants austères*
*Aiment également, dans leur mûre saison,*
*Les chats puissants et doux, orgueil de la maison,*
*Qui comme eux sont frileux, et comme eux sédentaires.*

CHARLES BAUDELAIRE

*Je souhaite dans ma maison*
*Une femme ayant sa raison*
*Un chat passant parmi les livres*
*Des amis en toute saison.*   GUILLAUME APOLLINAIRE

*C'était un chat vivant comme un dévot ermite*
*Un chat faisant la chattemite,*
*Un saint homme de chat, bien fourré, gros et gras*
*Arbitre expert sur tous les cas.*

JEAN DE LA FONTAINE *(Le Chat, la belette et le petit lapin)*

*C'est un petit chat noir effronté comme un page,*
*Je le laisse jouer sur ma table souvent.*
*Quelquefois il s'assied sans faire de tapage :*
*On dirait un joli presse-papier vivant.*

EDMOND ROSTAND *(les Musardises)*

Et puis ces deux pensées :

*Si je préfère les chats aux chiens,*
*C'est qu'il n'y a pas de chats policiers.*   JACQUES PRÉVERT

*Le chat ne nous caresse pas, il se caresse à nous.*   RIVAROL

## LE CHAT DANS LES EXPRESSIONS FRANÇAISES

Avoir un chat dans la gorge — Il n'y a pas un chat — Donner sa langue au chat — Il n'y a pas de quoi fouetter un chat — Avoir d'autres chats à fouetter — S'entendre comme chien et chat — Il ne faut pas réveiller le chat qui dort — Retomber toujours, comme le chat, sur ses pattes — Se lever dès potron-minet — La nuit tous les chats sont gris — Chat échaudé craint l'eau froide — A bon chat, bon rat — ... etc.

# Cheval (le facteur)

◆ Arrêtez-vous à **Hauterives,** bourg tranquille de 1 100 habitants, remontez une rue banale et poussez la porte d'une maison apparemment sans histoire. Non ! vous ne rêvez pas !

Au milieu d'un jardin que vous auriez imaginé voué à la culture potagère se dresse le monument le plus étrange, le plus incroyable qui soit. Temple hindou ou cambodgien transporté par magie au cœur de la Drôme, vous êtes devant le **Palais Idéal,** né de l'imagination du **FACTEUR CHEVAL.**

◆ **Ferdinand CHEVAL** (1836-1924) était le facteur de **Hauterives,** un pauvre facteur rural qui effectuait, tous les jours et par tous les temps, une tournée de trente-deux kilomètres à pied.

Souvent, les nuits du facteur étaient hantées par un rêve précis et insistant, celui d'un palais éblouissant dont il notait au réveil, les formes, les proportions, les moindres détails. Comme il ne comprenait pas le sens de ces visions nocturnes, il finit par oublier dans un fond de tiroir les dessins de son château en Espagne et il continua, en bon facteur qu'il était, à distribuer son courrier.

◆ Mais il arrive que le destin ait de la suite dans les idées. **Ferdinand Cheval** avait 43 ans, lorsqu'un jour son pied trébucha sur un caillou qui n'était sûrement pas venu là par hasard. Il le ramassa, le trouva beau et, en regardant autour de lui, il s'aperçut que les coteaux, les vallées, les rivières d'alentour fourmillaient de pierres étranges, de minéraux rongés par les millénaires, façonnés par le travail de la nature. N'était-ce point là le matériau qui allait lui permettre de matérialiser son rêve ?

Désormais, il entasse dans un panier qu'il porte sur le dos les pierres trouvées sur son chemin : quarante kilos par jour qu'il dépose par petits tas et qu'il vient rechercher le soir avec sa brouette.

Son trajet quotidien s'en trouvait rallongé de huit à vingt kilomètres par jour. Il l'appelait « le long charroi ». Il se levait à deux heures du matin l'été, à trois heures l'hiver pour travailler à son projet fou.

Il traça les fondations d'un monument de 26 m de façade et de 14 m de largeur. A la fois architecte, sculpteur et maçon, il lui fallut trente-trois années d'un travail incessant pour venir à bout de l'œuvre de sa vie.

« C'est un fou, disaient les gens du village, un fou qui remplit son jardin avec des pierres ! »

Mais lui n'entendait pas les railleries. Il était conscient d'avoir été appelé entre tous pour mettre au monde une œuvre de génie. Il s'étonne souvent lui-même des formes qu'il crée et il se demande comment il a pu les réaliser lui qui n'a aucune connaissance artistique ni technique.

En 10 000 journées représentant 93 000 heures de travail, il édifiera un extraordinaire ensemble où se trouvent juxtaposés, accolés, enchevêtrés : un temple hindou, une mosquée et ses minarets, un château du Moyen Age, un chalet suisse, la Maison Blanche, la Maison Carrée d'Alger et un tombeau égyptien. Trois géants de pierre, coiffés d'un chapeau, lèvent un doigt vers le ciel : ce sont **César** (le grand conquérant romain), **Archimède** (le grand savant grec) et **Vercingétorix** (le défenseur de la Gaule). Ils ressemblent étrangement aux « Moaïs », les géants de l'Ile de Pâques. Entre leurs jambes, deux déesses, **Véléda,** la druidesse et **Inize** ou **Isis,** l'Égyptienne, lèvent les bras vers eux.

◆ Dans une petite grotte, le facteur a enchâssé sa vieille brouette à qui il a dédié un poème gravé dans le ciment :

*1906. Je suis la fidèle compagne*
*Du travailleur intelligent*
*Qui chaque jour dans la campagne*
*Cherchait son petit contingent.*
*Maintenant son œuvre est finie,*
*Il jouit en paix de son labeur*
*Et chez lui, moi, son humble amie*
*J'occupe la place d'honneur.*

◆ Sur l'ensemble du monument, **Cheval** a gravé les légendes ou les pensées naïves que la vie lui a inspirées.

> *Sur cette terre, comme l'ombre nous passons*
> *Sortis de la poussière, nous y retournerons.*
>
> *Heureux l'homme libre, brave et travailleur.*
>
> *L'hiver comme l'été*
> *Nuit et jour j'ai marché*
> *J'ai parcouru la plaine et le coteau*
> *De même que le ruisseau*
> *Pour apporter la pierre dure*
> *Ciselée par la nature.*
> *C'est mon dos qui a payé l'écot.*
> *J'ai toujours bravé la mort.*

◆ Émerveillé par ce Palais des Mille et une Nuits sorti de son cerveau, le facteur CHEVAL ne pouvait s'empêcher de proclamer sa fierté.

- *Travail d'un seul homme.*
- *Tout ce que tu vois, passant, est l'œuvre d'un paysan.*
- *Au champ du labeur, j'attends mon vainqueur.*
- *En créant ce rocher, j'ai voulu prouver ce que peut la volonté.*
- *Dieu, dont les desseins sont impénétrables,*
  *Se sert de ses humbles créatures pour les accomplir.*

◆ Il semble au touriste qui déchiffre ces inscriptions maladroites que le **facteur Cheval** ne cesse de l'accompagner tout au long de sa visite.

De chaque côté de l'édifice part un escalier permettant d'accéder à une terrasse située à 4 m du sol et qui mesure 23 m de long sur 3 m de large. De là, on peut grimper au sommet du Temple hindou et à la Tour de Barbarie. Le point le plus élevé du Palais Idéal se trouve à 10,80 m.

L'ensemble représente 1 000 m³ de maçonnerie et 3 500 sacs de plâtre. Le coût de la construction — hors main d'œuvre, bien sûr — a été évalué à 5 000 F de l'époque, ce qui représente une petite fortune pour un facteur rural.

Pour assurer la solidité de sa construction, **Ferdinand Cheval** eut l'idée de noyer des tiges de fer dans le ciment. Si l'on considère que le béton armé ne reçut sa toute première application qu'à partir de 1890, on peut estimer que seul, dans sa campagne perdue, loin de toute information technique, notre facteur a inventé de son côté le béton armé et coffré.

◆ En 1912, à 76 ans, **Cheval** ayant achevé l'œuvre de sa vie l'ouvrait au public. Il bâtit un belvédère afin de contempler son Palais Idéal au soleil couchant. Il avait aussi entre temps construit sa maison et ceinturé son domaine d'un mur.

Lorsque son épouse mourut en 1914, le facteur travailla à l'édification de son tombeau au cimetière d'Hauterives. La maîtrise de son art touche maintenant à la perfection. Il achève ce nouveau chef-d'œuvre en 1924, juste à temps pour pouvoir, après tant d'années de travail, s'y reposer pour l'éternité.

◆ Le 23 septembre 1969, **André MALRAUX** fit classer le **Palais Idéal du facteur Cheval** monument historique avec la mention « Architecture naïve unique au monde ».

## Chien

◆ Si bien des acteurs se conduisent en cabots, on ne compte plus en revanche, les chiens devenus vedettes. Quelle belle affiche ne pourrait-on pas réaliser avec les chiens célèbres du cinéma, du dessin animé, de la littérature, de la bande dessinée, de la pub ou de la télé !

Mickey sans son chien **PLUTO**, Lucky Luke sans **RANTANPLAN**, Tintin sans **MILOU**, Obélix sans **IDÉFIX**, c'est aussi impossible à concevoir que Laurel privé de Hardy. Et on peut, à la suite de ces quatre-là, citer d'un trait **DINGO**, **SNOOPY**, **DROOPY**, **BELLE** et son

CLOCHARD, les **CENT UN DALMA-TIENS, RINTINTIN, RIC et RAC, PIF, KADOR** (Binet), **POLLUX** du « Manège Enchanté », **GAI-LURON** (Gotlib), **CU-BITUS, LASSIE** chien fidèle, **CROC-BLANC, MICHAEL** chien de cirque, **MABROUK** qui fut la vedette de l'émission T.V. « Trente millions d'amis », etc. N'ayons garde d'oublier **NIPPER**, le fox célèbre qui écoute la Voix de son Maître et le boxer de Kléber-Colombes.

◆ Aussi loin qu'on remonte dans le temps, on trouve le chien au côté de l'homme. Dans les plus anciens textes du **Zend Avesta**, on lit déjà cet hommage à notre compagnon à quatre pattes : *Le monde ne subsiste que par l'intelligence du chien.*
Le grand zoologiste **CUVIER** écrivait :
*La conquête la plus remarquable, la plus complète, la plus utile que l'homme ait jamais faite, c'est celle du chien. Il est le seul animal qui ait suivi l'homme sur toute la surface de la terre.* Ce que Maxime **DUCAMP** résumait en une formule célèbre : *Ce qu'il y a de meilleur dans l'homme, c'est le chien !.*
Rien n'est plus vrai, mais à deux conditions toutefois :
• La première, c'est que le nombre des chiens ne dépasse pas un seuil de tolérance ; la difficulté étant précisément de définir ce seuil : en France, en Angleterre, en Irlande, au Danemark, on trouve un chien dans plus d'un foyer sur quatre. En Allemagne, en Norvège, en Autriche ou en Suisse, moins de 10 % des foyers possèdent un chien.
• La deuxième condition est que les chiens reçoivent de leur maître les bases d'une éducation correcte. Mais, à notre époque d'incivisme galopant et de laisser-aller généralisé, qui donc se chargera d'assurer l'éducation des maîtres ?

◆ On estime à **9 millions** le nombre de **chiens** vivant en France. Il y en a 500 000 à Paris et plus d'un million dans la Région Parisienne. Deux cents tonnes de crotte et 200 000 litres d'urine se déversent quotidiennement dans les rues de la Capitale. En dépit d'une campagne d'affiches invitant les maîtres à « apprendre le caniveau » à leur chien, circuler sur les trottoirs de Paris relève au mieux de la course d'obstacles, au pis du patinage artistique. La Municipalité a mis en place un ingénieux système d'ascenseurs à crottes qui mettent la merde récoltée au prix du caviar.

Il existe pourtant des moyens plus efficaces : aux États-Unis, tous ceux qui promènent leur chien ont à la main une pelle et un sac plastique. Une crotte sur le trottoir se paie d'une amende de cent dollars (1 000 Francs Français). Au Japon, les chiens ne se promènent jamais dans les rues sans un sac gracieusement fixé sous leur queue.
Plus grave : on dénombre 500 000 morsures de chiens soignées chaque année en France.
Mais il serait vain d'adresser au chien des reproches que son maître est seul à mériter.
Le chien accomplit au service de l'homme une infinité de travaux où ses qualités innées ou acquises font merveille : il existe des **chiens de garde**, des **chiens de berger**, des **chiens de trait**, des **chiens de chasse**, des **chiens de compagnie**, des **chiens policiers**, des **chiens d'avalanche**, des **chiens soldats**, des **chiens dressés** à découvrir aussi bien la drogue que les truffes, et surtout des **chiens d'aveugles** qui s'acquittent de leur tâche avec un sérieux et une conscience admirables.
A ces destinations différentes correspondent des races de chiens de morphologies très variées. Aucune autre espèce animale au monde ne présente de telles différences de poids et de taille entre les races. Entre un petit chien et un gros chien, le rapport est facilement de 1 à 100. Mais, si l'on prend les extrêmes, il peut atteindre le rapport phénoménal de 1 à 500.
Jugez plutôt :
Le plus petit Yorkshire Terrier référencé pesait 0,283 kg alors que, **Bénédictine**, le roi des Saint-Bernard, atteint 138,34 kg. (Pour le cheval par exemple, le rapport entre les races n'est que de 1 à 30).

◆ De la longue cohabitation entre l'homme et le chien, notre langue a gardé des traces importantes : il existe une infinité de mots, d'expressions ou de proverbes dont le chien est la référence. Il y a la *constellation du Chien*, les *îles Canaries*, la *canicule* (voir « ETYMOLOGIE »), *le chiendent*, *la chenille* (petite chienne), *la chiennerie*, *le chien-assis*, *le chien du fusil*, *le chien couchant*, *le chien-chien à sa mémère*...
Il fait *un temps de chien*, on a subi *un coup de chien*, on est *entre chien et loup*, on est *malade comme un chien*, on dort *en chien de fusil*. On garde à quel-

qu'un *un chien de sa chienne*, on le reçoit *comme un chien dans un jeu de quilles*, on rompt *les chiens*, on se regarde *en chiens de faïence*, on est *comme chien et chat*. Il prend *un air de chien battu*. Il attache son chien avec *des saucisses*, il *ne mange que des hot-dogs* et il *ne donne pas sa part aux chiens*. Cette femme *a du chien*, elle se coiffe *à la chien*. Cet homme est d'*une humeur de dogue*, il la suit *comme un toutou*, il est *frisé comme un caniche* et *crotté comme un barbet*... C'est *le chien de Jean de Nivelle* qui s'en va quand on l'appelle. Sûrement un journaliste qui fait *les chiens écrasés. Les chiens aboient, la caravane passe. Qui veut noyer son chien, l'accuse de la rage* et *bon chien chasse de race.*

Il est à remarquer que la plupart de ces expressions sont péjoratives. Ce qui suffirait à démontrer que si la fidélité est la principale qualité du chien, l'ingratitude pourrait bien être le pire défaut de l'homme !

◆ Le chien a inspiré quelques pensées nobles, drôles ou perfides :

*Les chiens n'ont qu'un défaut : ils croient aux hommes.* ELIAN FINBERT

*Ne laissez pas votre chien en laisse si vous voulez qu'il vous soit attaché.*
ALBERT WILLEMETZ

*Celui qui promène son chien est au bout de la laisse.* MAURICE JEANNERET

*Pour son chien, tout homme est Napoléon. D'où la grande popularité des chiens !*
ALDOUS HUXLEY

*Les chiens se donnent à l'envi des femmes, fidèlement. Et, s'ils changent, c'est de maître, mais non pas de servitude.*
P.J. TOULET

*Glouton, coureur, méchant, lâche et galeux ; en somme feu mon chien était presque un homme.* JULES JANIN

*Si l'homme est véritablement le Roi de la création, le chien peut, sans être taxé d'exagération, en passer pour le Baron, tout au moins.* ALPHONSE ALLAIS

*Un épagneul tendrement adoré*
*Mourut dans les bras de sa dame.*
*Au même instant, le mari rendit l'âme,*
*Fort à propos pour être pleuré !*
*(Quatrain anonyme du XVIII°)*

*Quelqu'un qui n'aime ni les chiens, ni les enfants ne saurait être totalement mauvais.* W.C. FIELDS

*J'ai connu un homme qui adorait son chien. Toutefois, un jour de famine, il s'est résigné à le manger. Mais, en regardant les os qu'il laissait dans le plat, il ne put s'empêcher de dire : « Pauvre Médor ! comme il se serait régalé ! ».*
JULES RENARD

Pour finir sur une citation tendre, voici l'inscription qui figurait sur le collier du chien d'un homme célèbre :

*Je m'appelle FOLETTE. Beaumarchais m'appartient. Nous habitons rue Vieille-du-Temple au 28.*

◆ Si les chiens savaient lire, ils connaîtraient par cœur le terrible **article 213 du code rural** : « Les chiens et chats errants trouvés sur la voie publique seront conduits à la fourrière et abattus si leur propriétaire reste inconnu. L'abattage est réalisé au bout de 4 jours ».

Chaque année, dans la Région Parisienne, 8 200 chiens sont ramassés par la fourrière et conduits à la S.P.A.

Grâce à un ordinateur qui lui a été offert par DATA sur l'initiative de **Brigitte BARDOT**, la S.P.A. parvient à retrouver le propriétaire de l'animal dans 54 % des cas. Mais le chien ne lui sera rendu que s'il est tatoué et s'il a un certificat de vaccination antirabique. Restent donc 46 % des animaux ramassés (soit 3 800 par an) qui sont piqués puisqu'un chien trouvé sur la voie publique ne peut être adopté.

Outre ces animaux que la fourrière y dépose, **le refuge de Gennevilliers de la S.P.A.** (30, avenue du Pont-de-Saint-Denis. Téléphone : **47-98-57-40**) accueille chaque année 5 000 chiens volontairement abandonnés par leur maître.

83 % d'entre eux sont adoptés aussitôt. Mais, hélas ! 30 % des chiens adoptés sont ramenés trois jours plus tard parce qu'ils ont mordu ou qu'ils ont fait leurs besoins dans le salon. On pourrait parodier **Beaumarchais** en disant : *Aux qualités qu'on exige d'un chien, connaissez-vous beaucoup de maîtres qui soient dignes d'être adoptés ?*

# Clemenceau (Georges) 1841-1929

◆ Au cœur de la Vendée, royaliste et catholique, naquit l'homme d'État français le plus républicain et le plus anti clérical qui fut jamais. L'Histoire abonde en paradoxes de ce genre. Le minuscule village au nom attendrissant de MOUIL LERON EN PAREDS (1 169 habitants) peut s'enorgueillir d'avoir vu naître, en moins d'un demi siècle, ces deux grands personnages que furent **CLEMENCEAU** (1841) et de **LATTRE DE TASSIGNY** (1889).

◆ Georges Benjamin **CLEMENCEAU** (sans accent sur le « E » s'il vous plaît) fit d'abord des études de médecine avant de se rendre aux États-Unis pour étudier sur place le fonctionnement de cette république américaine dont il imaginait volontiers que le modèle pourrait être transplanté en France pour succéder à l'Empire. Comme il faut bien vivre, il donne des leçons d'histoire et de français dans un collège de jeunes filles. Bien sûr, il va tomber amoureux de l'une de ses élèves, **Mary PLUMMER**, une orpheline de 17 ans. L'oncle de la belle exige un mariage religieux. **Clemenceau**, qui se refuse à toute compromission rentre en France après avoir lancé ce fier ultimatum :

*« Il faut choisir entre Dieu et moi ! »* A peine est-il de retour qu'il reçoit un télégramme de Mary : *je préfère vous*. **Clemenceau** reprend alors le bateau pour l'Amérique, épouse la jeune fille et la ramène en France.

Aussitôt après la chute de **Napoléon III** en 1870, il entre en politique. D'abord élu maire de Montmartre, il siège ensuite comme député du 18° arrondissement à l'extrême gauche de l'Assemblée. Il soutient des idées très avancées qui lui valent l'hostilité des catholiques : il préconise l'impôt sur le revenu, la séparation de l'Église et de l'État et le service militaire obligatoire. Son éloquence et sa verve lui valent le surnom de *« tombeur de ministères »*. Mais, on redoute aussi son adresse car il a l'honneur chatouilleux et le duel facile. Tous les matins, il s'entraîne au pistolet chez l'armurier Gastinne Rénette. Sa verve, son élégance, son train de vie fastueux lui assurent auprès des femmes des succès sans nombre : elles tombent comme des ministères.

Sa femme Mary souffre en silence jusqu'au jour où elle cède aux avances du jeune Paul de Kercovan. Impitoyable, **Clemenceau** fait constater l'adultère, et laisse condamner la coupable à quinze jours de prison. Après quoi, il divorce, ce qui a pour effet de faire perdre à Mary sa nationalité française. Il la fait alors expulser de France et reconduire à Boulogne-sur-Mer entre deux gendarmes.

**Clemenceau** sera élu en 1885 député de la Seine et du Var. Il choisira le Var. Il soutiendra la candidature du **Général BOULANGER** comme Ministre de la Guerre, mais aussitôt qu'il pressentira dans le « Boulangisme » un danger de dictature, il se retournera alors contre le Général, mettant toute son énergie à l'abattre. Le mouvement s'effondrera après que Boulanger ait refusé, malgré la pression de la foule et de l'armée, de marcher sur l'Élysée. **Boulanger** sera condamné par contumace à la détention perpétuelle. Exilé à Londres, puis à Bruxelles, il se tira une balle dans la tête sur la tombe de Marguerite de BONNE-MAIN, sa maîtresse dont la mort l'avait laissé inconsolable (1891). Dans son testament, il demandait que sur leur tombe du cimetière d'Ixelles on gravât ces mots : « MARGUERITE-GEORGES : AI-JE BIEN PU VIVRE DEUX MOIS ET DEMI SANS TOI ? ». **Clemenceau** proposa cette autre épitaphe terrible : « CI-GIT, LE GÉNÉRAL BOULANGER QUI MOURUT COMME IL AVAIT VÉCU... EN SOUS-LIEUTENANT ! ».

Après avoir perdu les élections de 1893, **Clemenceau** se consacra au journalisme. Il devint l'éditorialiste de l'*AURORE*. L'**« affaire » Dreyfus** qui va éclater divisera la France en deux camps ennemis. **Clemenceau** s'oppose à la campagne nationaliste et antisémite et publie le fameux *J'ACCUSE* de **ZOLA**.

En 1906, à 65 ans, il devient ministre de l'Intérieur dans le cabinet SARRIEN et, quelques mois plus tard, Président du Conseil. En 1908, des grèves éclatent, à l'initiative de la C.G.T. **Clemenceau** les réprime avec violence et se heurte à **Jean JAURÈS**, porte-parole des Socialistes, qui le dénonce comme *« le bourreau des travailleurs »* A la Chambre des Députés, on assiste à l'empoignade des deux géants :

— *Vous n'êtes pas le Bon Dieu à vous tout seul !* s'écrie **Clemenceau.**
— *Et vous, vous n'êtes pas le Diable !* réplique **Jaurès.**
Alors, **Clemenceau** superbe :
— *Qu'est-ce que vous en savez ?*
Son gouvernement durera trois ans : c'est le plus long de la Troisième République.
Travailleur infatigable, il se lève à 5 heures du matin. Il absorbe un petit déjeuner qui comporte une soupe à l'oignon qu'il prépare lui-même. A minuit, il est encore à Matignon en train de travailler sur ses dossiers. Mais les réformes qu'il prépare inquiètent la classe politique. Il finit par succomber sous les coups de ses adversaires de droite et d'extrême-gauche, unis pour l'abattre. Revenu dans l'opposition, **Clemenceau** fonde en 1913 le journal *L'HOMME LIBRE.* Lorsqu'en 1914 la censure sera instituée, il en transformera le titre en mesure de protestation. Ce sera *L'HOMME ENCHAÎNÉ* (titre que parodiera **Maurice Maréchal** lorsqu'en 1916 il créera *LE CANARD ENCHAÎNÉ*).

## LE PÈRE LA VICTOIRE

A ce moment, la carrière politique de **Clemenceau** semble terminée. Qui pourrait penser que ce vieil homme fatigué puisse encore jouer un rôle dans la vie de son pays ? Et pourtant !

◆ C'est un soir de novembre 1917 — il a 78 ans — que le destin frappera à la porte de son appartement du 8, rue Franklin (aujourd'hui « musée Clemenceau ») **POINCARÉ,** le président de la République, le fait appeler à la tête du gouvernement pour restaurer la confiance et lutter contre le défaitisme. Aussitôt, il rédige sa célèbre déclaration du 20 novembre : *Je fais la guerre, rien que la guerre. Nous serons sans faiblesse, comme sans violence. Le pays connaîtra qu'il est défendu.*

Au soir d'une carrière pourtant prestigieuse, **Clemenceau** entrait en scène pour jouer son plus beau rôle. C'est lui qui fit nommer **FOCH** généralissime des armées alliées et qui lui donna les moyens d'acculer les troupes allemandes à l'armistice.

◆ Personne n'a oublié sa silhouette légendaire : caban de bure brune, chapeau cabossé, canne, jambières de cuir. C'est dans sa fameuse tenue de front que l'a immortalisé le sculpteur **François CO-GRIE** (sur les Champs-Élysées). On se le représente infatigable, parcourant les tranchées, questionnant les Poilus, les encourageant, les rassurant. Il y gagna deux surnoms : « LE TIGRE » et « LE PÈRE LA VICTOIRE », car il est exact que la Victoire de 1918 fut la sienne en grande partie. Une loi vint consacrer son rôle décisif en proclamant « qu'il avait bien mérité de la Patrie ». Mais la reconnaissance populaire n'est pas un produit de longue conservation. Lorsque **Clemenceau** se présenta aux élections présidentielles en 1920, on lui préféra l'inoffensif **Paul DESCHANEL.** Une fois de plus, selon son mot célèbre « on avait choisi le plus c... ». Il cacha son amertume sous un mot d'esprit :
*Il y a deux organes inutiles, la prostate et la Présidence de la République.*

Puis il se retira de la vie publique et vécut oublié du monde celui qui avait marqué de son empreinte la vie politique de la France pendant un demi-siècle.
En 1919, il avait loué à SAINT-VINCENT-SUR-JARD, dans sa Vendée natale, une modeste baraque de pêcheur qu'il baptisa « le BEL ÉBAT » ou « la BICOQUE ». Il la fit agrandir et aménager pour y vivre à la belle saison. Face à la mer, il aimait à méditer sur le destin du monde. Il se révéla un extraordinaire jardinier. A force de travail et par d'incessants apports de goémon noir, il parvint à fertiliser la dune de sable, qui se couvrit d'un extraordinaire tapis de fleurs multicolores.
A 82 ans, le **Tigre** allait vivre une dernière passion. Le 3 mai 1923, il rencontra **Marguerite BALDENSPERGER,** une jolie femme de 40 ans, en grand deuil. Elle venait de perdre sa fille dans un accident ; « Mettez votre main dans la mienne, lui dit-il. Voilà ! Je vous aiderai à vivre et vous m'aiderez à mourir. Tel est notre pacte. Embrassons-nous » Le pacte durera pendant 6 ans, jusqu'à la mort de **Clemenceau.** Pendant cette période, il écrira très exactement 668 lettres à Marguerite.

Il quitta pour la dernière fois sa *Bicoque* le 1er octobre 1929 pour venir passer l'hiver à Paris. Deux mois plus tard, le 24 novembre, il s'éteignit à 88 ans dans sa maison de la rue Franklin.

◆ **Clemenceau** ne fut pas seulement l'un de nos plus grands hommes d'État. Il laisse le souvenir d'un homme d'esprit dont les formules brillantes et les repar-

55

ties cinglantes méritent une place d'honneur dans les anthologies.

Il avait été politicien et personne n'eut de mots plus durs pour le monde de la politique et des ministères dont il parlait en orfèvre

*On ne ment jamais autant qu'avant les élections, pendant la guerre et après la chasse.*

*La France est un pays extrêmement fertile : on y plante des fonctionnaires et il y pousse des impôts.*

*Je dirai que les fonctionnaires sont un peu comme les livres d'une bibliothèque : ce sont les plus hauts placés qui servent le moins.*

*Un escalier de ministère est un endroit où des gens qui arrivent en retard, croisent des gens qui partent en avance.*

◆ Il avait fait imprimer cet avis dans les bureaux de son ministère

*Messieurs les employés du ministère de l'Intérieur sont instamment priés de ne pas s'en aller avant d'être arrivés.*

◆ Il faisait de ses adversaires, en une formule, le plus méchant des portraits de **JAURÈS**, qu'il trouvait utopique

*On reconnaît un discours de JAURÈS parce que tous les verbes sont « au futur ».*

*POINCARÉ sait tout, tout, tout, mais ne comprend rien. BRIAND comprend tout, mais il ne sait rien, rien, rien !*

◆ **Clemenceau** n'avait pas non plus de tendresse particulière pour les militaires

*La guerre est une chose trop grave pour la confier à des militaires.*

*La justice militaire est à la justice ce que la musique militaire est à la musique.*

*Les dictatures (militaires) sont comme le supplice du pal : elles commencent bien, mais elles finissent mal.*

◆ **Clemenceau** était le grand ami de **Claude MONET** qu'il appelait le *roi des grincheux*. Son premier acte d'autorité à la présidence du Conseil fut d'imposer ses *NYMPHEAS* au musée de l'Orangerie. **Clemenceau lui** rendait de fréquentes visites à Giverny. A la mort de son ami, en 1929, il vint s'incliner devant le cercueil qu'il trouva recouvert d'un drap noir :

— *Non, non !* dit-il en arrachant le drap, *pas de noir pour MONET : le noir n'est pas une couleur.*

◆ **Clemenceau,** en 1918, avait été élu à l'Académie Française où il succédait à **Émile FAGUET,** Pour sa réception officielle sous la Coupole, il se refusa à prononcer, comme le veut l'usage, l'éloge de son prédécesseur

*Pour louer celui que je remplace, il faudrait que je lise ses œuvres... or, la vie est trop courte.*

◆ La plus belle pensée de **Clemenceau** est d'un grand philosophe, double d'un grand amoureux

*Le meilleur moment de l'amour, c'est quand on monte l'escalier.*

## Cocteau (Jean) 1889-1963

◆ Un demi-siècle durant, de 1910 à 1960, le nom de Jean Cocteau n'a cessé de briller au premier plan de l'actualité artistique et mondaine. Sorte de funambule, volubile et omniprésent, son personnage a tour à tour amusé, subjugué ou exaspéré ses contemporains. Toute sa vie il fut « le prince frivole », l'éternel adolescent perpétuellement en avance sur les modes — qu'il fume l'opium ou qu'il revendique son homosexualité —. Celui qui étonne et qui dérange. Il accomplit le prodige de réussir dans tous les arts et dans toutes les formes du spectacle avec l'incroyable facilité et l'apparente improvisation de qui se joue.

◆ **Jean Cocteau** naquit le 5 juillet 1889 à Maisons-Lafitte, dans une famille d'agents de change. Il fut élevé au sein de cette bourgeoisie sur laquelle flottait alors un délicat parfum artistique et où il était bon ton de se frotter aux peintres, aux musiciens, aux acteurs. Des fées qui présidaient à sa naissance, le petit Jean avait reçu en don tous les arts avec, au suprême degré, l'art de plaire et l'ambition de faire un jour partie de l'aristocratie, celle que donne la noblesse ou que confère la réussite.

◆ Le 4 avril 1908, le grand tragédien **Édouard DE MAX** organisa au Théâtre Fémina une matinée poétique à laquelle se pressa le Tout-Paris. La séance était toute consacrée aux œuvres d'un jeune poète inconnu. Ce poète, c'était bien sûr **Jean Cocteau** dont le nom devint célèbre du jour au lendemain

◆ Il fréquenta les duchesses du Faubourg St-Germain et les gloires littéraires du moment : Catulle Mendès, Anna de Noailles, Marcel Proust, Reynaldo Hahn, Lucien Daudet et Maurice Rostand.
Puis, brusquement, il tourna le dos (!) à ces gloires consacrées pour rejoindre des individus qui habitaient Montmartre ou Montparnasse et dont les audaces faisaient hurler : ils avaient nom PICASSO, **Max JACOB, Igor STRAVINSKI**. Il devint leur ami et se fit le propagandiste zélé de l'art nouveau qu'ils inventaient.
Après avoir participé au lancement des BALLETS RUSSES avec **DIAGHILEV** et **NIJINSKI**, il deviendra le meneur de jeu d'un mouvement musical dont il rédigea le manifeste (1918) : LE GROUPE DES SIX dont le père spirituel était **Érik SATIE** et qui comprenait **Georges AURIC, Louis DUREY, Arthur HONEGGER, Darius MILHAUD, Francis POULENC** et **Germaine TAILLEFERRE**. Ces musiciens se proposaient de retrouver les qualités spécifiques de la musique française — clarté, sobriété, concision — que menaçaient les grandes ombres de Wagner et du romantisme, de Debussy et de l'Impressionnisme

**Cocteau** est un prodigieux faire-valoir, un bateleur, un « public-relations » comme on dit aujourd'hui. Ce seront alors les scandales de *« PARADE »* (1917) et des *« MARIÉS DE LA TOUR EIFFEL »* (1921).

**Jean Cocteau** révèlera au public les œuvres d'un enfant surdoué, **Raymond RADIGUET**, dont il fera publier le *« DIABLE AU CORPS »* et qui mourra à 20 ans.

◆ En dépit d'une santé précaire, l'activité de Cocteau est hallucinante. Tour à tour romancier, poète, dramaturge, scénariste, acteur, metteur en scène de théâtre puis de cinéma, critique, essayiste, auteur d'arguments de ballets, créateur de décors et de costumes de théâtre, dessinateur d'affiches, de portraits, lithographe, céramiste, potier, il crée des modèles pour les verriers de Murano, pour les vitraux d'église.

◆ Où trouve-t-il l'énergie et l'intuition qui lui permettent d'être toujours, partout le premier, de capter les idées qui rodent, de sentir les talents ? A peine croit-on le saisir, le cerner, l'immobiliser qu'il est déjà ailleurs. S'il avait vécu plus longtemps, Cocteau aurait été ce qu'on nomme aujourd'hui un phénomène médiatique

◆ Il possédait à l'extrême le sens de la publicité, du slogan. Ses phrases étonnent aujourd'hui encore :

★ *Les miroirs feraient bien de réfléchir un peu avant de renvoyer les images.*

★ *Le tact dans l'audace, c'est de savoir jusqu'où on peut aller trop loin.*

★ *Les poètes trouvent d'abord et ne cherchent qu'après.*

★ *Le poète est un mensonge qui dit toujours la vérité.*

★ *Puisque ces mystères nous dépassent, feignons d'en être l'organisateur.*

★ *Nous sommes le rêve d'un dormeur endormi si profondément qu'il ne sait même pas qu'il nous rêve.*

★ *J'ai vécu très au-dessus des moyens de mon époque.*

◆ Jean Cocteau est l'un des hommes-clés de la première moitié de notre siècle. En obéissant au mot de Diaghilev *Étonne-moi !,* il a exprimé mieux qu'un autre l'âme inquiète de l'entre-deux-guerres.

◆ A cet homme de scandales, et de provocations, les honneurs officiels n'ont pas manqué
En 1949, il est fait Chevalier de la Légion d'honneur
En 1955, le 10 janvier, il succède à Colette

à l'Académie Royale de Langue et de Littérature Française de Belgique et le 3 mars, il entre à l'Académie Française.

En 1956, il est fait Docteur Honoris Causa de l'Université d'Oxford et, en 1957, Membre honoraire du National Institute of Arts and Letters.

En 1960, il est élu Prince des Poètes.

En 1961, il est Commandeur de la Légion d'honneur.

Une phrase de son discours de réception à l'Académie Française (20 octobre 1955) mérite d'être citée :

*Qui donc avez-vous laissé s'asseoir à votre table ? Un homme sans cadre, sans papiers, sans halte. C'est-à-dire, qu'à un apatride vous procurez des papiers d'identité, à un vagabond une halte, à un fantôme un contour, à un inculte le paravent du dictionnaire, un fauteuil à une fatigue, à une main que tout désarme, une épée.*

◆ Cet homme si public aimait pourtant la solitude, cet infatigable bavard savait se taire, ce provocateur avait rencontré Dieu.

Dans des chapelles, il aimait Lui parler, en peignant d'étonnantes fresques comme autant de prières à Sa gloire.

Voici où l'on peut admirer les décorations murales de Jean Cocteau :

**SAINT-JEAN-CAP-FERRAT** (06) — Décoration de la villa de Francine Weisweiller « Santo Sospir » (1950).

**VILLEFRANCHE-SUR-MER** (06) — Chapelle Saint-Pierre (1956).

**MENTON** (06) — Salle des mariages de l'Hôtel de Ville (1957).

**MILLY-LA-FORÊT** (91) — Chapelle Saint-Blaise-des-Simples (1959).

**LONDRES** — Église Notre-Dame de France (1959).

**MEGÈVE** (74) — Hôtel du Mont-Blanc. Fresques du bar « Les Enfants Terribles ».

**CAP D'AIL** (06) — Théâtre de plein air décoré de mosaïques (1960).

**METZ** (57) — Vitraux de l'Église St-Maximin (1962).

**FRÉJUS** (83) — Chapelle Notre-Dame de Jérusalem à la Tour de Mare ((1962 - inachevé).

◆ Cocteau est mort d'une attaque cardiaque le 11 octobre 1963, deux heures après la mort de sa grande amie Édith Piaf qui avait créé en 1940 son *« Bel Indifférent ».*

Il repose — enfin ! — dans le chœur de la chapelle Saint-Blaise-des-Simples à Milly-la-Forêt.

---

# Cocu

◆ Un homme aime une femme. Ils se marient — une vie de bonheur à deux les attend. Est-ce bien sûr ?

*Le bonheur à deux ? Ça dure le temps de compter jusqu'à trois.* SACHA GUITRY

*Les chaînes du mariage sont si lourdes qu'il faut être deux pour les porter. Quelquefois trois !* ALEXANDRE DUMAS FILS

◆ Avec l'entrée en scène du « troisième homme », vient de se former l'éternel triangle : un homme, une femme, un amant.

L'homme trompé — ou qui croit l'être — c'est un sujet vieux comme le monde. Le théâtre existerait-il si l'adultère n'avait pas été inventé ? Sera-t-elle une comédie ou une tragédie la pièce à trois personnages qui va se jouer ? Tout dépend du talent de l'auteur ou de l'humeur du cocu. Avec **Molière**, elle sera drôle, avec **Shakespeare**, terrible.

Mais ce sont là des extrêmes :

*Je trouve qu'il y a une jolie place à prendre entre Georges Dandin et Othello.*
MAURICE DONNAY

◆ Le bon **La Fontaine**, qui savait de quoi il parlait, ramenait « la chose » à ses justes proportions

*Quand on l'ignore, ce n'est rien*
*Quand on le sait, c'est peu de chose !*

Mieux vaut prendre son infortune avec philosophie en pensant à tous ceux, illustres, qui l'ont été bien avant soi... et ne s'en sont pas trop mal porté :
**Socrate, César, Molière, Louis XVI, Napoléon, Victor Hugo**... Que de grands hommes ! Et pas une seule femme dans la liste ? Bizarre !

*Cocu, chose étrange que ce petit mot n'ait pas de féminin !* JULES RENARD

◆ Dans un ménage à trois — ou à davantage — qui donc porte la plus lourde responsabilité  celle qui trompe ou celui qui est trompé ?

**Alphonse Allais** et **Sacha Guitry** expriment sur la question des opinions très voisines :

*J'ai souvent remarqué, pour ma part, que les cocus épousaient de préférence des femmes adultères.* ALPHONSE ALLAIS

*Je connaissais une jeune femme très vertueuse. Elle a eu le malheur d'épouser un cocu : depuis, elle couche avec tout le monde.* SACHA GUITRY

◆ Tout mari trompé peut se faire une raison en se disant que n'est cocu qui veut ! Seuls les possesseurs de jolies femmes auront le privilège de se les voir disputer.
Sous l'Ancien Régime, les rois donnaient aux maris dont ils convoitaient la femme, des compensations honorifiques ou pécuniaires — titres ou terres — de la même façon qu'on récompensait les inventeurs ou les explorateurs. C'était leur reconnaître le mérite d'avoir su découvrir la beauté.

*Ma femme ? Je ne saurais mieux la comparer qu'à une invention française. C'est moi qui l'ai trouvée... et ce sont les autres qui en profitent.* HENRI DUVERNOIS

*Certains maris admirent davantage leur femme à mesure qu'ils sont plus trompés. A côté des cocus honteux, il y a les cocus émerveillés.* ÉTIENNE REY

◆ De toute façon, et c'est une réflexion de pur bon sens

*Il vaut mieux être plusieurs sur une bonne affaire que seul sur une mauvaise.*
TRISTAN BERNARD

◆ Mais alors, s'il faut en croire ces bons auteurs, la fidélité dans le mariage ne serait-elle qu'une promesse jamais tenue ?

*Il y a deux sortes de femmes : celles qui trompent leur mari... et celles qui disent que ce n'est pas vrai !* MAURICE DONNAY

*Il y a des femmes dont l'infidélité est le seul lien qui les attache encore à leur mari.* SACHA GUITRY

*J'ai fini par m'apercevoir que je n'étais plus le seul à partager la fidélité de mon épouse.* EUGÈNE LABICHE

◆ Puisque le mot de « fidélité » existe, est-il possible au moins d'en donner une définition ?

*La fidélité, une vive démangeaison avec défense de se gratter.* AURÉLIEN SCHOLL

*La fidélité est l'art de pratiquer l'adultère seulement par la pensée.* DECOULY

*Les femmes fidèles sont toutes les mêmes : elles ne pensent qu'à leur fidélité, jamais à leur mari.* JEAN GIRAUDOUX

◆ Les plus philosophes des maris ont tendance à considérer que l'état de cocu est supportable à condition que cela ne se sache pas. Un sage du XVIIe siècle composa cet alexandrin :

*Le coup fait le cocu et le bruit fait les cornes.*

**Sacha Guitry** avait pourtant imaginé un cocu bien ennuyé :

*Ce qui m'exaspère, c'est de penser que ce Monsieur sait maintenant de quoi je me contentais.*

Il y a là effectivement de quoi rire... jaune !

◆ Dans tous les grands hôtels du monde à la fin du repas, dans toutes les nations aisées de la planète, un nom revient sans cesse comme la promesse d'une digestion heureuse, celui de **Cognac,** chef-lieu d'arrondissement de 22 000 habitants et centre de production du plus célèbre des alcools de vin.

C'est là que sont produites chaque année les 200 millions de bouteilles qui ont fait de **Cognac** l'un des deux noms français les plus connus à l'étranger, l'autre étant Paris (lequel ne vient qu'en seconde position dans la notoriété, disent malicieusement les Charentais !).

Il faut dire que 80 % de la production de **Cognac** est vendue à l'exportation, ce qui fait un joli nombre de messages à la gloire de la France.

Le territoire de production du Cognac s'étend sur près de 100 000 hectares situés sur les départements de la Charente et de la Charente-Maritime. On le divise en deux régions :
— Les **champs** (ou champagne) ;
— Les **bois**.
et on y distingue 6 crus :

★ **La grande Champagne** qui produit les eaux-de-vie les plus fines et les plus bouquetées .................................. 13 000 ha

★ **La petite Champagne :** Seuls, les produits provenant de ces deux crus ont droit à l'appellation **Fine champagne** ................................ 16 000 ha

★ **Les Borderies :** Cru qui apporte de la rondeur dans un mélange ainsi qu'une remarquable faculté de vieillissement ................................ 4 000 ha

★ **Les fins Bois** donnent des eaux-de-vie à vieillissement rapide, utilisées pour le coupage ................................ 40 000 ha

★ **Les bons Bois :** Ce sont les terrains exposés au climat océanique ...................... 21 000 ha

★ **Les Bois ordinaires** possèdent un goût de terroir prononcé ................................ 4 000 ha
                                           98 000 ha

## FABRICATION DU COGNAC

◆ Quatre étapes :

1. **La vendange** — Trois cépages sont utilisés : l'Ugni blanc, la Folle blanche, et le Colombard. Ils produisent un vin d'une qualité médiocre.

2. **La fermentation** qui dure 15 jours.

3. **La distillation** qui se déroule jusqu'au 31 mars.
   On utilise seulement des alambics en cuivre rouge martelé.
   Après une première chauffe, on recueille un liquide trouble qui titre de 25 à 30°, le *brouillis.*
   Le brouillis est l'objet d'une deuxième chauffe appelée la *bonne chauffe* qui a pour effet de sélectionner la meilleure partie de l'alcool, le *cœur,* qui représente environ 30 % du brouillis distillé.
   Le cognac n'est à ce moment-là qu'une eau-de-vie incolore.

4. **Le vieillissement :** Le cognac va être mis à vieillir dans des barriques de chêne du Limousin ou de la forêt de Tronçay, dans l'Allier, séchés en plein air pendant plusieurs années.
   De subtils et lents échanges se produiront entre le bois et l'alcool, entre le tanin du chêne et l'air ambiant.
   Pendant les premières années, le **cognac** perd 1° d'alcool par an et 2 ou 3 % de son volume. C'est cette évaporation du **cognac** que l'on appelle poétiquement *la part des anges.* Lesquels anges, pour aussi nombreux qu'ils soient, ont de quoi

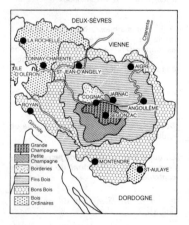

être régulièrement pompettes, lorsqu'ils survolent la région, puisque l'équivalent de vingt millions de bouteilles s'envole chaque année dans l'atmosphère.

Ces vapeurs de **cognac** favorisent, sur les tuiles et les pierres, le développement d'un champignon, le *Torula Cognacensis*, qui donne aux maisons des propriétaires distillateurs une couleur noire caractéristique.

Après plusieurs années passées en barrique, le **cognac** est transvasé dans des bonbonnes de verre qui sont entreposées dans un chais nommé *le paradis*. Il a maintenant sa belle couleur blonde et titre environ 42°.

◆ 80 000 personnes vivent du **cognac** : viticulteurs, distillateurs, tonneliers et négociants.

Le **cognac** n'est jamais millésimé. Pourtant il est possible, selon son appellation, de déterminer son âge :

| APPELLATION | AGE MINIMUM GARANTI |
|---|---|
| • 3 étoiles<br>• V.S. (Very special) | 2 ANS 1/2 |
| • V.S.O.P. (Very Superior Old Pale) | 5 ANS |
| • RESERVE<br>• CUVEE RESERVEE<br>• EXTRA<br>• X.O. (Extra Old)<br>• VIEILLE RESERVE<br>• AGE INCONNU<br>• NAPOLEON<br>• EXTRA VIEILLE | 7 ANS |

En Angleterre, **Cognac** se traduit par **Brandy**. Ce mot anglais vient d'un vieux mot français **Brandevin** qui désigne

l'eau-de-vie. Et ce mot lui-même provient du hollandais **Brandewijn** qui signifie *vin brûlé*.

## COMMENT BOIT-ON LE COGNAC DANS LE MONDE ?

— En **France**, en digestif, tiédi dans un verre tulipe.
— En **Angleterre** se boit souvent en *long drink,* allongé de ginger ale.
— Aux **U.S.A.**, on le trouve comme alcool dans de nombreux cocktails.
— Au **Canada**, on l'additionne d'eau de Vichy glacée.
— En **Extrême Orient**, il se boit nature au cours d'un repas.

◆ Il n'existe pas, sur toute la terre, un autre endroit où puisse être obtenue, à partir d'appareils aussi élémentaires, une eau-de-vie d'une telle perfection. Ce qui a permis à un auteur d'écrire que *l'eau-de-vie de Cognac est un hasard de la nature, un accident heureux et une exception.*

Levons donc notre verre au hasard, à l'accident et à l'exception.

## Collections

◆ Entre autres manies plus dangereuses, notre société de consommation et de records est atteinte de **collectionnite aiguë**. Tout est prétexte à collection, même — et surtout ! — les objets les plus quotidiens et les plus prosaïques, comme les couvercles de boîtes de camembert. Ces objets étant sans valeur individuelle, le prix de la collection tient dans le nombre important des objets rassemblés.

Ce n'est pas tout ! Afin d'assurer une sorte d'existence officielle à chaque collection, on s'ingénie — avec plus ou moins de bonheur — à inventer le mot qui la désignera.

Le plus ancien et le modèle de ces mots est, bien sûr, PHILATÉLIE. Il est né en 1864 dans *« le Collectionneur de tim-*

**62** *bres-poste »* pour remplacer l'affreux TIMBROLOGIE. Le mot est donc presque contemporain du timbre-poste lui-même, qui fut institué par ARAGO à partir du 1er Janvier 1849. Le mot PHILATÉLIE a été forgé d'après deux mots grecs : PHILOS, « ami » et ATELEIA, « exemption d'impôt » d'où « affranchissement ».

Quant au mot COPOCLEPHILE, désignant le collectionneur de porte-clés (manie datant des années 1960) il vient d'entrer dans le Larousse. Malgré son allure un peu pompeuse, le mot ne vient pas du grec. Il a tout bonnement été forgé par les premières lettres de CO(llection de) PO(rte-)CLÉ(s) avec le suffixe PHILE.

♦ Voici la liste alphabétique des collectionneurs avec, en regard, l'objet de leur passion :

| | |
|---|---|
| **Avrilopiscicophile** | Collectionneur de poissons d'avril (!) |
| **Bibliophile** | Livres |
| **Capillabélophile** | Étiquettes de fond de chapeau |
| **Canivettiste** | Images pieuses |
| **Cartophile** | Cartes postales |
| **Conchyophile** | Coquillages |
| **Copocléphile** | Porte-clés |
| **Cucurbitaciste** | Étiquettes de melons |
| **Échéphile** | Jeux d'échecs |
| **Erinnophile** | Vignettes sans valeur postale |
| **Ethylabélophile** | Étiquettes de bouteilles de vin (voir œnosémiophiliste) |
| **Ferrovipathe** | Trains miniatures |
| **Fibulanomiste** | Boutons |
| **Fiscophiliste** | Timbres-fiscaux |
| **Glacophile** | Pots de yaourt |
| **Glycophile** | Emballages de morceaux de sucre |
| **Héraldiste** | Blasons |
| **Lithophiliste** | Pierres |
| **Ludophile** | Jeux |
| **Malacologiste** | Mollusques |
| **Marbétophile** | Étiquettes d'hôtel |
| **Marcophile** | Flammes postales |
| **Microtyrosémiophile** | Étiquettes de crème de gruyère |
| **Minéralophile** | Minéraux |
| **Nicophiliste** | Paquets de cigarettes |
| **Notaphile** | Factures |
| **Numismate** | Pièces de monnaie |
| **Œnosémiophiliste** | Étiquettes de bouteilles de vin (voir éthylabélophile) |
| **Oologiste** | Œufs d'oiseaux |
| **Ornithologiste** | Oiseaux |
| **Philatéliste** | Timbres-poste |
| **Philuméniste** | Boîtes d'allumettes |
| **Schoïnopentaxophile** | Cordes de pendus |
| **Scripophile** | Actions et titres anciens |
| **Scutelliphile** | Écussons |
| **Sidérophile** | Fers à repasser |
| **Sigillophiliste** | Sceaux |
| **Tégestologue** | Sous-bocks de bières |
| **Tyrosémiophile** | Étiquettes de fromage |
| **Ufologiste** | Documents sur les OVNI (U.F.O. : initiales de Unidentified Flying Objects) |
| **Vexillologiste** | Drapeaux et étendards |
| **Vitolphiliste** | Bagues de cigares |
| **Xylophile** | Gravures sur bois |

Et comment nomme-t-on les collectionneurs de contredanses impayées ou de chèques en bois ?

# Les combles

◆ A la fin du siècle dernier, un jeu faisait fureur, celui des **combles**. Dans toute bonne réunion, un moment venait inévitablement où l'on se racontait les derniers **combles** en vogue en s'esclaffant

◆ Le jeu est simple : A la question : *« Quel est le comble de ... ? »*, il faut trouver une réponse amusante à base de calembour, d'à-peu-près, d'absurde ou de grivoiserie, il n'était pas un almanach populaire qui ne présentât une rubrique de **combles** à côté des devinettes, rébus, ou autres inévitables énigmes.

◆ **Alphonse Allais** s'empara de cette mode à laquelle il donna ses lettres de noblesse.

★ *Quel est le comble de l'inattention ?*
Se perdre dans la foule et aller chez le commissaire de police donner son signalement.

★ *Quel est le comble de la politesse ?*
S'asseoir sur son derrière et lui demander pardon.

★ *Quel est le comble de la bonté d'âme ?*
Refuser qu'on frappe les carafes... ou qu'on pende la crémaillère.

★ *Quel est le comble du cynisme ?*
Assassiner nuitamment un boutiquier et coller sur la devanture : « FERMÉ POUR CAUSE DE DÉCÈS »

★ *Quel est le comble du snobisme ?*
Ne pas sortir de chez soi et sonner sur son piano toutes les heures et toutes les demies pour faire croire aux voisins qu'on a une pendule.

★ *Quel est le comble de l'économie ?*
Coucher sur la paille qu'on voit dans l'œil de son voisin et se chauffer avec la poutre qu'on a dans le sien.

◆ Et, pour terminer, ce petit chef-d'œuvre que l'on doit au bon **Tristan Bernard.**

★ *Quel est le comble de l'optimisme ?*
Entrer dans un grand restaurant et compter sur la perle qu'on trouvera dans une huître pour payer la note

# Comète

◆ Les comètes qui traversent notre ciel dans le flamboiement de leur chevelure d'or ont ceci de semblable aux femmes mariées qu'elles portent, le plus légalement du monde, le nom de celui qui les a découvertes

Bien peu ont des chances de demeurer anonymes et ignorées si l'on sait que des milliers d'astronomes, l'œil rivé à leur telescope, brûlent du désir de rencontrer une nuit l'inconnue fugitive qu'ils baptiseront. Mais, une comète ne suffit pas à la célébrité dans l'univers, s'il y a beaucoup de figurantes, la plupart invisibles à l'œil nu, on ne trouve que quelques vedettes et **une seule super-star : la comète de HALLEY.**

### Qu'est-ce qu'une comète ?

◆ Le mot vient du grec **kometes** qui signifie « chevelu » Les comètes sont des astres qui parcourent le système solaire selon des ellipses correspondant à des périodes le plus souvent très longues Elles passent, fulgurantes, et se perdent pour plusieurs siècles dans la nuit des temps, avant de revenir à leur *perihelie* (point de leur ellipse où elles sont le plus proche du soleil)

On connaît mieux les comètes dites à courte periode qui reviennent à leur perihelie en moins de 200 ans Au 1er janvier 1979 on en avait dénombre 113 Celle qui a **la plus courte période est la comète d'Encke** qui revient nous voir tous les 3 ans et 3 mois

On évalue à plusieurs milliers le nombre de comètes de notre univers, dont beaucoup ne sont visibles qu'à l'aide de télescopes De 1900 à 1980 près de 600 apparitions concernant le retour de comètes périodiques ont été observées

◆ Les comètes sont aussi vieilles que notre univers Il y a cinq milliards d'années de cela, n'existaient ni soleil, ni planètes, ni notre terre, bien sûr, mais seulement un immense nuage de gaz et de poussières qu'un rayon lumineux aurait mis six mois à traverser (il faut savoir que la lumière du soleil met huit minutes à nous parvenir, ce qui donne une idée de l'étendue de cette nebuleuse)

**64** La nébuleuse s'est contractée sous l'effet de sa vitesse de rotation et la chaleur et la densité ont augmenté en son centre. Ainsi s'est formé le soleil. Les grains de poussière en s'agglomérant ont constitué des planètes, des astéroïdes, des comètes. Les comètes, nées en même temps que notre système solaire, se sont réfugiées aux confins de l'univers sidéral où elles ont été fossilisées par le froid éternel. *La matière qui les compose est restée identique aux grains de la nébuleuse primitive. En somme, les comètes sont à l'astronomie ce que les dinosaures sont à la paléontologie* écrit Michel de Pracontal dans l'*Événement du Jeudi* (4 juillet 1985). Il existe aux confins de notre univers, à quelque 5 000 milliards de kilomètres du soleil, une sorte d'immense réservoir à comètes qu'on nomme le nuage de **Oort**. De temps à autre, piégée par l'attraction solaire, une comète s'en échappe et vient se faire voir dans nos parages.

Une comète n'est qu'une *boule de neige sale*, selon l'astronome américain **Fred Whipple**. En se rapprochant du soleil, la glace chauffée se sublime. Des gaz s'échappent du noyau entraînant avec eux les poussières solides. C'est l'explication très prosaïque de la belle chevelure dorée qui a donné leur nom aux comètes.

Une comète se compose d'un **noyau** généralement très petit — de quelques centaines de mètres à quelques kilomètres — entouré d'une **chevelure** qui réfléchit la lumière du soleil et qui peut atteindre un rayon de 1 000 à 100 000 kilomètres. Derrière cette tête de la comète se forme une **queue** incurvée de couleur jaune qu'on évalue à une longueur de plusieurs centaines de millions de kilomètres. La queue suit la tête lorsque la comète se dirige vers le soleil, elle la précède lorsque la comète s'en éloigne.

◆ En l'an de grâce 1682, un astronome anglais de 26 ans, **Edmund HALLEY**, fasciné par une comète éblouissante, l'observa et calcula les éléments de son orbite. Il prouva qu'elle avait une période de 76 ans et que la comète qui avait traversé le ciel en 1682 était celle-là même qui était apparue en 1607, en 1531 et en 1456. Il lui donna son nom et prédit son retour pour la fin de l'an 1758. Effectivement, sa comète fut fidèle au rendez-vous, mais **Halley**, lui, n'avait pas pu

l'attendre : il était mort en 1742, âgé de 86 ans. Grâce aux anciennes annales chinoises, il fut possible de repérer jusqu'à 28 révolutions de la comète : son premier passage remarqué remonte à l'an 240 avant J.-C.

Était-ce déjà **la comète de Halley** celle dont l'éclat avait guidé les Rois mages vers l'humble crèche de Bethléem ? Ce qui est sûr, c'est que le peintre **GIOTTO DI BONDONE** (1266 ?-1337) immortalisa le passage de la comète en 1301, en la faisant figurer sur une fresque intitulée « l'Adoration des Mages ».

Un siècle et demi plus tôt, notre comète était apparue dans le ciel, alors que **GUILLAUME Ier** se préparait à traverser la Manche pour conquérir l'Angleterre. Pendant qu'il était en Angleterre, son épouse la reine Mathilde, brodait une tapisserie de 70 m de long — la première B.D. de l'histoire — qui racontait les épisodes de la conquête. Cette tapisserie, qu'on peut voir au musée de Bayeux, a conservé la mémoire du passage de la comète.

L'apparition de comètes fut souvent considérée dans l'histoire comme un présage néfaste, annonciateur de terribles catastrophes. On y voyait parfois l'annonce divine d'une prochaine fin du monde.

Lorsque **la comète de Halley** se montra dans le ciel en 1456, les Turcs avaient entrepris le siège de Belgrade où les Hongrois étaient enfermés ; les soldats des deux armées furent frappés de terreur et les Turcs levèrent le camp.

**La comète de Halley** revint en 1910 et on ne manqua pas — après coup — de voir dans sa visite l'annonce du conflit mondial. Soixante-seize années après, nous avons accueilli de nouveau la comète. Elle a atteint son point de périhélie le 9 février 1986. Elle était à ce moment-là à 88 millions de kilomètres du soleil. **Le 11 avril 1986**, elle arrivait à son point le plus proche de la Terre à 63 millions de kilomètres.

◆ Les Soviétiques avaient envoyé à sa rencontre deux sondes **VEGA**, les Japonais une sonde **PLANET A** et les Européens avaient lancé, grâce à la fusée Ariane, une sonde baptisée **GIOTTO**. Allons-nous connaître enfin grâce à la **comète de Halley** le secret des premières heures de notre univers ?

◆ Si la langue venait à vous fourcher, si vous commettiez ce que les pédants nomment un « lapsus linguae », vous auriez fait sans le savoir une **contrepèterie**. La cuisinière qui dit : *J'ai mis à cuire une tapisserie* (au lieu d'*une pâtisserie*), l'amoureux timide qui s'écrie en tombant aux genoux de sa belle : *Je donnerai ma vie pour un mou de veau* (au lieu d'*un mot de vous*) ou le comédien qui entre en scène, superbe, en ordonnant : *Trompez, sonnettes !* (à la place de *Sonnez, trompettes !*) sont les auteurs bien involontaires d'une contrepèterie qui a provoqué un éclat de rire à leurs dépens.

◆ Bien sûr, il n'est de véritable contrepèterie que celle dont la réussite en ce domaine nécessite car, pour devenir un art, une technique que seul un long entraînement procure.

La **contrepèterie** peut se définir comme l'interversion, au sein d'une phrase d'apparence volontairement anodine, de deux lettres, de deux syllabes ou même de deux mots, de manière à obtenir une autre phrase, gaillarde et drôle celle-là.

◆ Le bon maître **François RABELAIS** (1494-1553) passe pour avoir été l'inventeur du procédé qu'il nommait **antistrophe** ou **équivoque**. *Il n'y a, disait Panurge, qu'une antistrophe entre « femme folle à la messe » et « femme molle à la fesse ».* On doit à Rabelais de nombreuses illustrations de ce procédé *(A l'attention de ceux qui ne seraient pas des familiers de cette technique, nous indiquons les lettres à intervertir en caractères gras).*

*Goûtez-moi cette farce !* — *Une lieuse de chardons* — *A Beaumont-Le-Vicomte...*, etc.

◆ C'est le sieur **Estienne TABOUROT** (1547-1590) qui dans son livre *BIGARRURES ET TOUCHES DU SEIGNEUR DES ACCORDS*, écrivit le premier le mot de **contrepèterie** qu'il avait emprunté au « jargon des bons compagnons ».

◆ A la fin du XIXᵉ, période souriante entre toutes pour la profusion d'humoristes et de gens d'esprit qui s'y illustrèrent, la contrepèterie retrouva une nouvelle jeunesse. On contrepèta allègrement à la Belle Époque et, bien qu'atténuée, la tradition ne s'est pas perdue aujourd'hui. Le genre a ses classiques qu'il serait dommage de ne pas citer :

★ d'Henri **MONNIER** : *On connaît le boulevard des Filles-du-Calvaire, mais on ne connaît pas assez le calvaire des filles du boulevard.*

★ de Victor **HUGO** : *J'ai fait le bossu cocu. J'ai fait le beau cul cossu.*

★ d'Alphonse **ALLAIS** : Quelle fut la réponse de Clovis à Saint-Remi lorsque l'évêque de Reims, avant de lui donner le baptême, lui enjoignit : *Courbe-toi, fier Sicambre !* Clovis rétorqua : *Cambre-toi, vieux si courbe !*

★ de Léon-Paul **FARGUE** : Lorsque ce doux poète écrivait à ses amis fraîchement décorés de la Légion d'honneur, il les félicitait d'avoir reçu *la roseur de la Légion d'honnête*. C'est lui aussi qui avait rebaptisé la station de métro Sèvres-Lecourbe qui lui rappelait un ancien rendez-vous galant : *La station Lèvres se courbent.*

★ de Jean **COCTEAU**, guère enthousiasmé par les céramiques que décorait son ami Picasso à Vallauris : *Je préfère subir les assauts de pique-assiettes que les assiettes de Picasso.*

★ de Jacques **PRÉVERT,** on n'a que l'embarras du choix : Son *martyr, c'est pourrir un peu* est resté célèbre. On connaît moins cette pensée de lui : *Cybernétique : Cythère bernique !*

◆ C'est en 1934 que parut l'ouvrage qui, de nos jours, fait encore autorité en la matière, *LA REDOUTE DES CONTREPÈTERIES*, dû à l'imagination de **Louis PERCEAU** (avez-vous lu Perceau ?). C'est une véritable somme où sont répertoriés tous les grands classiques actuels du contrepet. Avant de vous livrer un bouquet des plus réussis, il est utile de rappeler, à l'usage des néophytes, un certain nombre de règles qu'on pourrait appeler...

## DU BON USAGE DU CONTREPET

**1. La contrepèterie est un art oral**

Bien qu'il soit recommandé pour élargir son répertoire de consulter les recueils spécialisés, le véritable plaisir est d'échanger des contrepets avec un ami. Pour atteindre à une plus grande efficacité, la contrepèterie demande même le concours de trois personnes : celle qui dit le contrepet, celle qui le comprend et celle à qui la signification cachée échappe complètement, le plaisir des deux premières étant décuplé par l'incompréhension de la troisième.

**2. La contrepèterie est le masque décent d'une phrase gaillarde**

L'impression délicieuse d'un encaillement contrôlé n'est pas le moindre charme de l'exercice.

**3. La contrepèterie ne doit jamais être traduite**

La contrepèterie est drôle en ce qu'elle recèle, derrière le masque de la bienséance, une pnrase triviale à l'état virtuel. Aussi longtemps que celle-ci reste inexprimée, elle provoque une intense jubilation chez les initiés. Traduite, elle n'est plus qu'une phrase grossière parmi d'autres.

◆ Foin de la théorie ! Il serait temps de passer à la pratique. Voici, choisies dans *LA REDOUTE DES CONTREPÈTERIES,* quelques-unes des plus belles trouvailles de **Louis Perceau.**
Nous avons choisi les plus faciles, nous contentant de renvoyer aux ouvrages cités ceux qui voudraient approfondir la question (un astérisque signale les phrases contenant deux contrepets).

*Les **n**ouilles **c**uisent au **j**us de **c**ane*.
*C'est qu'on a **p**endu le **f**uselage de l'aviatrice. La jeune fille contemple un **p**lant qui vient de la **G**uinée. Les laborieuses **p**opulations du **C**ap. Le vieil artisan **t**isse en plusieurs **p**asses. Il faut être **p**eu pour bien **d**îner. Les physiciens **v**oient le **m**onde **c**onique. La **c**uvette est pleine de **b**ouillon. Votre **p**ère a l'air **m**utin. Elle m'a **m**enti la **s**otte. L'usage d'inoculer du **p**us de **g**énisse s'est répandu rapidement. Le **c**lerc du notaire ne peut atteindre son **b**ut. La fermière sait que sa **p**oule **m**ue, aussi **v**it-elle au **ch**amp*. *Les écoliers jouent dans les **p**ièces du **f**ond. Que de **g**îtes la pauvre femme **h**abita ! On reconnaît les concierges à leur avidité. L'épicurien recherche les **s**ources du **b**onheur.*

*Les professeurs admiraient le **fac**tum du **rec**teur. Le Pont-**Neuf** fait soixante **pieds.** Tacite se promène en **b**a**b**ouches. C'est long comme la**c**une. Le jardinier a des **p**ieds de **ch**oux. J'ai la **l**iasse mon **ch**ou. Le tailleur est submergé sous les a**m**as de **p**atentes. Ma belle-mère admire les **ross**ignols du **car**oubier. Dès qu'on touche à son petit **banc,** cet enfant **b**oude.*

## L'ALBUM DE LA COMTESSE

◆ Chaque semaine, le *Canard Enchaîné* publie une rubrique de contrepèteries intitulée *sur l'album de la Comtesse Maxime de la Falaise*. Depuis un bon quart de siècle qu'existe la rubrique, les lecteurs s'interrogent sur l'identité de cette fameuse comtesse qui contrepète à ravir. Nous sommes en mesure de révéler qu'il s'agissait à l'origine d'une comtesse authentique, une Irlandaise superbe qui avait épousé en légitimes noces le comte Maxime de la Falaise. Histoire d'enquiquiner son hobereau de mari de qui elle était en train de divorcer, elle avait autorisé **Yvan AUDOUARD,** à baptiser de son nom la rubrique de contrepèteries, dont il était responsable. Il est utile d'ajouter que la comtesse ignorait jusqu'au terme même de contrepet.
La rubrique, après **Yvan Audouard,** fut tenue par le dessinateur **Henri MONIER** puis, par le mathématicien et humoriste **Luc ÉTIENNE.** Celui-ci fut assisté dans cette lourde tâche par les envois des lecteurs du *Canard* et plus particulièrement par ceux de deux d'entre eux qui devinrent les disciples du Maître :
**Jacques ANTEL,** d'abord qui publia en 1975 un recueil intitulé, bien sûr : *LE TOUT DE MON CRU* (comprenne qui voudra !) et par **Joël MARTIN,** physicien de haut niveau au Commissariat à l'Énergie Atomique, qui en 1984, à la mort de **Luc ÉTIENNE,** a repris le flambeau. Il est également l'auteur de *L'ART DE DÉCALER LES SONS,* un livre dans lequel il enseigne, grâce à une méthode inspirée du Rubik's cube, les recettes permettant de réussir de savoureux contrepets.
Ce chapitre, heureusement hermétique aux yeux innocents, n'aura pu offenser la pudeur ni la morale. Comme l'aurait dit le philosophe s'il avait su contrepéter :
*Il faut savoir prendre les **ch**oses en **r**iant.*
Nous renvoyons les esprits chagrins à cette contrepèterie belge qui les rassurera :
*Il fait **b**eau et **ch**aud.*

# Courteline (Georges) — 1858-1929

Plus Tourangeau que lui, tu meurs !

◆ Non seulement **Georges COURTE-LINE** est né à Tours, mais ses parents et ses grands-parents également. Le grand-père MOINEAU était un ébéniste réputé dont le musée de la ville conserve encore plusieurs meubles signés. Le père, Jules MOINAUX (1815-1895) — après avoir mis son nom de famille au pluriel — tint la chronique judiciaire du *Charivari* et acquit la célébrité grâce à un livre que lui inspirèrent ses expériences : *LES TRIBUNAUX COMIQUES.*

Georges MOINAUX naquit donc à Tours, rue de Lariche, le 25 juin 1858. Ses parents, peu après, vinrent habiter Paris. Chaque été, ils s'installaient sur la Butte Montmartre, à la campagne, dans un charmant cottage fleuri, au 40 de la rue des Rosiers (aujourd'hui rue du Chevalier de la Barre). C'est contre le mur de la maison que, pendant la Commune, seront fusillés Clément THOMAS et LECONTE. Mais prudents, les MOINAUX n'avaient pas attendu la Commune : dès les premiers soubresauts, ils étaient partis se réfugier à Iverny, près de Meaux. Le calme revenu, les parents regagnèrent Paris, laissant Georges en pension dans un couvent sinistre reconverti en collège. Après son échec au baccalauréat, son père le fait entrer rue St-Fiacre au siège des **Bouillons-Duval**. Il y est affecté au service de vérification des additions provenant de toutes les succursales de cette chaîne de restaurants. On lui explique :

— *Si l'une de nos caissières s'est trompée au préjudice du client, elle doit lui rembourser la somme indûment perçue. Dans le cas contraire, elle nous paie la différence.*

— *Mais alors, la pauvre femme, c'est toujours elle qui paie ?* s'écrie le futur Courteline.

Pour toute réponse, on lui indiqua sobrement le chemin de la sortie.

## LES GAÎTÉS DE L'ESCADRON

◆ Jules MOINAUX oblige alors son fils à s'engager. Il se retrouve à Bar-le-Duc au 13$^e$ Chasseurs à cheval. Le major, un Alsacien aussi grand que bête, prend en grippe cet « avorton » qui déshonore l'armée. Ses cheveux trop longs, en ba-guettes de tambour, lui valent le surnom de **frisé** qu'il gardera toute sa vie. Il lui faudra jouer les débiles pendant quatorze mois avant de se faire réformer.

Grâce à un don prodigieux d'observation, il aura le temps de connaître toute une galerie de polichinelles militaires et d'apprendre le vocabulaire, les expressions, les coutumes de l'homme des casernes. Le légendaire *Adjudant FLICK* qui veut fourrer tout le monde au « gnouf », avec des motifs de punition d'une bêtise légendaire, est sorti tout droit des souvenirs du Cavalier MOINAUX :

*« Deux jours de police au Brigadier La Guillaumette pour avoir pris le soleil dans une glace et l'avoir violemment jeté à la figure de son sous-officier. » « Huit jours au Cavalier Gueswiller pour avoir, sur le passage du Brigadier Cannart, imité le cri de cet animal. »*

## MESSIEURS LES RONDS-DE-CUIR

◆ **Georges** à peine démobilisé, son père le fait entrer au **Ministère des Cultes** qu'il immortalisera plus tard sous le nom de **Ministère des Dons et Legs**.

On le verra très peu au bureau jusqu'au jour où il ne viendra plus du tout : il avait imaginé de verser la moitié de son salaire à un collègue qu'il avait chargé de faire le travail à sa place.

La situation durera quatorze ans à la satisfaction générale.

Devenu célèbre sous le nom de **Georges COURTELINE,** il jugera plus décent de faire valoir ses droits à la retraite. Il s'était fait connaître par des articles dans les gazettes parisiennes dans lesquelles on trouvait déjà le style et le ton du dramaturge comique qu'il allait être.

À l'âge de 26 ans, la chance lui avait souri le jour où le rédacteur en chef des *Petites Nouvelles Littéraires* lui avait demandé, pour boucher un trou de dernière minute, s'il n'avait pas un article tout prêt. Il tira de ses cartons une petite scène militaire intitulée *LA SOUPE.* Le lendemain il était convoqué de toute urgence. Très inquiet il se présenta pour s'entendre dire : *Ton article plaît beaucoup. Tu m'en donneras un toutes les semaines sur la vie de caserne. Tu vois ? Du vrai, mais traité gaiement.*

Courteline venait par hasard de découvrir sa voie et son style. Jean Dutourd a écrit : *Il ne connaissait que trois sujets : l'armée, les bureaux et les femmes ! mais il les connaissait à fond !*
Et il est vrai que, de ces trois corps dans lesquels, successivement ou ensemble, il a servi, il va tirer la matière de toute son œuvre. Personne ne sait parler comme lui de la bêtise des militaires, des tracasseries administratives, des injustices de la justice, de la légèreté des femmes et de la mesquinerie des bourgeois. La caricature de son trait qui va de la bouffonnerie à l'humour noir est restée moderne à bien des égards.

## LA PAIX CHEZ SOI

♦ **Georges Courteline** s'est marié deux fois et il a connu un parfait bonheur familial. Il épousa d'abord une artiste de l'Odéon **Suzanne BERTY** qui devait créer à la Potinière sa pièce *LA PEUR DES COUPS*. Elle mourut d'une hémoptysie. En 1907, à 49 ans, il se remaria avec Judith **BERNHEIM**, connue comme actrice sous le nom de **Judith BRECOURT**, et qu'il appelait — lui seul savait pourquoi !
— **Marie Jeanne**.
Les œuvres de **Courteline** sont adaptées pour la scène sans que le traitement qu'elles subissent reçoivent toujours l'approbation de leur auteur. Après avoir vu jouer son *TRAIN DE 8 H 47*, il est effondré : *C'est affreux ! ce n'est pas moi qui ai écrit cette m... !* La pièce aura tout de même 155 représentations. **Courteline** devient une personnalité bien parisienne que les journalistes interviewent à tout propos et surtout hors de propos. Pour se débarrasser des importuns, il a fait imprimer une circulaire :

---

*CABINET DE GEORGES COURTELINE*
*CENTRALISATION DES INTERVIEWS*

*Monsieur et cher confrère,*

*En réponse à votre lettre du...*
*par laquelle vous voulez bien me demander mon avis à propos de..........*
*j'ai l'honneur de vous informer que je m'en fous complétement.*
*Dans l'espoir que la présente vous trouvera de même, je vous prie d'agréer, Monsieur et cher confrère, l'assurance de mes sentiments les plus dévoués.*

*Pour M. Georges COURTELINE*
*Le centralisateur général*

---

En 1926, les Académiciens **Goncourt** l'élisent au sein de leur assemblée en remplacement de **Gustave Geoffroy**. L'année précédente, il a subi une grave opération. On lui a coupé l'orteil, puis on l'a amputé de la jambe droite.
*Quel toubib !* dit-il de son chirurgien. *Il faut encore qu'il ait la parole tranchante !*
Trois ans plus tard, il faudra l'amputer de la jambe gauche. Il mourra des suites de l'opération, le 25 juin 1929, le jour de son soixante et onzième anniversaire.
Pendant l'Occupation, les Allemands s'emparent de toutes les statues de bronze pour les transformer en canons. **Madame Courteline**, à qui on a imposé le port de l'étoile jaune, s'efforce, en vain, d'empêcher que le buste de son mari, qui avait été placé dans le square de l'avenue de St-Mandé, connaisse ce triste sort. Des amis prévenus à temps, parvinrent à le déboulonner et à le cacher jusqu'à la Libération où il retrouva sa place.
**Courteline** avait rassemblé dans un petit livre toutes les pensées et les maximes qui constituaient le sourire de sa philosophie personnelle. On croirait l'entendre bougonner :

♦ *S'il fallait tolérer aux autres tout ce qu'on se permet à soi-même, la vie ne serait plus tenable.*

♦ *Je ne sais pas de spectacle plus sain, d'un comique plus réconfortant, que celui d'un Monsieur recevant de main de maître une beigne qu'il avait cherchée.*

♦ *On ne saurait mieux comparer l'absurdité des demi-mesures qu'à celle des mesures absolues.*

♦ *Il vaut mieux gâcher sa jeunesse que de n'en rien faire du tout.*

♦ *La femme ne voit jamais ce que l'on fait pour elle, elle ne voit que ce qu'on ne fait pas.*

♦ *Il est évidemment bien dur de ne plus être aimé quand on aime, mais cela n'est pas comparable à l'être encore quand on n'aime plus.*

♦ *L'homme est le seul mâle qui batte sa femelle. Il est donc le plus brutal des mâles, à moins que, de toutes les femelles, la femme ne soit la plus insupportable — hypothèse très soutenable en somme.*

♦ *Passer pour un idiot aux yeux d'un imbécile est une volupté de fin gourmet.*

◆ La **culture** est de nos jours la plus tangible des vertus puisque, semblable en cela à la Justice, elle a son ministre et que, telle la Tolérance elle possède des maisons. **Physique**, elle sert à gonfler les muscles des culturistes, en principe peu cultivés. **Générale**, elle développe le cerveau d'intellectuels généralement peu musclés.

La **culture** est partout, dans les champs et dans les villes. Tout le monde cultive quelque chose, son apparence, ses contradictions, ses tendances, sa voix, sa mémoire, ses relations, le paradoxe ou ses connaissances, son jardin ou des microbes. De quoi se flinguer ! D'ailleurs, le nazi Goebbels disait :

— *Quand j'entends le mot de culture, je sors mon revolver*, mais il était plus qua-lifié pour parler de l'un que de l'autre.

Le **Maréchal Foch** prétendait qu'*il n'y a pas d'homme cultivé. Il n'y a que des hommes qui se cultivent.*

— *On appelle cultivé un esprit dans lequel on a semé l'esprit des autres* affirmait la **Comtesse Diane**.

Quant à **Émile Henriot**, sa définition est célèbre :

— *La culture, c'est ce qui demeure dans l'homme lorsqu'il a tout oublié.*

◆ On pourrait dresser une liste appréciable de mots contenant le radical **culture** (qu'il ne faut pas confondre avec la culture des radis !). Sauriez-vous définir sans erreur à quoi se rapportent les **cultures** qui suivent ?

| | |
|---|---|
| **Agrumiculture** | Culture des agrumes |
| **Apiculture** | Art d'élever les abeilles |
| **Aquaculture** (ou aquiculture) | Art d'élever les animaux ou plantes aquatiques |
| **Arboriculture** | Culture des arbres |
| **Astaciculture** | Élevage des écrevisses |
| **Aviculture** | Élevage des oiseaux ou volailles |
| **Capilliculture** | Soins de la chevelure |
| **Céréaliculture** | Culture des céréales |
| **Conchyliculture** | Élevage industriel des huîtres, moules et coquillages. |
| **Coturniculture** | Élevage des cailles |
| **Cressiculture** | Culture du cresson |
| **Cuniculiculture** | Élevage du lapin |
| **Floriculture** | Partie de l'horticulture qui s'occupe spécialement des fleurs |
| **Héliciculture** | Élevage des escargots |
| **Hémoculture** | Recherche de bactéries dans le sang |
| **Horticulture** | Art de cultiver les jardins |
| **Monoculture** | Système de production agricole où la terre est consacrée à une seule culture |
| **Motoculture** | Utilisation du moteur dans l'agriculture |
| **Myciculture** | Culture des champignons |
| **Mytiliculture** | Élevage des moules |
| **Oléiculture** | Culture de l'olivier et des plantes oléagineuses |
| **Osiériculture** | Culture de l'osier |
| **Ostréiculture** | Élevage des huîtres |
| **Pisciculture** | Art d'élever et de multiplier les poissons |

| | |
|---|---|
| **Polyculture** | Système consistant à pratiquer des cultures différentes dans une même exploitation |
| **Puériculture** | Ensemble des connaissances et techniques nécessaires aux soins des tout petits |
| **Riziculture** | Culture du riz |
| **Saliculture** | Exploitation d'un marais salant |
| **Salmoniculture** | Élevage du saumon |
| **Sériciculture** | Industrie ayant pour objet la production de la soie |
| **Spongiculture** | Culture de l'éponge en parcs |
| **Sylviculture** | Entretien et exploitation des forêts |
| **Trufficulture** | Production de truffes |
| **Trutticulture** | Élevage des truites |
| **Viniculture** | Ensemble des activités relatives au vin |
| **Viticulture** | Culture de la vigne |

*Cela est bien dit*, répondit Candide, *mais il faut cultiver notre jardin !*
**AGRICULTURE ?** Vous avez dit agriculture ?

---

## Cyrano de Bergerac

◆ Trois siècles de théâtre en France : un nombre impressionnant de succès et plus encore d'échecs. En ce domaine, les véritables événements sont rarissimes. Pour tout dire, on en compte quatre :
La première du **« CID »** (1636) de Pierre Corneille, celle du **« MARIAGE DE FIGARO »** (1784) de Beaumarchais, celle d'**« ANTONY »** (1831) d'Alexandre Dumas Père, et... la première de **« CYRANO DE BERGERAC »** d'Edmond Rostand.

◆ Cette représentation historique s'est déroulée le 28 décembre 1897 au **Théâtre de la Porte Saint-Martin**.
L'atmosphère des répétitions avait été glaciale et la troupe résignée sentait que l'on allait au devant du « four noir ». Au point qu'un quart d'heure avant le lever du rideau, en pleurs, se précipitait dans les bras de **Coquelin**, son interprète : *« Pardon, mon ami, de vous avoir entraîné dans cette aventure désastreuse ! »*
Et le rideau se leva. A la fin du premier acte, c'était déjà le succès. Au deuxième acte, on parlait de triomphe. Au troisième acte, la salle était en délire. Pendant l'entracte précédant le cinquième acte, le ministre des Finances surgit dans les coulisses, dégrafa la décoration qui ornait le revers de son habit et, *en vertu des*

*pouvoirs à lui conférés*, l'épingla à celui de l'auteur médusé, le faisant ainsi, sur le front de sa troupe, chevalier de la Légion d'honneur.

Le rideau à peine retombé sur la dernière réplique — *« Mon panache ! »* — c'est le déchaînement, la tempête. On compte quarante rappels, après quoi le régisseur épuisé laisse le rideau ouvert. A deux heures du matin, tous les spectateurs étaient dans la salle et sur la scène envahie, criant leur joie et leur bonheur.

◆ Depuis cette mémorable première, *« CYRANO DE BERGERAC »* a connu plus de 14 000 représentations — ce qui fait plus de 160 par an ! — La pièce a été traduite dans toutes les langues et les théâtres du monde entier l'ont mise à leur répertoire.

◆ Les plus grands comédiens se sont disputé ce rôle écrasant de 1 400 vers, le plus long de tout le répertoire français. Voici la liste des principaux d'entre eux :

**Constant Coquelin (jusqu'en 1910) ; Le Bargy ; Jean d'Aragon ; Candé ; Lucien Rozenberg ; Pierre Magnier ; Chabert ; Jacques Gretillat ; Pierre Fresnay (1928) ; Victor Francen ; Gabriel Signoret ; Romuald Joubé ; Charpin ; Jean Wéber ; Denis d'Inès ; André Brunot ; Pierre Dux (1938) ; Maurice Escande ; Jean Martinelli ; Maurice Donnaud ; Paul-Émile Deiber ; Jean-Paul Coquelin ; Bernard Noël ; Jean Piat (1964) ; Jean Marais ; Jacques Toja (1976) ; Jacques Destoop ; Alain Pralon ; Jacques Wéber (1983) ; Denis Manuel.**

A la Télévision, en 1960, **Daniel Sorano** fut un Cyrano très convaincant.
Au cinéma, **Coquelin** reprit son rôle dans une version muette.
Après lui, **Claude Dauphin** et **José Ferrer** furent des Cyrano 100 % parlants.

## LE VRAI CYRANO

Cyrano a existé et on peut affirmer qu'Edmond Rostand a respecté dans sa pièce les principaux faits qui jalonnèrent l'existence de son modèle.
**Savinien de Cyrano de Bergerac** naquit à Paris en 1619. Il fut aussi galant dans la vie que brave au combat. Tous ceux qui se risquèrent à se moquer de son nez eurent à tâter de son épée. Il participa comme officier au siège d'Arras dans les Cadets de la Compagnie de **Carbon de Casteljaloux** et il y récolta une blessure.
◆ L'épisode de la fameuse bagarre de la Porte de Nesles où il se battit seul contre cent pour défendre son ami Lignières est également attesté par la chronique.

◆ Il écrivit une comédie « LE PÉDANT JOUÉ », dont Molière s'inspira dans ses « FOURBERIES DE SCAPIN », et une tragédie « LA MORT D'AGRIPPINE » à laquelle Corneille fit de nombreux emprunts. C'est surtout avec son « HISTOIRE COMIQUE DES ÉTATS ET EMPIRES DE LA LUNE ET DU SOLEIL » qu'il fait figure de véritable précurseur.

◆ Vers la fin de sa vie, Cyrano rencontra sa cousine **Madeleine Robineau** qui vivait retirée du monde depuis la mort de son mari, le **Baron de Neuvillette**.

◆ Ce polémiste à la dent dure et aux traits acérés avait l'art de se faire des ennemis. Ce qui permet de penser que la bûche qu'il reçut sur la tête était un attentat plutôt qu'un accident. Il en mourut en 1655, âgé seulement de 36 ans.

## UN HÉROS BIEN FRANÇAIS

Il n'est pas de grand succès qui ne répondît à une attente secrète du public. Les grandes pièces romantiques de la première moitié du XIXe siècle — **Antony, Hernani, Ruy Blas,** etc. — avaient laissé la place à un théâtre naturaliste qui s'appliquait à décrire les drames du quotidien. Les spectateurs firent fête à un héros qui leur rendait le goût oublié du panache et du rêve.

◆ Courageux jusqu'à la témérité, beau parleur jusqu'au lyrisme, frondeur, roustépeur, irrespectueux et querelleur, mauvais caractère et cœur d'or, passionné, spirituel et galant, ainsi pourrait se définir le héros de Rostand.
Avec quelques années d'avance, le **panache** de « CYRANO » c'est le **cocorico** de « CHANTECLER » (voir l'article ROSTAND).

## Dac (Pierre) — 1898-1977

◆ En vertu du principe qu'il faut bien naître quelque part, le futur **Pierre DAC** — André ISAAC pour l'état civil — vit le jour à Châlons-sur-Marne dans les dernières années d'un siècle exténué. Après des études sans histoires au cours desquelles il s'employa surtout à faire rire ses condisciples, il se retrouva, vêtu de bleu horizon, dans un emploi à plein temps de glorieux défenseurs de la patrie. Une balle dans le bras lui ôta à tout jamais une vague vocation de violoniste. La musique l'avait échappé belle !

◆ Rendu à la vie civile il s'essaie à des emplois prestigieux : tout à tour homme-

72

sandwich, chauffeur de taxi, vendeur de savonnettes à la sauvette, représentant de commerce et... chômeur. C'est alors qu'il décide de devenir chansonnier. Résolution héroïque pour quelqu'un d'aussi timide que lui.

Il est remarquable que, du premier coup, sans hésitation, sans expérience, il ait su trouver son style. Dans l'un de ses premiers sketches il écrivait : *Te rappelles-tu, Mamour, le soir tombait... il tombait bien d'ailleurs et, juste à pic pour remplacer le jour qui, c'était visible, ne passerait pas la nuit...*

Le public de la « LUNE ROUSSE », des « DEUX ÂNES » ou du « COUCOU » écoutait, médusé, ce débutant imperturbable lui débiter des maximes absurdes qui sonnaient comme du La Rochefoucauld et qui n'étaient pas du La Rochefoucauld :

*Parler pour ne rien dire ou ne rien dire pour parler sont les deux principes majeurs de tous ceux qui feraient mieux de la fermer avant de l'ouvrir.*

✦ Peu à peu, le public s'habitue... il en redemande... c'est le succès. En 1937, sur les ondes de *RADIO CITÉ*, Pierre DAC crée le « CLUB DES LOUFOQUES ». Un peu plus tard, sur celles du *POSTE PARISIEN*, il lance son inoubliable « COURSE AU TRÉSOR » : les participants devaient, pour gagner, arriver les premiers à la station, munis d'une invraisemblable liste d'objets plus inattendus les uns que les autres : une puce sauteuse, une épingle de nourrice, un dromadaire, une pomme de terre frite, une machine à coudre, un ticket de métro de la station Glacière, un œuf dur, une table à dissection, un casque de pompier, une note de gaz... A ces inventaires loufoques, il ne manquait plus que le raton-laveur cher à Jacques Prévert. Les jours de « course au trésor », les Champs-Élysées étaient embouteillés de l'Étoile à la Concorde. Tous ces loufoques réunis en club et dont le nombre ne cessait de croître constituaient la clientèle toute trouvée pour un journal qui en serait l'organe officiel. Ainsi naquit *L'OS A MOELLE* dont Pierre DAC était le rédacteur en chef :
— Pourquoi *L'OS A MOELLE* ?
— Pourquoi pas *L'OS A MOELLE* !
La date est historique : c'était le vendredi 13 mai 1938. En apparence, *L'OS* ressemblait à n'importe quel journal sérieux.

Mais à y regarder de plus près, c'était une vraie révolution qu'il apportait. Voici qu'au pays de Descartes, on assistait au débarquement en force d'un humour irrationnel et absurde.

*Le premier ministère loufoque vient d'être constitué* précise M. Pierre DAC, Président du Conseil. L'événement est d'importance. Parmi les heureux élus (au poker-dice) on remarque les noms de Roger Salardenne (ministre du Bœuf en Daube) et de Robert Rocca (ministre des Vieux Dentiers et Jaunes d'œuf) et de Fernand Rauzéna (ministre des Moules à Gaufre et Sinapismes).

Hélas ! tout a un terme dans ce monde (*à part le loyer qui en a quatre*, disait Charles Monselet) et *L'OS A MOELLE* ne dépassa pas le N° 108. Le vendredi 31 mai 1940, il cessa de paraître. L'heure n'était plus à la rigolade.

✦ Pierre DAC se retrouvera en Angleterre après un séjour dans les prisons espagnoles. Il deviendra l'un de ces Français qui parlent aux Français de la radio de Londres. Les auditeurs de la France occupée ne manquent pas d'écouter la voix gouailleuse de Pierre DAC leur narrer les déboires de l'armée allemande. Quelques éclats de rire vengeurs font paraître plus courts les jours qui séparent encore de la Libération.
En août 1944, le revoici entrant en uniforme de correspondant de guerre dans Paris libéré. Dès le 11 octobre 1945, *L'OS LIBRE* remplace *L'OS A MOELLE*, sans que ce nouveau journal parvienne jamais à retrouver la folie joyeuse et insouciante de son aîné. La guerre était passée par là.
Une rencontre décisive sera celle de Pierre DAC avec Francis BLANCHE : elle donnera naissance en 1951 au plus incroyable, au plus drôle, au plus délirant des feuilletons radiophoniques « SIGNÉ FURAX ». Chaque jour, vers midi, la France entière suit avec passion les aventures de l'ignoble aventurier à qui Jean-Marie AMATO prêtait sa voix. Le générique de l'émission est à lui seul un petit chef d'œuvre. Commencé sur une musique sautillante à la clarinette, il se termine invariablement par ces mots :

— Et de qui est la mise en ondes ?
— Mais de Pierre Arnaud de Chassy-Poulet, voyons !

✦ Malgré le succès, Pierre DAC était resté un homme timide et modeste, presque effacé. Lui qui faisait crouler de rire des salles entières tente de se suicider avant de mourir, quelques années plus tard, dans la plus grande discrétion.

*La mort*, avait-il dit, *c'est un manque de savoir-vivre.*

✦ Cette mort, qui est pour beaucoup de chansonniers et d'amuseurs le début de l'oubli, semble marquer au contraire pour **Pierre DAC** le début de la consécration. Les intellectuels qui l'avaient longtemps considéré avec un rien de commisération s'aperçoivent qu'il n'en restera comme un des prophètes du **nonsense**. Espérons toutefois qu'on ne lui fera pas l'injure posthume d'étudier ses œuvres pour le baccalauréat. Il n'avait qu'une prétention : FAIRE RIRE et il y est toujours parvenu. Saluons en lui le prestigieux inventeur de la houille dormante, de la peinture au râteau, de la confiture de nouilles, du biglotron, du slip à percussion centrale et de la sauce aux câpres sans câpres.
Il n'est plus possible de lire les petites annonces des journaux sans penser à celles qu'il avait inventées pour *L'OS A MOELLE* :

* *On demande des personnes sachant compter jusqu'à dix pour vérification des doigts dans une fabrique de gants.*
* *On demande cheval sérieux connaissant bien Paris pour faire livraisons seul.*
* *Écureuil édenté échangerait panache contre casse-noisettes.*
* *Plongeur de restaurant polyglotte demande place traducteur pour assiette anglaise et salade russe.*
* *Jugez vous-même. Cours d'assises par correspondance.*
* *Professeur bègue donne répétitions.*
* *Concierge demande loge au 7e étage pour descendre le courrier au lieu de le monter.*
* *Trous pour planter des arbres. Le tombereau 16,50 F.*
* *Monsieur atteint strabisme divergent cherche monsieur strabisme convergent pour pouvoir ensemble regarder les choses en face.*
* *Vous qui partez pour la Croisade, faites-vous habiller chez Godefroy de Bouillon, le spécialiste du veston « croisé ».*
* *Mère-grand remplacerait bobinette et chevillette par solide verrou dernier cri. Faire offres.*

* *Pièces de rechange pour animaux divers. Œil de bœuf : 7 F - Queue de rat : 3 F - Pied de biche : 9 F - Tête de loup : 10 F - Bec de cane : 11 F.*
* *Monsieur descendant et montant escaliers 4 à 4, cherche appartement dans maison ayant 16, 20 ou 24 marches par étage.*

✦ Parmi un choix considérable, nous avons retenu quelques-unes de ses *Pensées et Maximes* qui nous semblent dignes de passer à la postérité :

* *Si tous ceux qui croient avoir raison n'avaient pas tort, la vérité ne serait pas loin.*
* *Quand on ne travaillera plus le lendemain des jours de repos, la fatigue sera vaincue.*
* *Le carré, c'est une circonférence qui a mal tourné.*
* *Rien ne sert de penser, il faut réfléchir avant.*
* *Le rire est à l'homme ce que la bière est à la pression.*
* *L'avenir, c'est du passé en préparation.*
* *Tous pour un, un pour tous et 25 pour 100.*
* *Une erreur peut devenir exacte selon que celui qui l'a commise s'est trompé ou non.*
* *Un sens interdit, en somme, ce n'est qu'un sens autorisé, mais pris à l'envers.*
* *Ceux qui ne savent rien en savent toujours autant que ceux qui n'en savent pas plus qu'eux.*
* *Donner avec ostentation ce n'est pas très joli, mais ne rien donner avec discrétion ça ne vaut guère mieux.*

✦ **Pierre DAC** a également ridiculisé à jamais les discours creux, les formules vides, les péroraisons ridicules de certains professionnels de la rhétorique inutile, tous ceux qui feraient mieux, comme il l'a si bien dit, de la fermer avant de l'ouvrir. Écoutez :

*Gloire à ceux qui ont forgé silencieusement mais efficacement le fier levain qui, demain ou après-demain au plus tard, fera germer le grain fécond du ciment victorieux, au sein duquel, enfin, sera ficelée, entre les deux mamelles de l'harmonie universelle, la prestigieuse clé de voûte qui ouvrira à deux battants, la porte cochère d'un avenir meilleur sur le péristyle d'un monde nouveau.*
D'accord ? - DAC, of course !

# Demeures d'hommes célèbres

**Alain-FOURNIER**
École d'ÉPINEUL-LE-FLEURIEL (18) à 6 km de Meaulne.

**André AMPÈRE**
POLEYMIEUX-AU-MONT-D'OR (69) près de Neuville-sur-Saône.

**Honoré de BALZAC**
1. Château de SACHÉ (37) près d'Azay-le-Rideau
2. 47, rue Raynouard - 75016 PARIS
3. « Les Jardies » - 14, avenue Gambetta - SEVRES (92)

**Henri BARBUSSE**
AUMONT (60) - A côté de Senlis

**Frédéric BARTHOLDI**
30, rue des Marchands - COLMAR (68)

**Hector BERLIOZ**
69, rue de la République - LA COTE-SAINT-ANDRÉ (38)

**Jean BERNADOTTE**
8, rue Tran - PAU (64)

**Claude BERNARD**
Hameau de CHATENAY - SAINT-JULIEN-EN-BEAU-JOLAIS (69)

**Rosa BONHEUR**
Château de BY - THOMERY (77)

**Jacques Bénigne BOSSUET**
5, place Charles-de-Gaulle - MEAUX (77)

**Antoine BOURDELLE**
16, rue Antoine-Bourdelle - 75014 PARIS

**Louis BRAILLE**
Rue Louis-Braille - COUPVRAY (77) près d'Esbly

**Pierre de Bourdeilles**
**abbé de BRANTÔME**
Château de Richemont - SAINT-CRÉPIN-DE-RICHE-MONT (24) près de Brantôme

**Georges Louis le Clerc**
**Comte de BUFFON**
Parc de Montbard à MONTBARD (21)

**Roger de BUSSY-RABUTIN**
Château à BUSSY-LE-GRAND (21) Les Laumes

**Marcel CACHIN**
9, rue Auguste-Blanqui - CHOISY-LE-ROI (94)

**Jean CALVIN**
Place Aristide-Briand - NOYON (60)

**Paul CEZANNE**
9, avenue Paul-Cézanne - AIX-EN-PROVENCE (13)

**François-René**
**de CHATEAUBRIAND**
1. Château de Combourg - COMBOURG (35)
2. « La Vallée aux Loups » - 87, rue Chateaubriand - CHATENAY-MALABRY (92)

**Paul CLAUDEL**
Château de Brangues - MORESTEL (38)

**Georges CLEMENCEAU**
1. 8, rue Franklin - 75016 PARIS
2. SAINT-VINCENT-SUR-JARD (85) Jard-sur-Mer

**Auguste COMTE**
10, rue Monsieur-le-Prince - 75005 PARIS

**Pierre CORNEILLE**
1. 4, rue de la Pie - ROUEN (76)
2. 502, rue Pierre-Corneille - PETIT COURONNE (76)

**Gustave COURBET**
2, rue de la Froidière - ORNANS (25)

**Alphonse DAUDET**
1. Moulin de Daudet - Allée des Pins - FONTVIEILLE (13)
2. Mas de la Vignasse - SAINT-ALBAN-AURIOLLES (07) près de Ruoms

**Eugène DELACROIX**
6, place Fürstenberg - 75006 PARIS

**René DESCARTES**
1. rue Descartes - DESCARTES (37) à 50 km de Tours
2. 162, rue Bourbon - CHATELLERAULT (86)

**Alexandre DUMAS**
Château de Monte-Cristo - rue de Monte-Cristo - PORT MARLY - Marly-le-Roi (78)

**André DUNOYER DE SEGONZAC**
Hôtel de Ville - place Dunoyer-de-Segonzac - BOUSSY-SAINT-ANTOINE (91)

**Gustave EIFFEL**
Tour Eiffel (4e étage) - 75007 PARIS

**Jean-Henri FABRE**
1. SAINT-LÉONS (12) à 18 km de Millau
2. Harmas de J.-H.-Fabre - SERIGNAN-DU-COMTAT (84) à 8 km d'Orange

**François de la MOTHE-FENELON**
Château de Fénelon - SAINTE-MONDANE (24) près de Carlux

**Gustave FLAUBERT**
1. 51, rue Lecat - ROUEN (76)
2. Pavillon Flaubert - CROISSET (76) Canteleu

**Ferdinand FOCH**
2, rue de la Victoire - TARBES (65)

**Jean-Honoré FRAGONARD**
23, bd Fragonard - GRASSE (06)

**Anatole FRANCE**
« La Béchellerie » - SAINT-CYR-SUR-LOIRE (37)

**Charles de GAULLE**
« La Boisserie »
COLOMBEY-LES-DEUX-ÉGLISES (52)

**Jean GIRAUDOUX**
4, avenue Jean-Jaurès - BELLAC (87)

**Eugénie et Maurice de GUÉRIN**
Château du Cayla - ANDILLAC (81) près de Gaillac

**Victor HUGO**
1. 6, place des Vosges - 75004 PARIS
2. VILLEQUIER (76) à 4 km de Caudebec-en-Caux
3. Hauteville-House - 38 Hauteville - Saint-Pierre Port
GUERNESEY (R.U.)

**Saint JEAN-BAPTISTE
MARIE VIANNEY**
1. 2, rue du Curé-d'Ars - DARDILLY (69) à quelques
kilomètres de Lyon
2. Presbytère du Curé-d'Ars - ARS-SUR-FORMANS
(01) Jassans-Riottier

**JEANNE D'ARC**
DOMREMY-LA-PUCELLE (88) près de Neuchâteau

**LACORDAIRE**
École de Sorèze - SORÈZE (81) Dourgne

**LA FAYETTE**
Château de CHAVANIAC-LA-FAYETTE (43) près de
Paulhaguet

**Jean de la FONTAINE**
12, rue la Fontaine - CHATEAU-THIERRY (02)

**Alphonse de LAMARTINE**
1. Château de Monceau - PRISSE (71) Pierreclos
2. Château de Saint-Point - TRAMAYES (71)

**Jean de LATTRE DE TASSIGNY**
MOUILLERON-EN-PAREDS (85)

**Fernand LÉGER**
LISORES (61) Vimoutiers

**Pierre LOTI**
141, rue Pierre-Loti - ROCHEFORT (17)

**Auguste et Louis LUMIÈRE**
Fondation Nationale de la Photographie - Château-
Lumière, 25, rue du Premier-Film - LYON (69)

**Pierre MAC ORLAN**
SAINT-CYR-SUR-MORIN (77)

**Jean-François MILLET**
27, rue Grande - BARBIZON (77)

**Frédéric MISTRAL**
MAILLANE (13)

**Claude MONET**
Rue Claude-Monet - GIVERNY (27) à côté de Vernon

**Michel de MONTAIGNE**
SAINT-MICHEL-DE-MONTAIGNE (24) Velines

**Charles de Secondat
Baron de Labrède
et de MONTESQUIEU**
Château de Labrède - Route de Toulouse - LABREDE
(33)

**Joachim MURAT**
LABASTIDE-DE-MURAT (46)

**NAPOLÉON**
1. Maison Bonaparte - rue St-Charles - AJACCIO (20)
2. Musée Napoléonien - rue Napoléon - ILE D'AIX (17)

**Louis PASTEUR**
1. 43, rue Pasteur - DOLE (39)
2. 83, rue de Courcelles - ARBOIS (39)
3. Musée Pasteur - 25, rue du Docteur-Roux - 75015
PARIS
4. Domaine de Villeneuve - l'Étang Boulevard de la
République - MARNES-LA-COQUETTE (92)

**Charles-Louis-PHILIPPE**
Rue Charles-Louis Philippe - CERILLY (03)

**Marcel PROUST**
4, rue du Dr-Proust - ILLIERS-COMBRAY (28)

**François RABELAIS**
« La Devinière » - SEUILLY (37) près de Chinon

**Maurice RAVEL**
Rue M.-Ravel - MONTFORT-L'AMAURY (78)

**Ernest RENAN**
20, rue Renan - TREGUIER (22)

**Auguste RENOIR**
« Les Collettes » - CAGNES-SUR-MER (06)

**Auguste RODIN**
1. Villa des Brillants - 19, avenue Auguste-Rodin -
MEUDON (92)
2. Hôtel Biron - 77, rue de Varenne - 75007 PARIS

**Pierre de RONSARD**
1. Manoir de la Possonnière - COUTURE-SUR-LOIRE
(41)
2. Prieuré Saint-Côme - LA RICHE - TOURS (37)

**Edmond ROSTAND**
« Arnaga » - CAMBO-LES-BAINS (64)

**Jean-Jacques ROUSSEAU**
1. « Les Charmettes » - CHAMBÉRY (73)
2. « Le Mont-Louis » - 4, rue J.-J.-Rousseau - MONT-
MORENCY (95)

**Théodore ROUSSEAU**
55, Grand-Rue - BARBIZON (77)

**George SAND**
NOHANT (36) 6 km de la Châtre

**Marie de Rabutin-Chantal
Marquise de SÉVIGNÉ**
1. Château des Rochers-Sévigné - VITRE (35)
2. Musée Carnavalet - 23, rue de Sévigné - 75003 PARIS
3. Château de Grignan - GRIGNAN (26)

**Germaine de STAËL**
Château de Coppet - VAUD (Suisse)

**76**

**Sainte THÉRÈSE DE L'ENFANT JÉSUS**
1. 36, rue Saint-Blaise - ALENÇON (61)
2. « Les Buissonnets » - chemin des Buissonnets - LISIEUX (14)
3. Carmel - LISIEUX (14)

**Auguste THIERS**
27, place St-Georges - 75009 PARIS

**Henri de TOULOUSE-LAUTREC**
1. Hôtel du Bosc - 14, rue Toulouse-Lautrec - ALBI (81)
2. Château du Bosc - CAMJAC (12) Naucelle

**Honoré d'URFÉ**
La Bastie d'Urfé - SAINT-ÉTIENNE LE MOLARD (42) - Boën-sur-Lignon

**Vincent VAN GOGH**
Place de la Mairie - AUVERS-SUR-OISE (95)

**Alfred de VIGNY**
« Le Maine-Giraud » - CHAMPAGNE-DE-BLANZAC (16) - Blanzac-Pocheresse

**Léonard de VINCI**
Manoir du Clos-Lucé - AMBOISE (37)

**François Marie Arouet dit VOLTAIRE**
1. « Les Délices » - 23, rue des Délices - GENÈVE (Suisse)
2. Château de Ferney - Voltaire - FERNEY (01)

**Émile ZOLA**
MEDAN (78) - Villennes-sur-Seine

Ouvrage consulté : Guide des maisons d'hommes célèbres — Éditions Horay.

## Devinettes

♦ Il faut avoir gardé une grande fraîcheur d'âme pour sourire aux devinettes qui, jadis, dans les chaumières, faisaient la joie des veillées et le succès des almanachs. C'est dommage ! Elles étaient charmantes les **devinettes** du bon vieux temps et certaines étaient même de jolies trouvailles poétiques.

• *Quatre demoiselles sont dans un pré. Jamais elles ne se mouillent, même quand il pleut très fort. Qui sont-elles ?*
Réponse : *Les quatre pis de la vache.*

• *Trente-deux demoiselles, toutes de blanc vêtues, assises sur des bancs rouges, avec une bavarde au milieu. De qui s'agit-il ?*
Réponse : *Les dents, les gencives et la langue.*

• *Je fais le tour du bois sans y entrer jamais. Qui suis-je ?*
Réponse : *L'écorce.*

• *Qu'est-ce qui est blanc lorsqu'on le lance en l'air et jaune lorsqu'il retombe ?*
Réponse : *L'œuf.*

• *Qu'est-ce qui est plein le jour et vide pendant la nuit ?*
Réponse : *La chaussure.*

• *Qu'est-ce qui est noir le jour et blanc la nuit ?*
Réponse : *Le curé.*

Les devinettes étaient un **bon moyen pédagogique** de mettre à l'épreuve la sagacité des enfants, d'affûter leur esprit ou d'exercer leur capacité de raisonnement.

♦ Lequel de nous n'a jamais été affronté à ces terrifiants problèmes ?

• *Qu'est-ce qui pèse le plus lourd : un kilo de plumes ou un kilo de plomb ?*

• *Vingt cent mille ânes dans un pré et cent vingt dans l'autre. Combien cela fait-il de pattes et d'oreilles ?*

• *Dix moineaux sur une branche. Le chasseur en tue un. Combien en reste-t-il ?*

Et l'on riait du nigaud qui se laissait prendre au piège, *qui trouvait le kilo de plomb plus lourd, qui ne parvenait pas à découvrir le nombre de pattes et d'oreilles* (pourtant : Vincent mit l'âne dans un pré et s'en vint dans l'autre, ça ne fait qu'un seul âne !), ou *qui croyait qu'après la mort de leur camarade les neuf moineaux avaient attendu !*

◆ On n'échappait pas non plus à la litanie des villes à deviner : la ville la plus vieille était *Milan*, bien sûr... mais la plus légère ? *(Tulle)*, la plus haute ? *(Tours)*, la plus pesante ? *(Lourdes)*, la plus instruite ? *(Calais)*, la plus féroce ? *(Lyon)*...

◆ Il y avait aussi **le jeu des ressemblances et des différences** :

• *Quelle différence y a-t-il entre la ville de Florence et la ville de Bordeaux ?*
   Réponse : *A Bordeaux, il y a des filles qui s'appellent Florence, mais à Florence on ne trouve pas de filles qui s'appellent Bordeaux.*

• *Quelle différence y a-t-il entre une hermine et un petit ramoneur ?*
   Réponse : *L'hermine est toute blanche avec une petite queue noire et le ramoneur est tout noir avec une petite... avec une petite échelle sur le dos.*

• *Quelle différence y a-t-il entre un Français et un Anglais qui veulent faire un bon repas ?*
   Réponse : *Le Français tombe la veste... et l'Anglais passe la Manche.*

◆ Ce jeu des différences peut aussi se compliquer par l'introduction de calembours :

• *Quelle différence existe-t-il entre Paris, l'ours blanc et Virginie ?*
   Réponse : *Aucune : Paris est métropole, l'ours blanc est maître au pôle et Virginie aimait trop Paul.*

• *Quelle différence y a-t-il entre une poire, une panthère et ma belle-mère ?*
   Réponse : *Aucune, bien sûr ! La poire est achetée au marché, la panthère est tachetée par la nature... et ma belle-mère est à jeter par la fenêtre !*

• *Quelle différence existe-t-il entre la lettre « A » et le clocher de l'église ?*
   Réponse : *La lettre « A », c'est la voyelle et, le clocher, c'est là qu'on sonne !*

◆ Bien sûr, ce ne sont pas là des témoignages immortels de l'esprit français, mais la devinette n'a jamais prétendu être autre chose qu'un divertissement bon enfant et inoffensif. De nos jours, à l'heure du feuilleton télévisé du mercredi et des spectacles **Chantal Goya**, nos chers petits hausseraient les épaules avec commisération en entendant de telles inepties.
La devinette n'a pourtant pas disparu. Elle s'est transformée pour s'adapter à notre monde absurde. **Alphonse Allais, Francis Blanche**, *Charlie Hebdo*, et le dessin animé avaient préparé le terrain à un autre style de devinettes, **bêtes, méchantes** et suggéraient une image burlesque. Exemple :

• *A quoi reconnaît-on un motard heureux ?*
   Réponse : *Aux moustiques qui sont collés sur ses dents de devant.*

• *Que font des Chinois écrasés au milieu de la route*
   Réponse : *Une ligne jaune continue.*

◆ C'est dans ce style que se situent les devinettes d'**éléphants** :

• *Pourquoi les éléphants sont-ils gris ?*
   Réponse : *C'est pour qu'on ne les confonde pas avec les fraises des bois.*

• *Comment font les éléphants pour descendre d'un arbre ?*
   Réponse : *Ils s'asseyent sur une feuille et attendent l'automne.*

• *Pourquoi les crocodiles sont-ils plats ?*
   Réponse : *Parce qu'ils se promènent toujours à l'automne lorsque les éléphants font du parachutisme.*

• *Comment fait-on entrer quatre éléphants dans une 2 CV ?*
   Réponse : *On en met deux à l'avant et deux à l'arrière.*

• *Comment s'aperçoit-on qu'un éléphant est entré dans le réfrigérateur ?*
   Réponse : *Aux empreintes de ses pattes dans le beurre.*

## Dictées

◆ Pas un enseignant qui ne l'affirme : La France, ton orthographe fout le camp ! La plupart des étudiants d'aujourd'hui sont incapables de rédiger un texte sans le truffer des fautes les plus grossières, fautes que n'aurait pas commises, il y a cinquante ans, l'écolier moyen, de la classe du Certificat d'études.

A la fin du siècle dernier, les intellectuels mettaient un point d'honneur à écrire parfaitement le français.

**Prosper MÉRIMÉE** — l'auteur des deux fameuses nouvelles que sont *Carmen* et *Colomba* — avait imaginé un texte, demeuré célèbre, où il avait accumulé le plus grand nombre possible de pièges orthographiques. Il organisa, au château de Compiègne, à la cour de Napoléon III, un concours de dictée. L'histoire a retenu le nombre de fautes faites par les concurrents : A tout seigneur, tout honneur : l'Empereur fit 75 fautes — l'Impératrice, 62 — la Princesse de Metternich, 42 — Alexandre Dumas fils, 24 — Octave Feuillet, de l'Académie Française, 19 et le Prince de Metternich, ambassadeur d'Autriche, 3 seulement.

◆ Voici le texte de cette dictée qui vous permettra de tester vos connaissances orthographiques, ainsi que celles de vos proches :

*Pour parler sans ambiguïté, ce dîner à Sainte-Adresse, près du Havre, malgré les effluves embaumés de la mer, malgré les vins de très bons crus, les cuisseaux de veau et les cuissots de chevreuil prodigués par l'amphitryon, fut un vrai guêpier. Quelles que soient, quelque exiguës qu'aient pu paraître, à côté de la somme due, les arrhes qu'étaient censés avoir données à maint et maint fusilier subtil la douairière ainsi que le marguillier, bien que lui ou elle soit censée les avoir refusées et s'en soit repentie, va-t'en les réclamer pour telle ou telle bru jolie par qui tu les diras redemandées, quoiqu'il ne siée pas de dire qu'elle se les est laissé arracher par l'adresse desdits fusiliers et qu'on les aurait suppléées dans toute autre circonstance ou pour des motifs de toutes sortes.*

*Il était infâme d'en vouloir pour cela à ces fusiliers jumeaux et mal bâtis et de leur infliger une raclée, alors qu'ils ne songeaient qu'à prendre des rafraîchissements avec leur coreligionnaire. Quoi qu'il en soit, c'est bien à tort que la douairière, par un contresens exorbitant, s'est laissé entraîner à prendre un râteau et qu'elle s'est crue obligée de frapper l'exigeant marguillier sur son omoplate vieillie. Deux alvéoles furent brisés, une dysenterie se déclara, suivie d'une phtisie. « Par saint Martin, quelle hémorragie ! » s'écria ce bélître. A cet événement, saisissant son goupillon, ridicule excédent de bagage, il la poursuivit dans l'église tout entière.*

◆ Quelques années plus tard, le romancier **Pierre LOUŸS** composa à son tour un texte, aussi hérissé de pièges que le précédent et — si c'est possible — encore plus dénué de sens :

*Il y a quelque vingt ans, mon cher Hippolyte, nous pagayions sur ce ruisseau méditerranéen, tandis que des scarabées faisaient bruire leurs jolis élytres sur les lauriers-tins et les lauriers-sauce, d'où tombaient des pétales amarante et fanés. Une foule de dames patronnesses marmottaient et marmonnaient au débarcadère, sous le patronage d'un pâtissier caduc. Là croissaient nos acacias, nos zinzolines fleurs de lis, nos chrysanthèmes poivrés ; quatre-vingts buffles et trois cents sariques ballaient et bringuebalaient dans le pacage où étaient aussi parqués quatre-vingt-douze chevaux rouans. On nous offrit une omelette, quelques couples d'œufs qu'Hyacinthe nous avait procurés en mil neuf cent neuf ; des entrecôtes pourries et des sandwiches arrosés de malvoisie parfumé. Enfin, nous revînmes à Chalon-sur-Saône. Nous retrouvâmes nos chambres, aux plinthes bleu de roi, nos béryls et nos agates, nos bibelots de marqueterie et de tabletterie. Il nous semblait être partis depuis l'an mille. Malgré les praticiens homéopathes ou allopathes, nous retrouvâmes, à quel période ! toi, ton entérite, et moi, mon emphysème.*

Quel est votre score personnel ?

# D'où vient ce nom ?

**G.I.** (prononcer *DJI-AÏE*) — sobriquet donné aux soldats de l'armée américaine d'après les initiales marquées sur les pièces de leur uniforme et de leur paquetage : G.I. pour *Government Issue* (fourniture du Gouvernement).

**JEEP** Nom d'un véhicule léger tout terrain créé par une société américaine de TOLEDO (Ohio). Le nom vient de la contraction des initiales G.P. (prononcer *DJI-PI*) signifiant *General Purpose* (tous usages).
La JEEP a été adoptée en 1942 par l'armée américaine.

**RADAR** Dispositif permettant de mesurer la position et la distance d'un objet en mouvement grâce à la réflexion contre celui-ci d'ondes radioélectriques. RADAR est formé d'après les initiales de *RAdio Détection And Ranging* (détection et positionnement par radio). Ce procédé connu expérimentalement en 1920 fut réellement inventé par l'Écossais Sir Robert Watson-Watt qui, de 1935 à 1939, équipa les côtes anglaises d'une ceinture de stations de détection.

**SONAR** Appareil de détection sous-marine basé sur la réflexion des ultrasons et permettant la localisation des obstacles. Mot formé d'après l'expression *SOund NAvigation Ranging*.

**LASER** *Light Amplification by Stimulated Emission of Radiations* (amplification de la lumière par émission stimulée de radiations).

**TRANSISTOR** Contraction des deux mots anglais *TRANSfer ResISTOR*, signifiant « résistance de transfert ». Le transistor fut inventé aux USA en 1948 par Bardeen, Brattain et Shrockley qui reçurent le prix Nobel de physique en 1956.

**OZALID** Avant de procéder à l'impression définitive d'un document, on soumet au client comme « bon à graver » une épreuve sur papier OZALID de couleur bleue (bleus d'architectes). OZALID est l'anagramme des lettres de DIAZOL, nom technique du procédé.

**NYLON** Marque déposé d'une fibre textile synthétique parmi une centaine d'autres. Ce « polyamide — 6,6 » a été mis au point par le trust chimique américain Dupont de Nemours en 1938. La légende veut que ce textile, de grand intérêt stratégique (toile de parachute) ait été baptisé au moment de l'entrée en guerre des États-Unis contre le Japon en 1941 d'après les initiales de la phrase vengeresse ; *Now You're Lost Old Nippons* (maintenant vous êtes foutus, vieux Japonais !).

**TERGAL** Fibre synthétique de polyester de fabrication française. Le nom de TERGAL est construit avec la dernière syllabe de POLYES**TER** et la première de **GAL**LICUS, mot latin signifiant GAULOIS et, par extension, français.

**VELCRO** Nom d'un système breveté d'un procédé d'attache rapide des vêtements. Nom formé d'après la contraction des deux mots **VEL**OURS - **CRO**CHET.

**GARDENAL** La firme pharmaceutique qui avait inventé ce somnifère avait, au cours des années précédentes, mis avec succès sur le marché, d'autres produits dont le nom se terminait par la désinence NAL (le VERONAL par exemple). Le directeur demanda aux employés chargés de commercialiser ce nouveau produit de lui trouver un nom : — Mais surtout, leur recommanda-t-il, **gardez NAL !**

**FANZINE** Du vocabulaire de la bande dessinée — contraction des mots américains **FAN**ATIC et MAGA**ZINE** : petites revues d'amateur le plus souvent ronéotées, réservées aux spécialistes de la B.D. et permettant de révéler de réels talents d'écrivains ou de dessinateurs.

## Énigmes

◆ Dans l'Antiquité, un **Sphinx**, monstre fabuleux à tête humaine et à corps de lion, terrorisait les habitants de Thèbes. Installé aux portes de la Cité, il dévorait les passants incapables de résoudre son énigme favorite :

*Quel est l'animal qui marche sur quatre pattes le matin, sur deux pattes à midi et sur trois pattes le soir ?*

Contrairement à nous qui connaissons la réponse, personne ne trouvait et le Sphinx était grassement nourri.

Jusqu'au jour où **Œdipe** passa par là. Il écouta l'énigme, réfléchit un moment et, sans complexe — bien sûr ! — répondit :

*C'est l'HOMME qui, au matin de sa vie, se traîne sur quatre pattes et qui, devenu vieillard, marche en s'aidant d'une canne.*

Mauvais joueur, le Sphinx alla se fracasser la tête contre les rochers, tandis qu'Œdipe entrait dans Thèbes dont il allait devenir le roi.

◆ Avec un tel précédent légendaire, l'énigme ne pouvait que devenir un jeu à succès : Les Grecs en étaient friands et ils assortissaient leurs questions de gages que devaient effectuer ceux qui ne trouvaient pas la réponse.

Le mot **ÉNIGME** vient directement du grec **AINIGMA** qui signifie *parole obscure*. On peut définir l'énigme comme un petit poème dans lequel on cherche à faire deviner une chose en la décrivant en termes ambigus ou voilés.

◆ Les énigmes connues sont rarement signées. Pourtant, en voici quelques-unes, composées par d'illustres auteurs. Tout le monde connaît celle-ci que l'on doit à **Voltaire** :

> *Cinq voyelles, une consonne,*
> *En français composent mon nom*
> *Et je porte sur ma personne*
> *De quoi l'écrire sans crayon.*

La réponse est, bien sûr, l'*OISEAU*.

Voici maintenant une énigme signée **Boileau** :

> *Du repos des humains, implacable ennemie,*
> *J'ai rendu mille amants envieux de mon sort ;*
> *Je me repais de sang et je trouve ma vie*
> *Dans les bras de celui qui recherche ma mort.*

Réponse : la *PUCE*.

**Fontenelle** a composé la plus courte des énigmes. En une ligne et six mots :

> *Je fus demain, je serai hier.*

Réponse : *AUJOURD'HUI*.

Parmi les célèbres fabricants d'énigmes, voici **Jean-Jacques Rousseau** :

> *Enfant de l'art, enfant de la nature,*
> *Sans prolonger les jours, j'empêche de mourir ;*
> *Plus je suis vrai, plus je fais d'imposture,*
> *Et je deviens trop jeune à force de vieillir.*

Réponse : le *PORTRAIT*.

◆ Les énigmes citées ci-dessous n'ont pas de père illustre. Elles n'en sont pas plus mauvaises pour autant :

> *Vous connaissez Paris ?*
> *Eh bien, mes bons amis*
> *Sans moi, ce beau pays*
> *A coup sûr serait pris !*

Réponse : la *LETTRE « A »*.

> *Je suis, ami lecteur, tout au bout de ta main,*
> *Je commence la nuit et je finis demain.*

Réponse : la *LETTRE « N »*.

*Tout paraît renversé chez moi :*
*Le laquais précède le maître ;*
*Le manant passe avant le roi ;*
*Le simple clerc avant le prêtre ;*
*Le printemps vient après l'été ;*
*Noël avant la Trinité :*
*C'en est assez pour me connaître !*

Réponse : le *DICTIONNAIRE.*

*Même si je n'ai pas le bonheur de vous plaire,*
*Je n'en serai pourtant pas autrement surpris*
*Car vous auriez, lecteur, et beau dire et beau faire*
*Jamais je ne serais un jour de votre avis ;*
*Même en me renversant, je vous en avertis,*
*Vous ne me feriez pas changer de caractère.*

Réponse : *NON.*

*Devine-moi, car j'en suis digne :*
*Je me cache lorsque je sers ;*
*C'est presque toujours dans les vers,*
*Et l'on me trouve à chaque ligne.*

Réponse : *HAMEÇON.*

◆ Aurons-nous le temps, avant de clore ce chapitre énigmatique, de citer une dernière énigme dont la réponse est, précisément, le *TEMPS* ?

*Je suis, je ne suis plus, j'étais et je vais être ;*
*Veut-on me retenir, je suis mort pour jamais,*
*Mais pour jamais aussi je suis prêt à renaître ;*
*Je meurs toujours, toujours je nais.*

---

# *Épigrammes*

◆ Comment choisiriez-vous de savourer l'épigramme ? Le préféreriez-vous grillé à point ou bien l'aimeriez-vous mieux relevée et piquante à souhait ?
De genre masculin, l'épigramme préparé par le boucher est un haut de côtelette d'agneau destiné à être grillé.
Au féminin, l'épigramme est une affaire de poète satirique : c'est une courte pièce de vers qui se termine par un trait piquant.

◆ L'âge d'or de l'épigramme se situe aux XVIIᵉ et XVIIIᵉ siècles. Dans les salons littéraires, les rivalités entre auteurs s'exprimaient sous forme de poèmes de quatre vers généralement, dont le dernier — appelé la **pointe** — était destiné à égratigner l'adversaire ou même à le blesser dans son amour-propre. Il arrivait parfois que l'un des deux adversaires succombât à l'attaque, tué par le ridicule.

Il suffit de se rappeler le nom de **Fréron**, ce critique littéraire qui avait eu la malencontreuse idée de s'attaquer à **Voltaire** et qui fut exécuté en quatre vers dont on se souvient encore :

*L'autre jour au fond d'un vallon*
*Un serpent piqua Jean Fréron.*
*Que pensez-vous qu'il arriva ?*
*Ce fut le serpent qui creva.*

Un éditeur, nommé Legeay, ayant illustré la couverture d'un des ouvrages qu'il publiait avec le portrait de Voltaire encadré par celui de deux de ses ennemis — dont, une fois de plus, le fameux Fréron — s'attira cette épigramme :

*Legeay vient de mettre Voltaire*
*Entre La Baumelle et Fréron.*
*Ce serait vraiment un calvaire*
*S'il y avait un bon larron !*

**Boileau** ne fut pas tendre avec le vieux Corneille dont les deux dernières tragédies avaient été des échecs :

*J'ai vu l'« Agésilas »,*
*Hélas !*
*Mais, après l'« Attila »,*
*Holà !*

Le poète **Lebrun**, surnommé Lebrun Pindare (1729-1807), composa de très méchantes
épigrammes dont celle-ci dédiée « a Chloris, dont l'haleine était fâcheuse »

> Oui, vous avez, Chloris, les traits de Vénus même ;
> Oui, de vos yeux, le charme est triomphant ;
> Vos yeux ordonnent qu'on vous aime,
> Mais votre bouche le défend !

Souvent de jeunes et belles personnes étaient la cible d'épigrammes perfides qui s'en
prenaient à leur absence de grâce, leur manque d'esprit, ou bien encore à la légèreté
de leur conduite. Les mauvaises langues ne manquent pas de prétendre que ces vers
satiriques étaient l'œuvre de soupirants éconduits :

> Quand elle danse avec le pas lourd des chameaux,
> On pense que parler ferait mieux son affaire.
> Hélas ! A peine a-t-elle dit trois mots,
> C'est la danseuse qu'on préfère !          (Anonyme)

> Nature, en formant votre corps,
> Lui donna tant d'avantages,
> Que celui qui forma l'esprit,
> En fut jaloux et, de dépit,
> Refusa d'achever l'ouvrage.          Saint-Pavin (1600-1670)

La **Comtesse de Genlis** (1746-1830), après avoir été dame d'honneur de la duchesse
de Chartres, se vit confier l'éducation des enfants de la famille d'Orléans, dont le futur
roi Louis-Philippe. Amie des philosophes, elle mena une existence assez libre. Sur le
tard, elle publia ses « Mémoires ». Ce qui lui valut cette méchante épigramme :

> Genlis à six francs le volume !
> Disait un jour un amateur,
> Dans le temps que son poil valait mieux que sa plume,
> Pour un écu, j'avais l'auteur !

Revenons à **Boileau**, un spécialiste de la satire, dont nous citerons ces vers vengeurs
qu'il composa « pour mettre au bas d'une méchante gravure qu'on avait faite de lui » :

> Du célèbre Boileau tu vois ici l'image.
> Quoi ? C'est là, diras-tu, ce critique achevé ?
> D'où vient le noir chagrin qu'on lit sur son visage ?
> C'est de se voir si mal gravé !

C'est à un poète anonyme qu'on doit le
distique suivant inspiré par **George Sand**
qui avait épousé en 1822 le baron Dude-
vant dont elle eut deux enfants :

> Elle est Dudevant, par-devant
> Et George Sand, par derrière.

◆ Sous le Second Empire, l'opposition
républicaine déchaînait ses traits. Voici
ce qu'écrivait un certain **Edmond Hé-
raud** pour fustiger les inconditionnels de
Napoléon III :

> Si l'Empereur faisait un pet,
> Geoffroi dirait qu'il sent la rose
> Et le Sénat aspirerait...
> A l'honneur de prouver la chose.

Le jour du mariage de Napoléon III avec
Eugénie de Montijo (1853), cette épi-

gramme anonyme courut Paris :

> Montijo, plus belle que sage,
> De l'Empereur comble les vœux.
> Ce soir, s'il trouve un pucelage,
> C'est que la belle en avait deux !

**Victor Hugo**, lui, s'était écrié : L'aigle
épouse une cocotte, ce qui était moins
drôle.

◆ Les acteurs, on le sait, n'aiment guère
les critiques. Voici comment le comédien
**Sylvain** (1851-1930) se vengea d'un critique qui l'avait malmené :

> Ce Monsieur qui toujours bougonne
> Mériterait des coups de pied
> Dans un endroit de sa personne
> Qui le représente en entier.

◆ Après avoir obtenu de fantastiques triomphes avec *Cyrano de Bergerac* et *l'Aiglon*, **Edmond Rostand** fit attendre longtemps son *Chantecler*. Ce fut, hélas ! un échec éclatant :

*Nous sommes fort admirateurs,*
*Chantecler, de ta voix sonore :*
*Elle fait s'éveiller l'aurore*
*Et s'endormir les spectateurs.*

◆ Lorsque le fils **Pernod** provoqua un accident mortel sur la Nationale 7, un anonyme composa ces vers acerbes :

*Cette famille dégénère :*
*Le fils ne sait qu'écrabouiller*
*Un piéton à la fois. Le père*
*Empoisonnait un peuple entier.*

◆ **François Porché** fit représenter à Rouen sa *Vierge au grand cœur*, une pièce qu'il avait écrite en hommage à Jeanne d'Arc ce qui permit à **Jean Giraudoux** d'écrire :

*Rouen, prépare tes bûchers !*
*Après Cauchon, voici Porché !*

◆ Sous l'Occupation, dans la presse clandestine, la satire retrouva tout son mordant. Voici les vers que **Jean Paulhan** écrivit sur **Abel Bonnard** et **Abel Hermant,** deux auteurs qui avaient choisi la collaboration avec les Allemands :

> *Tandis qu'Abel Bonnard lèche notre vainqueur,*
> *Abel Hermant l'évente et pose quelques fleurs*
> *Sur son ventre ou ses pieds. On se demande enfin,*
> *Voyant de tels Abels, ce que font les Caïns.*

◆ Un célèbre médecin se vit un jour reprocher en quatre vers le peu d'empressement que mettaient ses malades à guérir :

> *Depuis que le docteur Gistal*
> *Soigne des familles entières*
> *On a démoli l'hôpital*
> *... Et l'on a fait deux cimetières.*

◆ Il arrive pourtant que les épigrammes aient un tour plus aimable. **Charles Collé** (1732-1799) dédia celle-ci tout simplement « aux femmes des autres » :

> *Pourquoi se marier*
> *Quand les femmes des autres*
> *Pour être aussi les nôtres*
> *Se font si peu prier ?*

## Épitaphes

◆ De toutes les épitaphes, la plus connue est, sans aucun doute, celle gravée sur la tombe d'**Alfred de Musset** au Père-Lachaise :

*Mes chers amis, quand je mourrai,*
*Plantez un saule au cimetière.*
*J'aime son feuillage éploré ;*
*La pâleur m'en est douce et chère*
*Et son ombre sera légère*
*A la terre où je dormirai !*

◆ Beaucoup moins romantique que le bel Alfred, l'écrivain et gastronome **Charles Monselet**, paraphrasa ces vers célèbres, en exigeant lui aussi sur sa tombe des « soles », mais d'un autre genre :

*Versez sur ma mémoire chère*
*Quelques larmes de chambertin*
*Et sur ma tombe solitaire*
*Plantez des soles... au gratin.*

◆ L'épitaphe, à l'origine destinée à célébrer sur une pierre tombale les vertus d'un défunt, devint un genre littéraire très prisé.
Jugeant qu'on n'est jamais si bien servi que par soi-même, certains auteurs composèrent leur propre épitaphe.

◆ Le poète **Scarron** (1610-1660) — premier mari de Madame de Maintenon — qu'une terrible infirmité empêcha toute sa vie de dormir, rima pour lui-même :

*Passant, ne fais ici de bruit !*
*Garde que ton pas ne l'éveille,*
*Car voici la première nuit*
*Que le pauvre Scarron sommeille !*

◆ En une épitaphe devenue classique, le poète **Piron** (1689-1773) s'est moqué de lui autant que de l'Académie en faisant ainsi le bilan de sa vie :

*Ci-gît Piron*
*Qui ne fut rien,*
*Pas même un Académicien !*

◆ Et **Rivarol** (1753-1801), n'a guère été plus indulgent envers lui-même :

*Ci-gît*
*Antoine, Comte de Rivarol,*
*La paresse*
*Nous l'avait ravi*
*Avant la mort.*

◆ Le chansonnier **Marc-Antoine De-saugiers** (1742-1793), à la veille de subir l'opération de la pierre composa ces quatre vers pour son tombeau

*Ci-gît, hélas ! sous cette pierre*
*Un bon vivant, mort de la pierre.*
*Passant, que tu sois Paul ou Pierre,*
*Ne va pas lui jeter la pierre.*

◆ **Georges Fourest** (1867-1945), l'irrésistible auteur de *la Négresse blonde* montra, jusque dans son épitaphe, à quel point il était incapable de conformisme :

*Ci-gît Georges Fourest, il portait la royale*
*Tel autrefois Armand Duplessis-Richelieu,*
*Sa moustache était fine et son âme loyale*
*Oncques il ne craignit la vérole ni Dieu.*

◆ Quant à ce vieux misanthrope de **Paul Léautaud** (1872-1956), qui signait ses terribles critiques théâtrales du pseudonyme de *Maurice BOISSARD*, il ne put s'empê-cher de grincer encore une fois, la dernière :

*Ci-gît Paul Léautaud*
*Plus connu, Maurice Boissard.*
*Quand on l'enterra : « C'est bien tôt »,*
*Dirent quelques-uns, mais à part,*
*Beaucoup pensèrent : « C'est bien tard ! »*

◆ **Marcel Pagnol** (1895-1974) qui fut le délicieux Virgile de notre époque, résuma sa vie en quatre mots latins :

*Fontes, Amicos, Uxorem Delixit*
*(il aima les sources, ses amis et sa femme).*

◆ Mais les épitaphes ne sont pas réservées aux seuls auteurs connus. Dans les cimetières parisiens, on peut en relever de poétiques, comme celle gravée sur la tombe d'une jeune danseuse :

*Ô terre sois-lui légère, elle a si peu pesé sur toi.*

ou d'étonnantes, telles ces deux, qui se trouvent sur une même tombe au cimetière Montmartre :

*Ma femme je t'attends...*
*5 janvier 1843*
*X, Capitaine de Gendarmerie en retraite.*

Et, juste au-dessous :

*Mon ami, me voici !*
*5 décembre 1877*
*Z... Veuve X.*

Le pauvre capitaine avait failli attendre !

Une inscription anonyme, aussi drôle que bouleversante, continue d'accuser par-delà la mort :

*Je vous l'avais bien dit que j'étais malade !*

> *Ci-gît ma femme : Oh ! Qu'elle est bien,*
> *Pour son repos et pour le mien !*

♦ Toutes les épitaphes ne sont pas destinées à être gravées sur des tombeaux et à glorifier des disparus. Certaines, qui circulent avant ou après la mort de quelques personnages célèbres, s'apparentent plutôt à l'épigramme ou à la satire.

Jugez plutôt

Épitaphe proposée pour **Richelieu** :

*Ci-gît un fameux Cardinal*
*Qui fit plus de mal que de bien*
*Le bien qu'il fit, il le fit mal*
*Le mal qu'il fit, il le fit bien.*

Pour la **Marquise de Pompadour,** favorite de Louis XV :

*Ci-gît qui fut vingt ans pucelle*
*Quinze ans catin et sept maquerelle.*

Pour **Robespierre** :

*Passant, ne pleure pas ma mort*
*Si je vivais tu serais mort.*

♦ Nous pourrions ainsi en citer bien d'autres, toutes aussi méchantes si nous ne craignions de nous éloigner du but initial de l'épitaphe qui est de célébrer les qualités d'un mort tout en obligeant les vivants à prendre conscience de leur condition de mortels.

Ainsi peut-on lire à l'entrée du petit cimetière des **Salles-du-Gardon** dans le Gard, cette collective épitaphe :

*Nous avons été ce que vous êtes*
*Vous deviendrez ce que nous sommes.*

---

# *Étymologie*

♦ D'où viennent-ils ces mots que nous employons, à chaque instant de notre vie ? Mots savants, populaires ou triviaux, ils ont traversé les siècles, se sont usés ou déformés à passer par des millions de bouches et parfois ont changé de sens.

♦ Quelle passionnante enquête que celle qui permet, partant d'un mot d'aujourd'hui, de remonter jusqu'à ses origines connues, latines, grecques, arabes ou sanscrites ! Ainsi le policier, de témoignage en témoignage, remonte-t-il la filière qui le conduira au coupable. Ainsi le géologue, sous la gangue dont elle est recouverte, trouve-t-il la pépite de pur métal.

♦ Une langue porte témoignage de ses origines ; chaque mot nous raconte une histoire, celle du long chemin qui l'a conduit jusqu'à nous. Il témoigne d'une civilisation qui était religieuse, maritime ou pastorale. La civilisation est morte, mais le mot, lui, se souvient. Car il existe une mémoire des mots. Chacun d'eux ne demande qu'à raconter son aventure... Il suffit simplement de l'interroger.

♦ Voici quelques mots que nous avons fait parler à votre intention.

- **ALBUM,** du latin *albus*, blanc.
- **ALERTE,** de l'italien *all'erta*, sur la hauteur.
- **ACROBATE,** du grec *akrobatos*, qui marche sur la pointe des pieds.
- **AGONIE,** du grec *agônia*, lutte.
- **ALOPÉCIE,** (calvitie), du grec *alôpêx*, renard. La chute des cheveux étant comparée à la chute annuelle des poils du renard.
- **AMADOU,** du provençal *amadou*, amoureux, appliqué à l'agaric amadouvier à cause de la facilité qu'a ce champignon à s'enflammer.
- **AMIRAL,** de l'arabe *'amïr al-bahr*, prince de la mer.
- **AMMONIAC,** du grec *ammôniakon*, gomme ou sel recueilli près du *temple de Jupiter Ammon* en Lybie.
- **ANACHORETE,** (ermite), du grec *anakhôrein*, se mettre à l'écart.
- **ANGOISSE,** du latin *angustia*, lieu resserré. L'angoisse serre la gorge.
- **ANTHOLOGIE,** du grec *anthos*, fleur et *legein*, choisir : « choix de fleurs ».
- **ARISTOLOCHE,** du grec *aristos*, meil-

leur et *lokhos*, **accouchement.** Cette plante avait la réputation de faciliter les accouchements.

- **ASSASSIN,** de l'arabe *hachchâchi*, **buveur de hachisch.**
- **ATOME,** du grec *a*, privatif et *temnein*, **couper** : qu'on ne peut pas couper.
- **AUTODAFÉ** (acte de brûler les livres) du portugais *auto da fè*, **acte de foi.**
- **AZUR,** du persan *lâdjourd*, **lapis-lazuli.**
- **BACCALAURÉAT,** du latin *bacca laurea*, **baie de laurier** dont on couronnait le vainqueur.
- **BAÏONNETTE,** fabriquée à **Bayonne.**
- **BLACKBOULER,** de l'anglais *black*, **noir,** et *ball*, **boule.** Rappelle les votes où l'on approuve avec une boule blanche et où l'on rejette avec une boule noire.
- **BOCK,** abréviation de l'allemand *Bockbier*, déformation de *Einbeckbier*, **bière d'Einbeck** et compris *ein Bockbier*, **une bière au bouc.**
- **BOUCHER,** de *bouc*, **celui qui vend de la viande de bouc.**
- **BOULIMIE,** du grec *bous*, **bœuf** et *limos*, **faim. Une faim de bœuf** !
- **BOX-CALF,** de l'anglais *box*, **boîte** et *calf*, **veau.** Cuir américain dont le sigle représentait un veau à l'intérieur d'une boîte.
- **CAHIN-CAHA,** du latin *quâ hinc, quâ hac* : **par ci - par là.**
- **CALCUL,** du latin *calculus*, **caillou** rappelle le temps où l'on utilisait de petits cailloux pour compter.
- **CAMÉLÉON,** du grec *khamaileon*, **lion qui se traîne à terre.**
- **CANAPÉ,** du grec *kônôpeîon*, tiré de *kônôps*, **moustique. Lit égyptien entouré d'une moustiquaire.**
- **CANDIDAT,** du latin *candidus*, **blanc.** Les candidats aux fonctions publiques à Rome s'habillaient de blanc.
- **CANICULE,** du latin *canicula*, **petite chienne,** nom de l'étoile de Sirius dont le lever coïncide avec le solstice d'été.
- **CARABIN** (étudiant en médecine), du vieux français *escarrabin*, **ensevelisseur de pestiférés.**
- **CAROTIDE,** du grec *karôtis*, de *karoûn*, **assoupir.** On attribuait à ces artères la cause du sommeil.
- **CASEMATE,** de l'italien *casa matta*, **maison folle.**
- **CATIMINI,** du grec byzantin *kataménia*, **menstrues.**
- **CHARCUTIER,** du vieux français

*chaircuitier*, **vendeur de chair cuite.**
- **CHARIVARI,** du grec *karêbaria*, **mal de tête.**
- **CHELIDOINE,** du grec *khelidôn*, **hirondelle.** Les anciens croyaient que l'hirondelle se servait de cette plante pour rendre la vue à ses petits qui naissent aveugles.
- **COCCYX,** du grec *kokkux*, **coucou.** Cet os faisant penser au bec du coucou.
- **CORDONNIER,** du vieux français *cordoanier*, de **cordoan** : **cuir de Cordoue.**
- **CRAVATE,** forme francisée de **Croate.** Le mot désignait le ruban que portait au col le régiment de Royal Croate sous Louis XIV.
- **CUILLERE,** du latin *côchlearium*, **petite cuillère pour manger les escargots** *(cochlea)*
- **DELIRER,** du latin *delirare*, **sortir du sillon.**
- **DÉSOPILER,** du latin *oppilare*, **obstruer.** Désopiler, c'est dégorger la rate engorgée par les humeurs noires.
- **DIAPASON,** de la locution grecque *dia pasôn khordôn*, **par toutes les cordes** (de l'octave).
- **DINOSAURE,** du grec *dînos*, **toupie,** et *saura*, **lézard,** car cet animal avait la tête en forme de toupie.
- **DORYPHORE,** du grec *doruphoros*, **porte-lance.**
- **ÉGIDE,** de l'expression sous l'égide de (sous la protection de), du grec *aigis-aigidos*, **peau de chèvre,** allusion au bouclier miraculeux appartenant à Zeus et à Athéna et qui était recouvert de la peau de la chèvre Amalthée.
- **ENTHOUSIASME,** du grec *enthusiasmos*, de *theos*, **dieu** : « transport divin ».
- **ESCARCELLE,** de l'italien *scarso*, **avare,** *scarcella* signifiant **petite avare.**
- **ÉTONNER,** du latin populaire *extonare*, de *tonus*, **tonnerre** : comme frappé par le tonnerre.
- **EXAMEN,** du latin *exigere*, **peser.**
- **FRELUQUET,** du latin diminutif de *freluque*, ancien français, **menue monnaie.** Dérivé de *frelin*, monnaie valant le quart d'un denier (du XIIe au XVIe).
- **GAMME,** du nom de la lettre grecque *gamma* pour désigner d'abord la première note de la gamme, puis la gamme tout entière.
- **GÉMONIES** (vouer aux gémonies), même racine que « gémir », *gemoniae (scalae)*, **escalier** où l'on exposait à

Rome le corps des suppliciés.

- **GÉRANIUM,** du grec *geranos,* **grue.** Le fruit de la plante rappelant le bec de la grue.
- **HALTÈRE,** du grec *haltêr,* **balancier** pour la danse.
- **HANDICAP,** de l'anglais *hand in cap,* main dans le chapeau. À l'origine, jeu de hasard.
- **HÉCATOMBE,** du latin *hecatombê,* emprunté au grec *hekaton,* **cent** et *boûs,* **bœuf.**
- **HIÉRARCHIE,** du latin d'église *hierarchia* venant du grec *hieros,* **sacré,** *arkhia,* **commandement.**
- **HORRIPILER,** du latin *horrere,* se hérisser et *pilus,* poil : qui fait dresser les poils.
- **HYPOCRITE,** du latin *hupokritês,* **acteur.**
- **IGNOBLE,** du latin *in,* privatif et *nobilis,* **noble : non noble.**
- **INGÉNU,** du latin *ingĕnuus,* **né libre.**
- **JOVIAL,** de l'italien *giovale,* né sous le signe de Jupiter, présage d'une heureuse destinée.
- **JUSQUIAME,** du latin *jusquiamus,* tiré du grec *huos ; kuamos,* **fève de porc.**
- **KAKI,** de l'hindi *khâki,* **couleur de poussière.**
- **KYRIELLE,** des mots grecs *kyrie,* **Seigneur** et *éleison,* **aie pitié :** dans le sens de litanie interminable.
- **LABYRINTHE,** du grec *laburinthos,* **palais des haches.**
- **LACONIQUE,** du grec *lakonikos,* à la manière des Laconiens (Lacédémoniens) : c'est-à-dire de façon concise.
- **LAÏUS,** argot scolaire (le premier sujet de composition française donné à l'École Polytechnique portait sur le discours de Laïus, père d'Œdipe).
- **LARVE,** du latin *larva,* **masque,** la larve étant le masque de l'insecte parfait.
- **LAURÉAT,** du latin *laureatus,* **couronné de laurier.**
- **LIEUTENANT** (fin du XIIIᵉ), littéralement, **tenant lieu de.**
- **LUSTRE,** du latin *lustrum,* sacrifice expiatoire qui avait lieu tous les cinq ans.
- **MALOTRU,** du latin populaire *male astrucus,* né sous une mauvaise étoile.
- **MANIFESTE,** du latin *manifestus* ; vient de *manus,* main, que l'on peut saisir par la main.

- **MÉDUSER,** du nom de Méduse, l'une des trois *Gorgones* (mythologie) qui changeait en pierre celui qui la regardait.
- **MÉLANCOLIE,** du grec *melagkholia,* de *kholê,* **bile** et *melas,* **noire.** L'une des quatre humeurs cardinales (les autres étant la bile jaune, le sang et la pituite) qui passait pour être la cause de l'hypocondrie.
- **MÉLISSE,** abrégé du latin *melissophyllon,* du grec *melissa,* **abeille** et *phullon* **feuille.** Cette plante est aimée des abeilles.
- **MÉNISQUE,** du grec *mêniskos,* **petite lune.**
- **MÉTASTASE,** du grec *metastasis,* **changement de place.**
- **MONNAIE,** du latin *monéta,* littéralement **la conseillère,** surnom de Junon, et, par extension, **monnaie** (la monnaie était fabriquée dans le temple de Junon).
- **MUSIQUE,** du grec *mousikê,* littéralement **art des Muses.**
- **MYOSOTIS,** du latin *myosotis,* tiré du grec *muosôtis,* de *mus, muos,* **souris** et *oûs, ôtos,* **oreille** (les feuilles de la plante ont la forme d'oreilles de souris).
- **NIAIS,** du latin populaire *nidax, nidacis,* tiré de *nidus,* **nid,** qui a été pris au nid, qui ne sait pas encore voler (en parlant d'un faucon).
- **OBÉLISQUE,** du grec *obeliskos,* **broche à rôtir.**
- **OBSCÈNE,** du latin *obscenus,* **mauvais présage.**
- **ORCHIDÉE,** du grec *orkhis,* **testicule,** d'après la forme des racines tuberculeuses de l'orchidée.
- **OSTRACISME,** du latin *ostracismus,* tiré du grec *ostrakon,* **coquille d'huître,** par extension, terre cuite sur laquelle on écrivait à Athènes le nom de celui qu'on voulait bannir.
- **PÉTROLE,** du latin médiéval *petroleum,* de *petra,* **pierre** : et *oleum,* **huile.**
- **PINACLE,** du latin ecclésiastique *pinnaculum,* **faîte du temple de Jérusalem.**
- **PLÉIADE,** du grec *pleias, pleiados,* **constellation de sept étoiles.**
- **PORCELAINE,** de l'italien *porcellana,* **coquillage** ; vient de *porcella,* **truie,** par comparaison a la vulve de la truie.
- **PRÉAMBULE,** du bas latin *praeambulus,* qui marche devant.
- **PRÉCOCE,** du latin *praecos,* de *prae-*

88

*coquere,* cuire en premier.

- **PRÉMICES,** du latin *primitiae,* les premiers fruits de l'année.
- **PRESBYTE,** du grec *presbutês,* vieillard.
- **PRÉTEXTE,** du latin *praetextus,* tissé ou brodé par devant — voir « toge prétexte », toge brodée sur le devant. Par métaphore : motif mis en avant.
- **PRÊTRE,** du latin ecclésiastique *presbyter,* vieillard.
- **PROFANE,** du latin *profanus,* de *fanum,* temple, hors du temple.
- **PROSTATE,** du grec *prostatês,* qui se tient en avant.
- **PULL-OVER,** de l'anglais (to) *pull over,* tirer par-dessus (la tête).
- **PUPILLE,** du latin *pupilla,* petite fille, à cause de la petite image reflétée dans la pupille.
- **PYLORE,** du grec *pulôros,* portier.
- **PYTHON,** de puthô, ancien nom de la région de Delphes, du latin *python* et du grec *puthôn,* nom d'un serpent fabuleux tué par Apollon (c'est à Delphes que se tenait la Pythie, l'oracle d'Apollon).
- **QUINTAL,** du latin médiéval *quintale ;* venu de l'arabe *quintâr,* poids de cent livres, issu du bas latin *centenarium.*
- **QUIPROQUO,** du latin scolastique *quid pro quod,* ceci à la place de cela : faute d'interprétation, bévue.
- **QUOLIBET,** du latin scolastique *disputationes de quolibet,* débats à propos de n'importe quoi (quo libet, ablatif de *quod libet,* ce qu'on veut).
- **RATAFIA,** du latin *rata fiat,* que le marché soit conclu : d'où « à votre santé ».
- **REDINGOTE,** de l'anglais *riding coat,* habit *(coat)* pour monter à cheval *(to ride).*
- **REQUIN,** du latin *requiem,* repos ; *requiem ;* prière pour les morts. On peut chanter le requiem pour la personne attaquée par un requin.
- **RÉTINE,** du latin médiéval *retina,* de *retis,* filet, réseau, à cause du réseau de vaisseaux sanguins qu'on y aperçoit.
- **RHUM,** de l'anglais *rum,* abréviation de *rumbullion,* mot dialectal de l'île de Barbade signifiant grand tumulte et désignant une liqueur forte de fabrication locale.
- **RUBRIQUE,** du latin *rubrica,* terre rouge d'où : titre en lettres rouges des missels.
- **SALAIRE,** du latin *salarium,* de *sal,*

sel : argent pour acheter du sel puis, solde militaire.

- **SANGLIER,** du latin *singularis (porcus)* c'est-à-dire (porc) solitaire.
- **SARCASME,** du grec *sarkasmos,* de *sarkazeïn,* arracher la chair ; et, au figuré : déchirer par des railleries.
- **SARDINE,** du latin *sardina,* de *Sarda,* littéralement (poisson) de Sardaigne.
- **SARDONIQUE,** du latin *sardonia herba,* renoncule de Sardaigne qui provoquait un rire involontaire.
- **SATELLITE,** du latin *satelles, satellitis,* garde du corps ; et, par extension : « acolyte ».
- **SAXIFRAGE,** du latin *saxum,* pierre ; et *frangere,* briser : herbe qui brise les rochers.
- **SCRUPULE,** du latin *scrŭpulus,* petit caillou : d'où, au figuré : inquiétude de la conscience.
- **SIESTE,** de l'espagnol *siesta,* tiré du latin *sexta (hora),* la sixième heure ; c'est-à-dire : midi pour les Romains.
- **SINISTRE,** du latin *sinister,* qui est à gauche, d'où défavorable.
- **SLOGAN,** cri de guerre écossais.
- **SOLFÈGE,** de l'italien *solfeggio,* de *solfa,* gamme (formé de sol + fa).
- **SPLEEN,** de l'anglais *spleen,* rate. La rate étant considérée comme le siège de l'hypocondrie ou humeur noire.
- **SYCOPHANTE,** du grec *sukophantês ;* de *sûkon,* figue : « celui qui dénonce les voleurs de figues ».
- **TRIVIAL,** du latin *trivium,* carrefour à trois voies, d'où commun, vulgaire, de carrefour.
- **UNANIME,** du latin *unanimus,* qui a une même âme.
- **VACARME,** de l'interjection néerlandaise *wach-arme,* hélas ! pauvre que je suis !
- **VASISTAS,** de la locution allemande *was ist das ?* qu'est-ce ? Nom amusant de cette petite fenêtre par laquelle on peut s'adresser à quelqu'un.
- **VERMEIL,** du latin *vermĭculus,* vermisseau désigne la cochenille, puis la couleur écarlate produite par la cochenille.
- **VIANDE,** du latin populaire *vivanda* (de *vivere,* vivre) ce qui est nécessaire à la vie.
- **VRAC,** du néerlandais *wrac,* mal salé, mauvais, en parlant des harengs non rangés dans la caque.
- **ZÉRO,** de l'italien *zero,* contraction de *zefiro* emprunté à l'arabe *sifr* (même étymologie que chiffre).

Décidément, **ZEUS**, le roi des dieux était un drôle de citoyen ! Après avoir métamorphosé en génisse une nymphette qui lui plaisait (voir chapitre **IO**) il n'hésita pas, en sens contraire, à se changer lui-même en taureau blanc pour enlever **EUROPE**, une autre nymphe dont il était amoureux fou pour la transporter en Crète et lui faire trois enfants. Rappelons au passage que l'insémination artificielle n'avait pas été inventée. C'est donc sous le signe de l'amour *vache* qu'a été placé notre continent.
Ne serait-ce point l'une des raisons pour lesquelles l'union entre États tourne souvent à la corrida et qui fait que l'Europe broute un peu au démarrage !

◆ C'est à la Révolution française que l'on doit d'avoir lancé pour la première fois l'idée d'une Europe unie. **Napoléon** reprit le projet mais échoua dans sa tentative.
**Victor Hugo**, prophétique, s'écria en 1850 : *Un jour viendra où l'on verra ces deux groupes immenses, les États-Unis d'Amérique et les États-Unis d'Europe, se tendre la main par-dessus les mers.*

◆ **Winston Churchill** lança, en 1946, l'idée des États-Unis d'Europe. Depuis, d'O.C.D.E. en C.E.C.A., de C.E.D. en C.E.E., l'Europe bafouille, cafouille, mais elle avance. Parvenir à concilier les particularismes nationaux, à mettre en veilleuse les souverainetés, à gommer les oppositions, à harmoniser les contrastes et rendre les différences complémentaires et enrichissantes : Quel programme ! 33 États — de l'U.R.S.S. à la principauté de Monaco — 10 500 000 kilomètres carrés, 650 millions d'habitants. Quelle puissance représenterait notre continent !

◆ Mais, pour donner une idée de la tâche qui reste à accomplir voici quelques pensées qui mettent en relief les différences fondamentales de langues, de pensées, de civilisations pouvant exister entre les nations appelées à s'épouser pour beaucoup de meilleur mais pour un peu de pire :
• *L'Europe deviendra-t-elle ce qu'elle est en réalité, c'est-à-dire un petit cap du continent asiatique ? Ou bien l'Europe* *restera-t-elle ce qu'elle paraît, c'est-à-dire la partie précieuse de l'Univers terrestre, la perle de la sphère, le cerveau d'un vaste corps ?*
PAUL VALÉRY - (1919) *la Crise de l'Esprit*

• *L'Europe est un État composé de plusieurs provinces.* MONTESQUIEU

• *L'Europe est trop grande pour être unie. Mais elle est trop petite pour être divisée. Son double destin est là.* DANIEL FAUCHER

• *L'Europe serait presque faite si les Français restaient chaque jour une heure de moins au bistrot et les Allemands une heure de plus au lit.* JEAN MISTLER

• *L'Angleterre est un Empire, l'Allemagne une race et la France, une personne.*
JULES MICHELET, *Histoire de France*

• *J'ai appris l'italien pour parler au Pape, l'espagnol pour parler à ma mère, l'anglais pour parler à ma tante, l'allemand pour parler à mes amis, et le français pour me parler à moi-même.* CHARLES QUINT

• *L'espagnol est la langue des amants, l'italien est celle des chanteurs, le français celle des diplomates, l'allemand, celle des chevaux.* (Proverbe espagnol)

• *Les Français séduisent les femmes, les Anglais les épousent, les Russes les violent, les Américains les achètent.* X...

• *Le Français est un paresseux qui travaille beaucoup. L'Anglais un paresseux qui ne fait rien. L'Allemand un travailleur qui se donne du mal. L'Américain, un travailleur qui sait s'arranger pour ne pas faire grand chose.* AUGUSTE DETOEUF

• *Le Français chante faux et pense juste. L'Allemand chante juste et pense faux. L'Italien ne pense pas, mais il chante.* HENRI DE RÉGNIER

• *En Allemagne, les médiocrités s'additionnent. En France, les supériorités se neutralisent.* PAUL CLAUDEL

• *L'Italienne est une créature qui aime. La Russe est une créature qui s'aime. La Française une créature qui plaît. L'Italienne cède à l'amour par amour, la Russe par besoin, la Française par reconnaissance.* STANISLAS D'ARPENTIGNY

90 • *L'enfer est un endroit où le cuisinier serait anglais, le policier allemand, le garagiste arabe et l'amant suisse.*
Cité par TIME MAGAZINE

Et pour terminer, cette pensée de **d'Alembert :**

• *L'Allemagne est faite pour y voyager, l'Italie pour y séjourner, l'Angleterre pour y penser, la France pour y vivre.*

## Expressions ou mots inventés

La plupart des expressions que nous employons quotidiennement sont nées de père inconnu. Il arrive pourtant que l'histoire — la petite — ait retenu le nom de celui qui, pour la première fois, forgea un mot inédit — ou une expression nouvelle qui fit fortune au point de passer dans le langage courant. Mais qui donc a inventé...

**ANTIBIOTIQUE :** c'est un Ukrainien naturalisé Américain en 1916. **Selman Waksman** qui, après avoir trouvé la **Streptomycine**, inventa ce mot en 1941.

**CINÉ-CLUB :** ce sont deux cinéastes, **Louis Delluc** et **Léon Moussinac**. Ils avaient dit : « Il nous faut un Ciné-Club comme il y a un Touring-Club. »

**CINQUIÈME COLONNE :** l'expression, née en 1936, est attribuée au Général espagnol **Mola**, compagnon de Franco.

**CÔTE D'AZUR :** c'est le poète et parlementaire **Stéphen Liégeard** qui, à la fin du siècle dernier, inventa cette expression pour désigner la côte méditerranéenne entre Cassis et Menton.

**CUBISME :** en voyant un paysage de Braque dans un Salon en 1908, le peintre **Matisse** parla de *petits cubes*. Le critique d'art **Louis Vauxcelles** qui accompagnait Matisse, utilisa le premier le mot de *cubisme* dans un article.

**ESPERANTO :** l'ophtalmologiste et linguiste russe **Lazare Zamenhof** avait inventé un langage international devant contribuer à l'esprit de paix entre les peuples. En 1887, il publia sa découverte dans un livre intitulé *Une langue internationale* par le **Docteur Esperanto**. Le pseudonyme eut un tel succès qu'il désigna désormais la langue.

**FRANÇAIS MOYEN :** c'est **Édouard Herriot** qui employa pour la première fois cette expression le 17 août 1924 dans un discours à Boulogne-sur-Mer.

**FRANGLAIS :** l'écrivain et universitaire **René Étiemble** publia en 1964 un livre intitulé *Parlez-vous Franglais ?* pour protester contre l'invasion de l'anglais dans notre langue.

**IMPRESSIONNISME : Claude Monet** avait peint en 1872 un tableau intitulé *Impression, soleil levant.* **Louis Leroy**, critique du *Charivari*, intitula ironiquement sa chronique *L'exposition des Impressionnistes.* **Jules Castagnary**, critique dans *le Siècle* se moqua de *l'impressionnisme.* **Élie Faure** reprit très sérieusement le mot nouveau.

**MÉTRO-BOULOT-DODO :** expression inventée par le poète **Pierre Béarn.**

**NOUVELLE VAGUE :** c'est **Françoise Giroud** qui utilisa pour la première fois cette expression.

**ORDINATEUR :** mot forgé par l'écrivain **Jacques Perret** en 1954 pour désigner une machine à calculer. Dans le monde entier, c'est le mot américain de *computer* qui est utilisé.

**OSCAR :** en 1928, quelques gros bonnets du cinéma américain demandent a un sculpteur de fabriquer un emblème destiné à récompenser les meilleurs acteurs et réalisateurs. En voyant la statuette, la secrétaire de **Louis B. Mayer** s'écria : « C'est fou ce qu'il ressemble à mon oncle Oscar ! » Le nom fut aussitôt adopté.

**PROLÉTAIRE :** c'est **Jean-Jacques Rousseau** en 1761 qui lui a donné son sens actuel, en partant du mot latin *PROLETARIUS*, (de *PROLES*, descendance).

**RIDEAU DE FER :** expression due à **Winston Churchill.** *Un rideau de fer s'est abattu sur le monde.*

**SURRÉALISME :** mot inventé par le poète **Guillaume Apollinaire** en 1917.

**TIERS-MONDE :** l'expression date de 1956 et elle est due à **Alfred Sauvy.**

**TUBE :** c'est **Boris Vian** qui s'est servi pour la première fois de ce mot pour désigner un succès de la chanson. Il était à cette époque (1955) Directeur artistique des disques PHILIPS.

# *Fables-express*

◆ Si tous les manuels de littérature consacrent des chapitres entiers à la fable et aux fabulistes, aucun jamais ne daigna définir les règles de la fable-express.

◆ D'ailleurs, d'où vient la fable-express ?
Quel est l'homme d'esprit qui, le premier, eut l'idée de réduire la fable classique à sa plus simple expression, tout en lui ajoutant, en guise de chute une *moralité* — absolument pas morale — calembouresque de préférence.

La fable connut son âge d'or au temps des carrosses. La fable-express apparue au XIXe siècle, serait-elle liée à l'invention du chemin de fer ?

◆ Parmi les humoristes qui donnèrent à la fable-express ses plus célèbres illustrations, on trouve **Eugène Chavette, Willy, Maurice Donnay, Tristan Bernard** et surtout **Alphonse Allais** qui se montra, dans ce genre comme dans les autres qu'il pratiqua (voir *COMBLES, OLORIMES*), particulièrement brillant.

★ **ALEXANDRE POTHEY**

> *Un mari quelque peu volage*
> *Le lendemain de son mariage*
> *Tua sa femme à son réveil.*
>
> MORALITÉ
> **La nuit souvent porte conseil.**

★ **EUGÈNE CHAVETTE**

> *Pépin le Bref est mort depuis bientôt mille ans.*
>
> MORALITÉ
> **Quand on est mort, c'est pour longtemps.**

★ **WILLY**

> *Prêtre chinois au teint de bronze*
> *La conteuse dont il s'éprit*
> *Entassait récit sur récit.*
>
> MORALITÉ
> **Les bons contes font le bonze ami.**

◆ Et, du même, cette fable-express consacrée à **Giuseppe Verdi** :

> *Que nul n'entre chez moi ! dit l'auteur du « Trouvère »*
> *Et pour faire observer la consigne sévère*
> *Il avertit sa bonne, un monstre aux traits hideux.*
>
> MORALITÉ
> **La bonne à Verdi en vaut deux.**

★ **MAURICE DONNAY**

> *Un jour, un grand serpent trouvant un cor de chasse*
> *Pénétra dans le pavillon ;*
> *Et comme il n'avait pas beaucoup de place,*
> *Dans l'instrument, le reptile se tasse*
> *Mais, terrible punition !*
> *Quand il voulut revoir le grand air et l'espace,*
> *Et la vierge forêt au magique décor,*
> *Il eut beau tenter maints efforts*
> *Il ne pouvait sortir du cor,*
> *Le pauvre boa constrictor,*
> *Et, pâle, il attendit la mort.*

MORALITÉ
**Dieu ! comme le boa est triste au fond du cor !**

★ **TRISTAN BERNARD**

◆ En choisissant deux vers tirés de la fable de La Fontaine « les Deux Pigeons », et en les rapprochant, il réussit ce chef-d'œuvre insurpassable :

*Deux pigeons s'aimaient d'amour tendre.*

MORALITÉ
**L'un d'eux s'ennuyait au logis.**

★ **ALPHONSE ALLAIS**

*Lorsque tu vois un chat de sa patte légère
Laver son nez rosé, lisser son poil si fin,
Bien fraternellement embrasse ce félin,*

MORALITÉ
**S'il se nettoie, c'est donc ton frère.**

◆ Du même auteur : **train manqué**

*Dans Aire-sur-la-Lys, il advint une fois,
Qu'un voyageur manquât son train. C'est une affaire
Qui n'a rien d'extraordinaire
Il s'était attardé : tant pis pour lui ma foi !*

MORALITÉ
**Si tu ne vas pas à la gare d'Aire,
La gare d'Aire n'ira pas à toi.**

◆ La fable suivante fut composée par **Alphonse Allais** au moment où **Émile Loubet** était président de la République et où l'affaire Dreyfus divisait les Français :

*De l'Ourcq, un beau matin, un pêcheur un pli retira
Qu'à l'Élysée aussitôt il porta,
Et qui, chose bizarre, fort extraordinaire,
Était un document relatif à l'Affaire.*

MORALITÉ
**Loubet lit ce qui de l'Ourcq sort.**

◆ Une dernière fable d'**Alphonse Allais** :

*Lorsque, pour s'amuser, de tout petits enfants
Dérobent au lord-maire un de ses éléphants
Le pauvre homme en ressent une douleur amère.*

MORALITÉ
**Laissez les éléphants au lord-maire.**

◆ **ANONYME**

*Un jeune enfant, sur son pot, s'efforçait.*

MORALITÉ
**Le petit poussait.**

◆ **BORIS VIAN**

La fable-express est un genre qui ne s'est guère pratiqué après la fin de la Belle Époque, c'est pourquoi il faut saluer les tentatives plus récentes, telle celle-ci due à la plume aiguë de Boris Vian.

*Un seul être vous manque et tout est dépeuplé.*

MORALITÉ
**Concentrique.**

# Faussaires

✦ *La loi punit le contrefacteur. Elle récompense le dénonciateur,* pouvait-on lire sur les anciens billets de banque. Celui qui a de bons yeux apprendra même en regardant de près l'une de nos actuelles coupures que l'article 139 du Code Pénal menace le **faussaire** de la réclusion criminelle à perpétuité.

C'est simplement pour mémoire que nous mentionnons dans ce chapitre l'existence de ces petits artisans, graveurs surdoués, chimistes géniaux ou imprimeurs consciencieux, qui s'obstinent encore à mettre leur art au service d'une cause perdue. Au siècle de la carte de crédit et de l'informatique triomphante, ils sont aussi attendrissants que le sabotier ou le maréchal-ferrant. On imagine certains, scrupuleux à l'extrême, fabriquant des billets qui leur reviennent au double de leur valeur nominale. Et, en plus, ils n'ont même pas le droit de signer leur chef-d'œuvre ! Car, c'est peut-être en cette condamnation à un perpétuel anonymat que réside la véritable punition du **faussaire** !

✦ Autrement intéressants sont les **faussaires d'art**. Eu égard aux cotes époustouflantes qu'atteignent de nos jours les signatures illustres, on comprend que des peintres au génie méconnu n'aient pu résister à l'envie de berner les experts qui les méprisent et les riches collectionneurs qui les ignorent, en leur prouvant qu'ils étaient capables de s'égaler aux plus grands.

Les faux tableaux ne datent pas d'aujourd'hui. Des peintres aussi célèbres que **GREUZE** ou **WATTEAU** firent des copies pour gagner ce que nous osons à peine appeler... leur croûte. **VÉLASQUEZ** copia MICHEL-ANGE, LE TINTORET et RAPHAËL... **VAN DICK** n'hésita pas à signer du nom de RUBENS près de 850 tableaux qu'il venait de peindre.

C'est **COROT** qui détient le triste privilège d'être le peintre le plus plagié de tous les temps. On a coutume de dire plaisamment que, sur les 4 500 toiles qu'il peignit officiellement, plus de 10 000 ont été vendues aux États-Unis ! On aurait ainsi recensé à travers le monde la bagatelle de 102 642 faux Corots.

Le **Docteur Jousseaume**, mort en 1923, possédait à lui seul **2 515 faux Corots** !

✦ Les Français seront très contrits d'apprendre qu'il existe officiellement **deux Jocondes**. Si la première sourit aux visiteurs du Louvre, la seconde, elle, réserve ses faveurs à un collectionneur américain qui prétend détenir toutes les preuves de son authenticité. Il existerait d'ailleurs **59 autres Mona Lisa** référencées dans le monde.

✦ La plus célèbre des histoires de faux en peinture remonte à un demi-siècle. En 1937, on découvrit en Hollande une œuvre inconnue de **Vermeer de Delft,** *les Pèlerins d'Emmaüs.* Aussitôt le petit monde des experts et des critiques de s'extasier sur cette toile magnifique d'inspiration religieuse, la première de **Vermeer** dont on ne connaissait jusqu'ici que des tableaux profanes. Pour une fois unanimes, ils déclarèrent que la facture de Vermeer était absolument indiscutable. L'Association des Amis de Rembrandt acheta le tableau 520 000 florins et en fit cadeau à la Galerie Royale de Rotterdam. On assista alors à une véritable floraison de Vermeer inconnus. De 1937 à 1940, on découvrit successivement un *Jacob bénissant Isaac,* une *Cène,* un *Christ aux outrages* puis, pendant la guerre une *Lavandière* et un *Lavement des pieds.* Il y eut aussi un *Christ et la parabole de la femme adultère* que **Goering**, grand pilleur d'œuvres d'art devant l'Éternel, fit acheter pour 1 650 000 florins. Le vendeur exigea, pour que la vente puisse avoir lieu, que dix toiles de primitifs flamands volées par les nazis, soient restituées aux musées qui en étaient propriétaires.

Après la guerre, on se livra à une enquête qui permit de découvrir que toutes ces toiles provenaient de la collection d'un modeste artisan-restaurateur de Laren, nommé **Hans Van MEEGEREN**. Arrêté, il avoua, non sans fierté, être celui qui avait ridiculisé les experts hollandais. A l'appui de ses dires, il peignit sous la surveillance de deux experts et d'un policier un *Jésus enseignant dans le temple.* Le tribunal, fasciné, ne le condamna qu'à un an de prison. Mais, après deux semaines de réclusion, il mourut d'une crise cardiaque, le 31 octobre 1947.

✦ Il serait dommage de clore un article sur les faussaires sans en avoir consacré

une large partie au plus pittoresque d'entre eux, **VRAIN-LUCAS** ainsi qu'à son illustre victime, **Michel CHASLES**. Ce mathématicien dont le nom est aujourd'hui presque oublié — sauf de quelques étudiants en sciences — était considéré à l'époque comme l'un des plus grands savants du monde. Le 15 juillet 1865, devant l'assemblée plénière de l'Acadamie des Sciences, **Michel CHASLES**, alors âgé de soixante-douze ans, se leva et s'écria d'une voix que blanchissait l'émotion : *Messieurs, j'ai ici la preuve formelle qu'Isaac NEWTON n'est qu'un vil usurpateur. C'est indûment qu'il s'est attribué la découverte des lois de la gravitation universelle. Le seul mérite en revient à notre illustre et regretté compatriote, Blaise PASCAL.*
Stupéfaction de l'illustre assemblée à qui **CHASLES** communiqua des lettres qu'écrivit **PASCAL** au savant anglais **BOYLE** et démontrant de façon évidente que **NEWTON** avait plagié le savant français.
Colère en Angleterre où l'on accusa **CHASLES** d'attenter aux gloires nationales avec de faux documents. Contre-attaque de **CHASLES** qui dévoila fort opportunément de nouvelles preuves et, notamment, une lettre de **PASCAL** adressée au jeune **NEWTON** :

*20 may 1654*

*Au jeune Newton, estudiant à Grantham J'ai appris avec quel soin vous cherchiez à vous initier aux sciences mathématiques et géométriques, et que vous désiriez approfondir sciemment les travaux de feu M. Descartes. Je vous envoye divers papiers de luy qui m'ont esté remis par une personne qui fut un de ses bons amis... Travaillez, estudiez, mais que cela se fasse avec modération. Car moy aussi, dès ma jeunesse, j'avais haste d'apprendre, et rien ne pouvait arrêter ma jeune intelligence. Je ne vous dis point cela, mon jeune amy, pour vous détourner de vos estudes, mais pour vous engager à estudier modérément. Les connaissances viennent insensiblement avec le temps...*

◆ D'où venaient donc ces surprenantes lettres autographes ? Elles avaient été fournies à **Michel CHASLES** par un certain **Denis VRAIN-LUCAS** qui se prétendait le mandataire du propriétaire d'une collection unique au monde. Ces autographes avaient été réunis par une famille noble qui s'était enfuie aux Amé-

riques sous la Révolution. Leur navire avait fait naufrage, mais on avait pu sauver une partie de la collection un peu endommagée par son séjour dans l'eau de mer. Le descendant de cette famille, se trouvant momentanément dans la gêne, consentait à se dessaisir, de temps à autre, de l'une de ses pièces uniques. On n'eut pas de peine à démontrer que **Denis VRAIN-LUCAS** n'était qu'un petit escroc sans envergure qui s'était fait une spécialité dans la fabrication des fausses pièces généalogiques. C'est sa rencontre avec un savant naïf et crédule qui lui donna l'idée de sa machination. En trois ans, il réussit à vendre à sa victime, ravie et consentante, le total ahurissant de **27 345 lettres** extraordinaires, toutes fausses que **Vrain-Lucas** avait écrites lui-même sur des pages arrachées à de vieux livres et trempées dans un baquet d'eau sale. Le vieux savant « pour que ces pièces rares restent en France » les avait payées 140 000 francs or. On se demande encore aujourd'hui comment un scientifique cultivé et intelligent avait pu se laisser aveugler au point de payer un vrai trésor pour des **faux grossiers** dont la seule énumération finit par déclencher le rire :
Une lettre d'**ATTILA** au général des Francs, une lettre de **PYTHAGORE** (l'homme du théorème) à **ESCHYLE**, d'**ARCHIMÈDE** « à son très ami **HIÉRON** », 135 lettres de **CHARLEMAGNE**, 25 lettres de **LAZARE** (le ressuscité) à l'apôtre **PIERRE**, une lettre de **PONCE-PILATE** à **TIBÈRE**, une lettre de **SOCRATE** à **EUCLIDE**, deux lettres de **CORNELIA** « veuve Pompée » à Jules **CÉSAR**, un défi du même **JULES** à **VERCINGÉTORIX**, une correspondance inconnue d'**HÉLOÏSE** et d'**ABÉLARD**, 194 billets de **JEANNE D'ARC**, 35 lettres de **CHRISTOPHE COLOMB** à **RABELAIS**, 2 lettres du **CID** au **ROI DE NAVARRE**, et toute une correspondance de **MAHOMET, PHEDRE, OVIDE, TACITE, PLATON, DANTE, SHAKESPEARE**. Il y avait même deux lettres du **CHRIST** !
Le plus invraisemblable est que tout ce beau monde écrivait en français, ou plutôt en une sorte de galimatias qui prétendait faire ancien.

◆ Voici quelques échantillons de ces lettres sur l'authenticité desquelles se disputa l'élite de l'intelligentsia française (ce qui n'est guère à son honneur).

*Julii Cesar au chief des Gaulois.*
*J'envoy devers toy un mien âmé qui te dira*
*le but de mien voyage ; je veus couvrir de*
*mes souldats la terre qui t'a veu naistre.*
*C'est en vain que tu la vouldras défendre.*
*Tu es braves, je le say, mais aussy le serai,*
*s'il plaist aux dieux ; ains rend moy les*
*armes ou prépare toy à combatre. Ce VI*
*des Kal de Jullius.*                        *Julii Cesar*

*Cléopâtre, royne, à son très âmé, Jules*
*César empereur.*
*Mon très âmé, nostre fils Césarion va bien.*
*J'espère que bientost il sera en estat de*
*supporter le voyage d'icy à Marseilles où*
*j'ay dessin le faire instruire, tant à cause*
*du bon air qu'on y respire que des belles*
*choses qu'on y enseigne. Je vous prins donc*
*me dire combien de temps resterez encore*
*en ces contrées, car j'y veux conduire moy*
*mesme nostre fils et pour prier par y celle*
*occasion...*

◆ Pas bête, **VRAIN-LUCAS** savait flat-
ter le nationalisme de ce pigeon de
**CHASLES** et il n'hésitait pas à mettre
sous la plume de ses correspondants
imaginaires les plus incroyables louanges
envers notre pays. Lisez ce qu'écrivait
**ALEXANDRE LE GRAND** à **ARISTOTE** :

*ALEXANDRE, rex, à son très aimé ARIS-*
*TOTE, salut.*
*Mon amé, ne suys pas satisfait de ce*
*qu'avez rendu public aulcun de vos livres,*
*que devez garder soubs le scel du mystère,*
*car c'est en profaner leur valeur. Or donc,*
*vous prins retirer iceulx des mains profa-*
*nes et ne plus doresnavant les rendre*
*public sans mon assentiment. Quant à ce*
*que m'avez mandé d'aller faire un voyage*
*au pays des Gaules, afin d'y apprendre la*
*science des Druides desquel Pythagoras a*
*fait si bel éloge, non seulement vous le*
*permets, mais je vous y engage pour le bien*
*de mon peuple, car n'ignorez pas l'estime*
*que je fais d'icèle nation que je considère*
*comme étant cèle qui a porté la lumière*
*dans le monde. Je vous salut. Ce XX des*
*Kalendes de may, an de la CV olympiade.*
*ALEXANDRE*

◆ C'est d'ailleurs ses sentiments patrio-
tiques qu'invoquera **VRAIN-LUCAS**
pour sa défense. Le tribunal, lui infligera
deux ans de prison. Le plus drôle c'est
que, **toutes ces lettres fausses sont
aujourd'hui devenues des documents
historiques** et, en tant que tels, ils se
trouvent à la Bibliothèque Nationale.
Belle revanche pour le petit escroc !

# Femme

◆ C'est à peu près, à la même époque
que l'homme et la femme sont entrés en
scène. Avec, malgré tout, une légère
avance pour l'homme. Dieu, en inventant
Adam le premier, avait-il une idée derrière la tête ?

*Si l'homme a été créé avant la femme,*
*c'était pour lui permettre de placer quel-*
*ques mots* prétend JULES RENARD.

PAUL VALÉRY avance une autre explication :
*Dieu créa l'homme et, ne le trouvant pas*
*assez seul, il lui donna une compagne pour*
*lui faire mieux sentir sa solitude.*

◆ Peut-être l'arrivée plus tardive de la
femme suffit-elle à expliquer la situation
inférieure qui fut la sienne tout au long de
l'histoire ?

*La femme est, selon la Bible, la dernière*
*chose que Dieu a faite. Il a dû la faire le*
*samedi soir. On sent la fatigue.*
ALEXANDRE DUMAS fils.

◆ A moins que le peu de considération
réservé à la femme ne s'explique que par
le prosaïsme qui présida à sa naissance.
Il faut avouer que, naître de la soustrac-
tion d'une côtelette première, n'est pas
ce qui s'appelle une opération... de pres-
tige !

*La femme est le produit d'un os surnumé-*
*raire* a dit BOSSUET.

Dès l'Antiquité, les voix les plus autori-
sées se sont accordées sur le rôle émi-
nemment néfaste de la femme :

*Il y a un principe bon qui a créé l'ordre, la lumière et l'homme. Il y a un principe mauvais qui a créé le chaos, les ténèbres et la femme.*
PYTHAGORE (6ᵉ siècle av. J.-C.).

*Sphinx, hydre, lionne, vipère, qu'est-ce que tout cela ? Rien, devant la race exécrable des femmes !*
ANAXILAS (494-476 av. J.-C.).

*Il n'est rien de pire dans le monde qu'une femme, si ce n'est une autre femme.*
ARISTOPHANE (450-386 av. J.-C.).

*Avec ces pestes, rien. Rien non plus sans ces pestes !*
LE MÊME... qui persiste et signe.

◆ Sans doute pourra-t-on prétendre ces opinions sujettes à caution dans la mesure où elles émanent de Grecs. Hélas ! même lorsque l'amour eut retrouvé le sens commun et les femmes leur pouvoir, on continua d'écrire sur elles bien des phrases méchantes :

*La femme est la porte de l'enfer !*
TERTULLIEN (150-222).

*Homme, tu es le maître, la femme est ton esclave : c'est Dieu qui l'a voulu* décide SAINT-AUGUSTIN (354-430).

*En tant qu'individu, la femme est un être chétif et défectueux.*
SAINT-THOMAS D'AQUIN (1225-1274).

*Animal ridicule et suave* écrit ERASME.

◆ Et l'on pourrait ainsi pendant des pages et des pages, accumuler les pensées et maximes, — toutes écrites par des hommes, bien sûr ! — dirigées contre la femme accusée d'infidélité, de débilité intellectuelle, de coquetterie, de bavardage. Au moins pourrait-on croire que, lorsque les femmes prendraient la parole ou la plume, ce serait pour plaider la cause de leur sexe si injustement calomnié. Vous n'y êtes pas !

DUCLOS (1704-1772) a bien raison d'écrire que :

*Quelque mal qu'un homme puisse penser des femmes, il n'y a pas femme qui n'en pense encore bien davantage.*

**En voici quelques preuves :**

*Je me console d'être femme en songeant que, de la sorte, je n'en n'épouserai jamais une.* LADY MONTAGU (1689-1762).

*Il est prudent de croire au mystère de la femme, cela lui en donne un.*
NATHALY CLIFFORD BARNEY (1910).

*Il y a des femmes honnêtes comme il y a des vocations manquées.*
AUGUSTINE BROHAN ((1824-1893).

*Ce qu'une femme appelle avoir raison, c'est n'avoir pas tous les torts.*
SOPHIE ARNOULD (1744-1802).

*Le silence est la seule chose en or que les femmes détestent.* MARY WILSON LITTLE.

*Il n'y a qu'un moyen de faire un bel éloge d'une femme, c'est dire beaucoup de mal de sa rivale.*
MADAME DE GIRARDIN (1804-1855).

*Depuis qu'Ève fit pécher Adam, toutes les femmes ont pris possession de tourmenter, tuer et damner les hommes.*
MARGUERITE D'ANGOULÊME.

◆ A ces opinions peu flatteuses que des femmes portent sur leur propre sexe, on peut ajouter naturellement celles de la partie adverse :

*La tête chez les femmes n'est pas un organe essentiel.* ANATOLE FRANCE.

*La frivolité est encore ce qu'il y a de plus sérieux chez la femme.* HENRI DE RÉGNIER.

*Il n'y a malheureusement pas de remède de bonne femme contre les mauvaises.*
JULES RENARD.

*Les femmes ne suivent pas les mauvais conseils... Elles les précèdent.*
ABEL HERMANT.

*Les honnêtes femmes sont inconsolables des fautes qu'elles n'ont pas commises.* SACHA GUITRY.

◆ Cette litanie finirait par devenir fastidieuse si ne s'élevaient pas quelques voix contraires. Dans l'éternel malentendu qui, depuis l'origine des temps, oppose un sexe à l'autre, les torts ne sont pas tous du même côté, il s'en faut.

*Il n'y a que deux belles choses au monde, les femmes et les roses, et que deux bons morceaux, les femmes et les melons.*
MALHERBE.

*Les femmes polissent les manières et donnent le sentiment des bienséances, elles sont les vrais précepteurs du bon goût, les instigatrices de tous les dévouements.*

*L'homme qui les chérit est rarement un barbare.* GABRIEL LEGOUVÉ.

*Il n'y a point de vieille femme. Toute, à tout âge, si elle aime et si elle est bonne, donne à l'homme le moment de l'infini.* JULES MICHELET.

*Si la non-violence est la loi de l'humanité, l'avenir appartient aux femmes. Qui peut faire appel au cœur des hommes avec plus d'efficacité que la femme ?* GANDHI.

*La pitié sans orgueil n'appartient qu'à la femme.* TOURGUENIEV.

*L'avenir de l'homme c'est la femme.* ARAGON.

◆ Pendant des siècles et des siècles, la femme fut réduite par l'homme — avec la bénédiction de l'Église et l'appui des lois — au rôle secondaire, censé lui être dévolu depuis la création du monde et pour toute éternité. Tenue en tutelle, comme les mineurs ou les fous, elle devait assumer des fonctions bien définies, celles de la reproduction, de l'éducation des petits ainsi que de l'économie domestique. Dans des conciles ecclésiastiques on discutait le plus sérieusement du monde sur le point de savoir si la femme était dotée d'une âme.

◆ C'est sous la Révolution et en s'appuyant sur les idées de Liberté, de Fraternité et surtout d'Égalité qu'elle proclame, que va naître le mouvement féministe. A la *Déclaration des Droits de l'Homme* de 1789 répondra en 1791 la *Déclaration des Droits de la Femme et de la Citoyenne*, œuvre d'**Olympe de Gouges**. C'est dans ce texte que se trouve la phrase fameuse : *La femme a le droit de monter à la guillotine. Elle doit avoir également le droit de monter à la tribune.* La pauvre Olympe, qui eut le courage de défendre Louis XVI, montera seulement à la guillotine.

◆ Les Saint-Simoniens et les Fouriéristes firent de l'émancipation féminine l'un des points essentiels de leur programme. Une femme de lettres, **Pauline Roland** et une femme politique **Flora Tristan** (grand-mère du peintre Gauguin) furent, dans les années 1840, les deux figures marquantes de l'émancipation de la femme dans le cadre du mouvement socialiste.
On vit apparaître les premiers clubs fémi-

nins et une femme se porter candidate aux élections françaises en 1849. Les grandes idées commencent toujours par se concrétiser dans le vocabulaire avant de se matérialiser dans les faits : le mot de **FÉMINISTE** apparut pour la première fois en 1860.

◆ En Angleterre, la lutte pour l'émancipation féminine occupa le devant de la scène politique dès le début du XXᵉ siècle. L'économiste **Stuart Mill** avait écrit en 1869 un essai sur *l'Assujettissement des femmes.* **Mrs Emmeline Goulden Pankhurst** fonda en 1903 *L'Union Féminine Sociale et Politique* et milita pour le vote des femmes. A la tête des bataillons de ses « suffragettes », elle provoqua une agitation spectaculaire et violente. Plusieurs fois arrêtée, elle obtint gain de cause en 1918. Dès 1928, les Anglaises obtenaient le droit de vote et l'éligibilité. Les Françaises durent patienter encore 27 ans pour se voir reconnaître les mêmes droits en 1945. Les Scandinaves, les Allemandes, les Espagnoles, les Portugaises et les Tchèques les avaient précédées en 1939.

◆ L'histoire de la lutte des femmes pour leur accession à la culture et leur entrée dans les professions jusque-là jalousement réservées aux hommes, a retenu le nom de quelques « pionnières » :

**1861 Julie Saubie**, une institutrice de 40 ans : première femme bachelière.

**1868 Madeleine Brès**, première femme médecin. En 1900 on n'en comptera que 30 et à peine quelques centaines en 1914.

**1869 Mademoiselle Doumergue**, première femme pharmacienne.

**1892 Jeanne Chauvin**, première femme à obtenir le doctorat en droit.

**1900 Hélène Gaburian**, seule femme à être à la fois docteur en médecine et pharmacienne.

**1900 Jeanne Chauvin** (encore elle !) première et seule femme avocate.

**1906 Marie Curie**, première femme professeur titulaire de la chaire de physique à la Sorbonne.

**1912 Edmée Chaudon**, première femme astronome officielle.

**1931 Première femme vétérinaire.**

**1932 Suzanne Borel** (la future Madame **Georges Bidault**), première femme Conseiller d'ambassade.

**1935 Madame Montvert**, première femme agent de police.

**1969 Ouverture des Grandes Écoles** aux femmes.

**1973 Anne Chopinet**, major de sa promotion à Polytechnique défilera en tête de l'École, le 14 juillet sur les Champs-Élysées.

♦ En **1906**, on comptait 3 millions de femmes au travail dont un million étaient agricultrices et 800 000 domestiques.
En **1983**, 9 350 000 femmes ont un métier ce qui représente 40,7 % de la population active. 8 % d'entre elles sont agricultrices, 22,2 % sont salariées dans l'industrie et 69,8 % font partie du secteur tertiaire.

♦ Aujourd'hui, si l'égalité professionnelle entre hommes et femmes n'est pas encore aussi achevée qu'une simple justice l'exigerait, on peut dire qu'elle est en bonne voie de se réaliser.

♦ Mais qu'en est-il de l'égalité entre les sexes ?

*Je conviendrais volontiers qu'elles nous sont supérieures, ne serait-ce que pour les dissuader de se croire nos égales.*
SACHA GUITRY.

*Aucun homme n'est l'égal d'une femme, si ce n'est avec un tisonnier et une paire de souliers à clous. Et encore, même ainsi, ne l'est-il pas toujours.* G.B. SHAW.

*Une femme qui se croit intelligente réclame les mêmes droits que l'homme ; une femme intelligente y renonce.* COLETTE.

♦ Mesdames, n'oubliez pas de marquer chaque année sur votre agenda à la date du **8 mars** : *Journée internationale des femmes.* Le « combat » continue !

---

## Fin (mots de la)

♦ Si l'histoire retient de préférence les dernières phrases prononcées par les grands hommes au moment de leur mort, c'est sûrement parce que les premières paroles de ces mêmes célébrités étaient d'une affreuse banalité : *Areuh, areuh - maman - papa - lolo...*

♦ Au moment où il sent s'approcher l'ultime seconde, au moment où il entrevoit l'envers du miroir, il est permis de penser qu'un personnage célèbre a peut-être envie de délivrer aux vivants un message qui soit le résumé de toute son existence ? Les phrases qui suivent risquent fort de décevoir les lecteurs. A ceux-ci, il reste la ressource de se dire que la plupart d'entre elles sont sûrement apocryphes.
Afin de ne pas aborder de façon trop mélancolique ce douloureux chapitre, disons-nous avec **Commerson** que : *A son lit de mort, l'homme songe plutôt à élever son âme vers Dieu que des lapins.*

★ L'empereur **Néron** — selon Suétone — aurait dit au moment de mourir des mains de son esclave affranchi : *Qualis artifex pereo !* c'est-à-dire : *Quel artiste périt avec moi !* (68 après J.-C.).

★ **Rabelais** : *Tirez le rideau, la farce est terminée !* (1553).

★ Le grand **Montaigne** n'avait pas peur d'avouer : *Ce n'est pas la mort que je crains, mais, de mourir* (1593).

★ Le poète **Philippe Desportes** : *J'ai 30 000 livres de rente, et je meurs !* (1606).

★ **Lope de Vega**, écrivain espagnol : *Je peux vous le confier : Dante m'a toujours ennuyé !* (1635).

★ Le père **Dominique Bouhours**, Jésuite et grammairien : *Je m'en vais ou je m'en vas, l'un ou l'autre se dit ou l'un et l'autre se disent* (1702) — il est à signaler que ce mot est également attribué au poète **Piron**.

★ Le peintre **Antoine Watteau** : *Otez-moi ce crucifix ! Comment un artiste a-t-il pu rendre aussi mal les traits de Dieu* (1721).

★ Et le musicien **Rameau** n'était guère content lui non plus : *Que diable me chantez-vous là, Monsieur le Curé, vous avez la voix fausse !* (1764).

★ **Piron** — le revoici ! — à qui son ami **La Place** demandait : *Alors ? Cela va-t-il ?* répondit : *Non, cela s'en va !* (1773).

★ **Voltaire** : *Je m'arrêterais de mourir s'il me venait un bon mot ou une bonne idée* (1778).

★ **Chamfort :** *Ah ! mon ami, je m'en vais de ce monde où il faut que le cœur se brise ou se bronze* — Et, un moment plus tard, refusant l'Extrême-Onction : *Je vais faire semblant de ne pas mourir* (1794).

★ **André Chenier,** montant à l'échafaud et se touchant la tête : *Pourtant, j'avais quelque chose là !* (1794).

★ **Edward Thurlow,** homme d'État anglais s'écria juste avant de trépasser : *Que je sois pendu si je ne suis pas en train de mourir !* (1806).

★ **Le Duc d'Enghien,** avant de mourir fusillé dans les fossés du Fort de Vincennes : *Qu'il est affreux de mourir ainsi de la main des Français* (1804).

★ Et le général **Ney,** commandant lui-même son peloton d'exécution : *Soldats, droit au cœur !* (1815).

★ L'abbé **Bossut,** mathématicien célèbre se trouvait depuis plusieurs heures dans le coma lorsque l'un de ses amis lui dit à l'oreille : *Le carré de 12 ? — 144 !* dit Bossut en rendant l'âme (1814).

★ **Napoléon :** *Mon fils... Tête... Armée* (1821).

★ L'écrivain et gastronome **Brillat-Savarin** mourant la veille du réveillon de Noël : *Je vais avoir un* dies irae *aux truffes !* (1826).

★ **Goethe :** *Ouvrez donc les volets — de la lumière... plus de lumière !* (1832).

★ **Chopin :** *Maintenant, je suis à la source du bonheur !* (1849).

★ **Balzac :** *Huit jours avec de la fièvre ! J'aurais encore eu le temps d'écrire un livre* — et, dans son agonie : *Bianchon, appelez Bianchon ! Lui seul me sauvera !* (Horace Bianchon était un des personnages de *la Comédie humaine*) (1850).

★ **Alfred de Musset :** *Dormir, enfin ! Je vais dormir !* (1857).

★ **Hector Berlioz,** avec une infinie tristesse : *Ah ! Quel talent je vais avoir demain !* — et puis : *Enfin, on va maintenant jouer ma musique !* (1869).

★ **Henri Monnier,** le créateur du personnage de *Monsieur PRUD'HOMME : Il va falloir être sérieux là-haut !* (1877).

★ **Victor Hugo** s'exprimant une dernière fois en alexandrin : *C'est ici le combat du jour ou de la nuit !* et puis : *Allons ! Il est bien temps que je désemplisse le monde !* (1885).

★ **Villiers de L'Isle Adam,** mourant à l'hôpital dans la plus grande misère : *Eh bien ! Je m'en souviendrai de cette planète !* (1889).

★ **Oscar Wilde,** recevant la note de son médecin *Je meurs vraiment au-dessus de mes moyens !* (1900).

★ **Henri de Toulouse-Lautrec :** *Maman... Rien que toi !* (1901).

★ **Jules Renard :** *Marinette, pour la première fois, je vais te faire une grosse, une très grosse peine !* (1910).

★ L'acteur **Mounet-Sully :** *Mourir, c'est difficile quand il n'y a pas de public* (1916).

★ **Clemenceau,** voyant arriver un prêtre : *Enlevez-moi ça !* (1929).

★ L'écrivain **Francis de Croisset :** *Je m'ennuie déjà !* (1937).

★ **Georges Bernanos :** *A nous deux !* (1948).

✦ Pour la fin — c'est le cas de le dire ! — nous avons gardé deux phrases particulièrement touchantes dans leur naïveté spontanée : La vicomtesse **d'Houdetot,** morte jeune de tuberculose : *Je me regrette !* et le grand industriel **Rizzoli :** *Mais je ne peux pas mourir ! Je suis l'homme le plus riche d'Europe.*

✦ Il n'y a rien à ajouter... sauf un mot peut-être :

**F I N**

---

## Fontenelle (Bernard de) — 1657-1757

✦ Bernard Le Bovier de **FONTE-NELLE,** écrivain et poète, né en 1657, mort en 1757.
1657-1757 ? Avez-vous noté ces deux dates ? Aucun doute, voilà ce qui s'appelle mourir centenaire !

✦ Fontenelle naquit à **Rouen,** comme les deux **Corneille,** dont il était précisément le neveu. Selon la tradition familiale, il commença par la tragédie, s'essaya même à l'opéra, puis il renonça à l'une comme à l'autre. A ces machines solennelles et prétentieuses, il préférait ce qui était léger et piquant. Grimm écrivit : *Tout ce qui ne finissait pas par un tour d'esprit ne comptait pas pour lui.*

Il fut un savant mais aussi un écrivain admirable et c'est cette alliance de la science et de la littérature qui lui valut une audience considérable. Dans les salons, il faisait fureur et les belles marquises se l'arrachaient.

Il fut académicien sans devenir ennuyeux.

Il vieillit sans rien perdre de l'irrespect à l'égard des dogmes et de la haine du système qu'il professait lorsqu'il était adolescent. Il fut un sceptique dans un monde rationnel et, à cet égard, on peut le saluer comme l'un des précurseurs des philosophes du XVIII° siècle.

◆ On cite de Fontenelle, nombre de reparties et de mots drôles qui prouvent à l'évidence qu'il mourut « jeune » à cent ans.

★ Un jour — il n'avait alors que 95 ans ! — une femme qui n'était sa cadette que de 5 ans, lui dit :
*Il me semble que la mort nous a oubliés.*
— *Chut !* lui répondit-il en mettant le doigt sur sa bouche.

★ La veille de sa mort, quelqu'un s'enquit de sa santé :
*Comment cela va-t-il ?*
— *Cela ne va pas,* lui répondit-il, *cela s'en va.* (Ce mot a été également attribué à Piron.)

★ Sa dernière parole fut pour son médecin :
*Oh ! J'éprouve comme une grande difficulté d'être.*

◆ Il avait aimé les femmes passionnément, mais n'avait jamais voulu se marier :
*Pourquoi ne vous mariez-vous pas ?*
— *Parce que je serais chagrin.*
*Pourquoi seriez-vous chagrin ?*
— *Parce que je serais jaloux.*
*Pourquoi seriez-vous jaloux ?*
— *Parce que je serais trompé.*
*Pourquoi seriez-vous trompé ?*
— *Parce que je le mériterais.*
*Pourquoi le mériteriez-vous ?*
— *Parce que je me serais marié.*

★ A quelqu'un qui lui demandait :
— *L'envie de vous marier ne vous est-elle donc jamais venue ?*

— *Si,* lui répondit Fontenelle, *quelquefois... le matin surtout !*

★ Un jour, qu'âgé de 90 ans, il serrait de près une jeune fille dans un couloir :
— *Cessez donc, Monsieur, sinon je crie !*
— *Oh oui ! Criez ! Criez !* lui dit-il. *Cela nous fera honneur à tous les deux !*

★ Il était près d'avoir 100 ans lorsqu'une jeune fille laissa tomber son éventail devant lui. Il voulut se baisser pour le ramasser, mais n'y parvint pas :
*Ah ! Quel dommage que je n'aie pas dix ans de moins !*

◆ Fontenelle avait la dent dure et le mot féroce :

★ *Dieu a fait l'homme à son image,* lui disait un abbé.
— *Oh ! L'homme le lui a bien rendu !* rétorqua-t-il.

★ Comme on lui annonçait qu'une actrice de mœurs légères venait de mourir de la petite vérole :
— *Cela ne m'étonne pas,* lança-t-il, *elle a toujours été extrêmement modeste.*

★ *Madame de Genlis est un ange,* disait-il d'une autre. *Mais comme le poulet : moins d'aile que de cuisse !*

★ *On a trois sortes d'amis : les amis qui vous aiment, les amis qui ne se soucient pas de vous et les amis qui vous haïssent.*

◆ Fontenelle était aussi un sage, jugez-en :

★ *Ne disons pas de mal du diable : c'est peut-être l'homme d'affaires du bon Dieu.*

★ *Un obstacle au bonheur, c'est de s'attendre à trop de bonheur.*

Mais il était surtout un grand poète, celui qui écrivait :

*Si les roses qui ne durent qu'un jour faisaient des histoires... elles diraient : "Nous avons toujours vu le même jardinier. De mémoire de rose, on n'a vu que lui... Assurément, il ne meurt point comme nous, il ne change seulement pas !"* Ce qui se résume le plus souvent ainsi : *De mémoire de rose, jamais on n'a vu mourir un jardinier.*

◆ Ne serait-ce que par cette simple phrase, Fontenelle aurait mérité notre immortelle reconnaissance.

◆ Il existe une expression allemande pour qualifier le parfait bonheur : **Heureux comme Dieu en France**. A l'étranger, on adore la France qui serait sûrement le paradis sur terre s'il n'y avait pas le Français !

Mais voilà, il existe le Français !

Raisonneur, frondeur, râleur-né, indiscipliné mais travailleur, individualiste et pourtant moutonnier, passionné d'égalité en même temps que de privilèges, insupportable, égoïste mais prêt à s'émouvoir pour une idée généreuse... Les Français ne sont d'accord sur rien sinon pour critiquer leurs dirigeants.

• VOLTAIRE le disait : *Il n'y a, je crois, nul pays au monde où l'on trouve tant de contradictions qu'en France.*

• *Comment définir ces gens qui passent leur dimanche à se proclamer républicains et leur semaine à adorer la reine d'Angleterre, qui se disent modestes mais parlent toujours de détenir le flambeau de la civilisation, [...] qui placent la France dans leur cœur mais leurs fortunes à l'étranger [...] qui détestent que l'on critique leurs travers, mais ne cessent de les dénigrer eux-mêmes ?* PIERRE DANINOS
*(les Carnets du Major Thomson)*

• *Les Français se perçoivent comme des gens légers, frivoles et bons vivants, alors qu'ils sont anxieux, tendus, fragiles, travailleurs.* E. TODD

• *La France est divisée en 43 millions de Français. La France est le seul pays du monde où, si vous ajoutez dix citoyens à dix autres, vous ne faites pas une addition, mais vingt divisions.* PIERRE DANINOS

• *La France est la patrie du genre humain et l'on y est très accueillant aux étrangers, exception faite, bien entendu, pour les amerloques, les englishes, les fridolins, les macaronis, les espingouins, les polacks, les macaques, les ratons, les youpins et autres métèques.* THIERRY MAULNIER

• *Si les Français perdent une bataille, une épigramme les console. Si un nouvel impôt les charge, un vaudeville les dédommage. Si une affaire sérieuse les occupe, une chansonnette les égaie et le style le plus simple et le plus naïf est toujours relevé par des traits malins et par des pointes piquantes.* CARLO GOLDONI

• *En France, le premier jour est pour l'engouement, le second pour la critique et le troisième pour l'indifférence.* JEAN-FRANÇOIS DE LA HARPE

• *Le Français a le cœur à gauche, mais le portefeuille à droite.* ANATOLE DE MONZIE

• *L'athéisme en France est une religion et l'anticléricalisme une église.* EMMANUEL BERL

• *En France, on laisse en repos ceux qui mettent le feu et on persécute ceux qui sonnent le tocsin.* CHAMFORT

• *Les Français ne sont pas faits pour la liberté : ils en abuseraient.* VOLTAIRE

• *Les Français vont indistinctement au pouvoir ; ils n'aiment point la liberté, l'égalité seule est leur idole.* CHATEAUBRIAND

• *Les Français sont satisfaits à peu de frais, un peu de familiarité dans les manières leur semble de l'égalité.* ALFRED DE VIGNY

• *Le désir du privilège et le goût de l'égalité, passions dominantes et contradictoires des Français de toute époque.* CHARLES DE GAULLE

**102**

• *La France a toujours cru que l'égalité consiste à trancher ce qui dépasse.*
JEAN COCTEAU
*(Discours de réception à l'Académie française)*

• *On dit que l'homme est un animal sociable. Sur ce pied-là, il me paraît qu'un Français est plus homme qu'un autre : c'est l'homme par excellence, car il semble être fait uniquement pour la société.* MONTESQUIEU

• *Une promotion de Saint-Cyr porte le nom de DIEN-BIEN-PHU. En France, tout revers a sa médaille.* ANDRÉ FROSSARD

• *Les Français sont des jeunes gens toute leur vie.* J. JOUBERT

• *Un Français est un Italien de mauvaise humeur.* JEAN COCTEAU

Français, mes frères, vous êtes-vous reconnus dans ce portrait, un peu sévère peut-être, qu'ont tracé de nous et de nos travers quelques écrivains qui connaissaient d'autant mieux leur sujet qu'ils étaient eux-mêmes Français ?

Voici maintenant, en prose ou en vers, les mots qui nous consoleront :

• *Toute ma vie, je me suis fait une certaine idée de la France. Le sentiment me l'inspire aussi bien que la raison. Ce qu'il y a en moi d'affectif imagine naturellement la France, telle la Princesse des Contes ou la Madone aux fresques des murs, comme vouée à une destinée éminente et exceptionnelle. J'ai d'instinct, l'impression que la Providence l'a créée pour des succès achevés ou des malheurs exemplaires.*
CHARLES DE GAULLE *(l'Appel)*

• *Vieille terre, rongée par les âges, rabotée de pluies et de tempêtes, épuisée de végétations mais prête, indéfiniment à produire ce qu'il faut pour que se succèdent les vivants ! Vieille France, accablée d'Histoire, meurtrie de guerres et de révolutions, allant et venant sans relâche de la grandeur au déclin, mais redressée, de siècle en siècle, par le génie du renouveau !* CHARLES DE GAULLE *(le Salut)*

• *Quand la France rencontre une grande idée, elles font ensemble le tour du monde.* FRANÇOIS MITTERRAND

• *France, mère des arts, des armes et des lois,*
*Tu m'as nourri longtemps du lait de ta mamelle,*
*Ores, comme un agneau qui sa nourrice appelle,*
*Je remplis de ton nom les antres et les bois.* JOACHIM DU BELLAY

• *Ma patrie est partout où rayonne la France*
*Où son génie éclate aux regards éblouis !*
*Chacun est un climat de son intelligence,*
*Je suis concitoyen de toute âme qui pense :*
*La vérité, c'est mon pays.*
ALPHONSE DE LAMARTINE *(la Marseillaise de la Paix)*

• *France, ô belle contrée, ô terre généreuse,*
*Que les dieux complaisants formaient pour être heureuse,*
*Tu ne sens point du Nord les glaçantes horreurs,*
*Le Midi de ses feux t'épargne les fureurs.*
*Tes arbres innocents n'ont point d'ombres mortelles*
*Ni des poisons épars dans tes herbes nouvelles*
*Ne trompent une main crédule, ni tes bois*
*Des tigres frémissants ne redoutent la voix*
*Ni de vastes serpents ne traînent sur tes plantes*
*En longs cercles hideux leurs écailles sonnantes.* ANDRÉ CHÉNIER

• *Combien j'ai douce souvenance*
*Du joli lieu de ma naissance !*
*Ma sœur, qu'ils étaient beaux les jours*
*De France !*
*Ô mon pays, sois mes amours*
*Toujours !*
CHATEAUBRIAND

C'est, paraît il le général **De Gaulle** qui s'écria un jour

*Comment diable voulez-vous donc gouverner un pays où l'on compte 365 sortes de fromages ?*

Le chiffre est facile à retenir il y aurait donc en France un fromage pour chacun des jours d'une année non bissextile.
Le Général, peu suspect pourtant de modestie pour son pays, se trompait on aurait dénombré **487 fromages français** différents sans compter les étrangers !

Tout le monde a cité un jour la célèbre phrase de BRILLAT-SAVARIN :

*Un dîner sans fromage est une belle à qui il manque un œil.*

◆ Le fromage est aussi vieux que le monde. Il dut apparaître dès l'âge des cavernes, aussitôt que l'homme apprit à domestiquer les animaux laitiers. On a découvert dans certains sites du néolithique des tessons de pots percés qui n'avaient pu servir qu'à égoutter du lait caillé.

◆ Le nom de fromage vient du latin *forma* : forme. C'est une déformation du mot « formage » c'est-à-dire de la « mise en forme » du lait caillé égoutté.

◆ Des siècles de civilisation ont abouti peu à peu à la création de la famille immense des fromages dont chaque membre possède sa personnalité particulière, son aspect, son odeur, sa saveur. Les monastères d'Europe furent les lieux de création de nombreux fromages. Dans ces communautés se trouvaient réunies toutes les conditions qui président à ce genre d'invention : l'intelligence, le savoir-faire et la gourmandise. Çe n'est pas par hasard si tant d'étiquettes de fromages représentent des moines appétissants !

◆ Dans la famille des fromages, on peut distinguer en gros cinq branches principales :

**Les pâtes molles crues à croûte fleurie**
Camembert, brie, coulommiers, carré de l'Est, etc.

**Les pâtes molles crues à croûte lavée**
Ce sont les plus odorants !
Munster, pont l'évêque, livarot, maroilles, reblochon, etc.

**Les pâtes pressées crues**
Port-salut, saint-paulin, cantal, etc.

**Les pâtes pressées cuites**
Gruyère, emmenthal, comté, beaufort.

**Les pâtes persillées**
Roquefort, bleu d'Auvergne, etc.

◆ Rendons visite à quelques-uns des plus nobles fromages, de haute lignée :

★ **LE CAMEMBERT**
*Ce fromage* disait **Léon-Paul FARGUE** *fleure les pieds du Bon Dieu.*
Seuls ceux qui n'aiment pas le fromage pourraient voir dans cette phrase un blasphème. Les autres auront compris.
On attribue l'invention du camembert à **Marie HAREL**, fermière de Vimoutiers dans l'Orne, vers 1790
En fait, le camembert était connu dans la région depuis belle lurette.
Marie Harel, avec une sympathique obstination, s'est contentée de le faire connaître sur les marchés de Normandie. Elle n'a pas volé la statue que ses concitoyens lui ont élevée.

◆ En 1890 — un siècle plus tard — un certain **RIDEL** invente la boîte cylindrique de bois qui allait permettre le transport de ce fromage.
En terme d'aujourd'hui, le camembert avait trouvé une public-relations et un marketing-man.

◆ Au début de ce siècle, on eut l'idée d'ensemencer le lait caillé avec une moisissure, le *penicillium candidum* qui donne au camembert sa belle couleur jaune paille.
A signaler que, chaque année, se court une épreuve cycliste entre PARIS et VIMOUTIERS que les connaisseurs ont surnommée PARIS-CAMEMBERT.

## ★ LE BRIE

Il se fabrique de la même façon que le camembert et se présente sous forme de roues dont le diamètre varie de 16 à 40 centimètres. On découpe cette circonférence en quarts, en huitièmes ou en seizièmes. Un grand nez est qualifié familièrement de *quart de brie*, ce qui est ne faire injure ni à l'appendice ni au fromage. Le **brie** peut être de **Meaux** (le plus affiné), de **Coulommiers** (plus blanc), de **Melun** (plus petit).

Le **brie** est l'un des plus nobles fromages : Charles d'ORLÉANS, père de Louis XII, avait coutume de le commander par grandes quantités afin d'en faire présent à ses amis.

Un poète du XVIIᵉ, Gérard de SAINT-AMAND, consacra à ce fromage l'une de ses odes.

Lors du congrès de Vienne (1814-1815) TALLEYRAND, l'un de ses fervents admirateurs, le fit sacrer **roi des fromages**. Heureux temps où les congrès internationaux s'occupaient de gastronomie !

## ★ LE ROQUEFORT

PLINE l'Ancien décrit, mais sans le nommer, un fromage qui ressemble à l'actuel **roquefort** comme deux gouttes de lait.

C'est pourquoi on peut affirmer que l'origine de ce fromage remonte à plus de 2 000 ans.

En 1411, CHARLES VI accorde aux habitants du petit village de **Roquefort-sur-Soulzon** le monopole de l'affinage du fromage qui se pratique dans les grottes naturelles du **Combalou** depuis des temps immémoriaux.

Le lait de brebis une fois caillé est ensemencé de moisissures (pain moisi) de *Penicillium glaucum roqueforti* et entreposé dans ces caves creusées sous les Causses où la température est de 7 ºC. Il s'y affinera pendant trois mois. Grâce aux vertus de la pénicilline qui ensemence le fromage, on dit que les ouvriers fromagers de Roquefort ne connaissent jamais de rhumes, ni de maladies respiratoires à virus.

## ★ LE MUNSTER

Le nom même de ce fromage, qui est à l'évidence dérivé du mot **monastère,** prouve qu'il a été inventé par des moines vivant en communauté dans les forêts vosgiennes. A partir du XIVᵉ, on trouve trace de la renommée du **Munster** dans tout le royaume de France.

Ajoutons que la graine de cumin est au munster ce que le beurre est à la tartine, un savoureux et indispensable complément.

## ★ LE REBLOCHON

Voici un fromage qui n'a pas été inventé par des moines, mais par d'astucieux fraudeurs. Il commença d'être fabriqué à partir du XIVᵉ siècle par les fermiers des alpages situés au-dessus du lac d'Annecy.

Comme ces fermiers devaient payer à leurs propriétaires des droits de fermage calculés sur la production de lait du troupeau, ils eurent l'idée de ne traire qu'à moitié les vaches et s'effectuer une seconde traite en cachette du propriétaire. Le nom de **Reblochon** vient du verbe savoyard **reblocher** signifiant *traire une seconde fois*. La deuxième lait très riche en crème leur permit de fabriquer ce fromage onctueux et délicieux qui devint une des gloires gastronomiques de la Savoie.

Bien mal acquis profite donc quelquefois.

Cette leçon valait bien un fromage sans doute.

# *Guitry (Sacha) — 1885-1957*

◆ La célébration en 1985 du centième anniversaire de **Sacha GUITRY** est passée presque inaperçue. Le « Père Hugo », dont on commémorait cette même année le centième anniversaire de la mort, monopolisa l'attention du public et des médias. La postérité est injuste : **Sacha** qui fut l'un des premiers auteurs dramatiques de notre siècle, aurait pourtant mérité un hommage moins discret.

Paul Léautaud lui avait dit : « Vous êtes notre Molière ! » et pourtant il n'était pas seulement auteur et comédien, il était aussi cinéaste, journaliste, romancier, moraliste et, à l'occasion, dessinateur, sculpteur et publicitaire. Comme Cocteau, il était un « touche-à-tout de génie ».

**Sculpteur ?** *Je n'ai sculpté que trois bustes dans ma vie,* disait-il : *le premier était un buste de Jules Renard, le deuxième était un buste de Jules Renard et le troisième aussi.*

**Publicitaire ?** On ne sait généralement pas que c'est Sacha qui baptisa et trouva le slogan d'un déjeuner soluble au chocolat qui fit fureur dans les années trente : « ELESKA » — *ie K.K.O. L.S.K. C.S.Ki.*

**Dessinateur ?** A 18 ans, pour se faire un peu d'argent de poche, il avait publié un recueil de caricatures où l'on trouvait, croquées d'un trait de professionnel, des personnalités comme **Tristan Bernard**, **Jules Renard** bien sûr, **Anatole France**, **Monet**, **Marguerite Moréno** ou son inséparable **Pauline Carton** qui jouera les bonnes dans toutes ses pièces.

**Cinéaste ?** Le cinématographe était encore balbutiant lorsque **Sacha** eut l'idée géniale, en 1915, de filmer dans leur vie de tous les jours les gloires de l'époque. Sans lui, on n'aurait aucune idée des gestes de **Sarah Bernhardt**, d'**Edmond Rostand**, de **Degas**, de **Monet** en train de peindre, de **Rodin** sculptant, de **Saint-Saëns**, d'**Octave Mirbeau** et de bien d'autres. Il réunit ces témoignages, inestimables parce qu'uniques, dans un film intitulé *CEUX DE CHEZ NOUS*.

◆ **Sacha GUITRY** tourna en tout 38 films. La critique leur réservait généralement un accueil assez tiède car elle ne voyait en eux que du théâtre filmé. Heureusement, des cinéastes de talent comme **Truffaut**, **Resnais**, **Godard** ou même **Orson Welles** rendirent hommage à ses trouvailles ainsi qu'au modernisme de son écriture cinématographique. Ils ne manquèrent jamais de le saluer comme un grand précurseur et de lui témoigner leur reconnaissance.

**Guitry** fut, avant tout, un incomparable auteur dramatique et un prodigieux comédien. Toute son existence — vaudeville ou tragédie — se déroulera sous le signe du théâtre.

**Mon nom était fait :
je me suis fait un prénom**

◆ **Guitry,** Alexandre, Pierre, Georges est né à Saint-Pétersbourg, le 21 février 1885, au n° 12 de la Perspective Newski. En ce temps-là l'aristocratie du monde entier parlait le français et nos comédiens se faisaient acclamer dans les grandes capitales. C'est ainsi que Lucien **GUITRY**, qui allait devenir l'un des monstres sacrés de l'époque, avait été engagé au Théâtre Impérial Michel pour assurer la saison d'hiver. Il avait signé pour neuf années consécutives. Sa jeune épouse, **Renée de PONT-JEST**, faisait partie de la troupe, mais elle n'eut guère l'occasion d'y montrer ses talents. En effet, déjà l'année précédente elle avait accouché d'un fils prénommé **Jean**, qui fut suivi, onze mois plus tard, d'**Alexandre**. Le bébé était si laid que **Lucien Guitry** crut devoir consoler sa jeune femme : « C'est un monstre ! Mais ça ne fait rien, nous l'aimerons bien tout de même ! ».

La nourrice — sa « *mamka* » — était russe et n'appelait le petit Alexandre que **SACHA**. Le surnom lui resta. Pendant cinq ans, les frères **Guitry** passèrent leurs hivers en Russie et leurs étés en France. Existence de rêve pour des gosses dont le père, au lieu de travailler comme tous les pères, passe son temps à jouer et à se déguiser.

Hélas ! **Lucien Guitry,** comédien modèle était un mari déplorable. Sa femme demanda le divorce et, en attendant le jugement, garda les enfants avec elle. Chaque dimanche, le père venait les embrasser. Il arriva un jour, vêtu d'une ample cape et proposa à **Sacha** de venir avec lui acheter des gâteaux. Le fiacre, au lieu de s'arrêter devant une pâtisserie, continua jusqu'à la Gare de l'Est. Le père, dissimulant l'enfant sous sa cape, rejoignit la cabine qui lui était réservée dans le train de Saint-Pétersbourg. **Lucien Guitry** venait de kidnapper son fils.

Six mois plus tard, la saison d'hiver terminée, **Sacha** retrouva sa mère et son frère à Paris. Le temps des jeux était révolu, le moment venu d'entrer à l'école. **Sacha** s'y laissa traîner en faisant preuve d'une incoercible mauvaise volonté. Dans la poursuite de ses études, il parvint à établir une sorte de record du genre, se faisant renvoyer, à la suite, de douze écoles et en se révélant incapable de dépasser le niveau de la classe de sixième.

Le premier établissement qui eut le privilège de l'accueillir quelques mois fut le Lycée Janson de Sailly. Il cessa d'y aller après qu'un professeur lui eût intimé l'ordre de ne revenir en classe qu'après avoir fait cent lignes. Lorsqu'en 1934, Janson de Sailly fêta son cinquantième anniversaire, **Sacha Guitry** fut invité à présider les cérémonies. Il avait préparé une allocution qui faisait juste cent lignes.

— *Les voici !* dit-il, *avec quarante ans de retard !*

Un mot le vengea de ses tourments de lycéen : *Les écoles sont des établissements où l'on enseigne à des enfants ce qu'il leur est indispensable de savoir pour devenir des professeurs.*

Dans la vie de **Sacha Guitry** adolescent, seul compta son père et, bien entendu, les amis de son père. Ils étaient cinq inséparables qui s'étaient baptisés **les Mousquetaires**. Plusieurs fois par semaine, **Lucien Guitry** recevait à dîner dans son appartement du 26, place Vendôme, Tristan Bernard, Alfred Capus, Jules Renard et Alphonse Allais. **Sacha** ne pouvait rêver meilleure école d'intelligence et d'esprit.

Lorsqu'il déclara à son père qu'il souhaitait faire du théâtre, **Lucien Guitry** lui réserva un accueil assez tiède. Pourtant, un jour, il lui proposa un petit rôle dans une pièce en costumes qu'il avait montée : *LA BONNE HÉLÈNE*. **Sacha**, qui jouait le rôle du beau Pâris, sous le pseudonyme — imposé par son père — de LORCEY, arriva un soir avec un retard de 20 minutes. Les spectateurs s'impatientaient. Il se précipita sur la scène, en oubliant de coiffer sa perruque, avec un casque qui lui descendait jusqu'aux yeux. Le fou-rire s'empara des acteurs qui eurent du mal à terminer la pièce. **Lucien GUITRY**, furieux, lui infligea 100 francs d'amende. **Sacha**, qui ne gagnait que 10 francs par soirée, trouva la punition excessive. Le père et le fils se fâchèrent. On était le 29 janvier 1905. Ils ne se revirent que treize ans plus tard.

**N'ayant pas eu d'enfant,
je suis resté un fils**

**Sacha Guitry** connut son premier grand succès avec *NONO* en décembre 1905. Il se maria avec **Charlotte Lysès**, en divorça, se remaria avec **Yvonne Printemps**. Il vivait sa vie privée comme une pièce de théâtre et, sur la scène, il poursuivait le dialogue avec son épouse du moment. De ses histoires de cœur, il faisait des pièces de théâtre et vivait ses amours successives comme les différents actes d'une même pièce. Le personnage qu'il s'était fabriqué pour la scène se prolongeait à la ville. Lorsqu'il aura, un jour, un théâtre à lui, il fera transporter sur la scène des tableaux ou des meubles lui appartenant.

Il imposait au théâtre un ton neuf, un style nonchalant et spirituel, où les bons mots font oublier dans un éclat de rire les situations les plus scabreuses.

Un après-midi de 1918, alors qu'il se préparait à jouer sa pièce *DEBURAU*, il apprit que son père avait retenu une loge. **Lucien GUITRY** repartit aussitôt le rideau tombé, mais il chargea le bon **Tristan Bernard** d'apporter une lettre à Sacha « Je vous attends à déjeuner demain ». Ce fut la réconciliation après une si longue brouille. « Et maintenant, fais-moi vite une pièce ! » demanda-t-il à son fils. **Sacha** se mit aussitôt au travail et écrivit *PASTEUR* où **Lucien Guitry** trouva l'un de ses meilleurs rôles. La fille de **Louis Pasteur** vint voir le grand acteur dans sa loge :

— *PAPA !* s'écria-t-elle très émue en découvrant **Guitry** qui achevait de se grimer.

— *Non ! PAPA !* répondit **Sacha** en souriant.

Dès lors, on ne vit plus le père sans le fils. Les noms de **Lucien Guitry**, de **Sacha Guitry** et d'**Yvonne Printemps** ne quittèrent plus les affiches de théâtre. **Sacha** écrivit encore pour célébrer leur réconciliation : *MON PÈRE AVAIT RAISON*. Le père et le fils connaîtront sept années de bonheur entre leurs retrouvailles passionnées et la mort de **Lucien**. Celui-ci eut une phlébite alors qu'il jouait depuis 53 jours la nouvelle pièce de Sacha : *ON NE JOUE PAS POUR S'AMUSER*. Il mourut quelques jours plus tard. Ses derniers mots furent : *Et Sacha ?*

**Sacha** hérita de la maison du 18, avenue Élisée Reclus.

Depuis l'âge de 20 ans, il avait la passion des collections : l'hôtel particulier se transforma peu à peu en musée. Au lieu de payer les impôts importants que lui réclamait le fisc (*Louis XIV n'a jamais demandé à Molière de payer des impôts* déclara-t-il à un ministre) il acheta des tableaux de maîtres — de Rembrandt à Cézanne — des éditions originales, des manuscrits, des autographes, le gilet de Robespierre ou l'écharpe de Clemenceau, des bustes de Rodin... etc.

En 1932, **Yvonne Printemps** le quitte pour suivre **Pierre Fresnay** qui abandonne lui-même **Berthe Bovy**.

*Il ne faut jamais épouser que de très jolies femmes si nous voulons qu'un jour on nous en délivre.*

**Jacqueline Delubac** fait son entrée dans la vie de **Sacha Guitry** et dans ses pièces.

Il était maintenant l'un des rois de Paris. Les imitateurs copiaient sa voix. Les chansonniers moquaient sa suffisance et son égoïsme.

*Pauvres sots qui me reprochez ma façon de dire « Moi ». Si vous étiez de mes intimes, vous sauriez comment je dis « Toi ».*

*Si ceux qui disent du mal de moi savaient exactement ce que je pense d'eux, ils en diraient bien davantage.*

◆ En 1939, **Jacqueline Delubac** cède à son tour la place à *Geneviève de Séréville* et **Sacha** est élu à l'Académie Goncourt.

Viennent alors les années de la guerre et de l'Occupation. **Sacha** faisait partie du paysage parisien à un tel point que l'idée de vivre ailleurs que dans la Capitale lui était tout bonnement insupportable. Et vivre, pour lui, c'était continuer d'écrire des pièces et de les jouer.

Lorsque Paris fut libéré, on vint l'arrêter pour le mettre en prison. C'était le 23 août 1944. On put mesurer alors la haine dont il était l'objet. En France, on pardonne difficilement la réussite et le succès : tous les aigris, les envieux qu'il avait obligés lui tournèrent le dos. On l'insulta, on le frappa, on lui cracha au visage et on cria « à mort » sur son passage. Un juge, plus mal à l'aise que lui, l'inculpa d'« intelligences avec l'ennemi », faute de trouver le moindre fait matériel à lui reprocher. Il resta enfermé soixante jours à Fresnes.

*Non, non ! N'être jamais parmi ceux qui haïssent. Tâcher d'être plutôt parmi ceux que l'on hait. On y est en meilleure compagnie.*

Malgré le non-lieu qui le blanchissait définitivement de tout soupçon, il vécut des jours terribles, abandonné de tous — sauf de quelques fidèles courageux — écarté du théâtre, reclus comme un pestiféré dans son hôtel de l'avenue Reclus. Chaque soir, à 21 heures, il frappait pour lui seul les trois coups, sur sa table avec son crayon.

Une nouvelle épouse, **Lana Marconi**, sera la compagne de ses dernières années.

◆ Il écrivit un livre de souvenirs : *QUATRE ANS D'OCCUPATIONS*, un titre dont le pluriel fit enrager ses ennemis. On lui enleva les trois-quarts de l'estomac. *Ah ! Docteur ! J'ai bien failli vous perdre !* dit-il en se réveillant au professeur Godard d'Allaines. Malgré la maladie, il se remit au travail.

Il avait un dur combat à mener pour reconquérir les faveurs du public. Ses sources d'inspiration étaient toujours les mêmes : la femme et la France... et il parlait des deux comme personne.

Son cœur était en mauvais état, sa circulation donnait des inquiétudes. Un soir, ses pieds étaient si enflés, qu'il fallut découper ses escarpins à coups de ciseaux avant qu'il entre en scène. Cela lui rappela la mort de son père. Lorsqu'il fut incapable de jouer, il continua à faire des films qu'il dirigeait, assis sur un fauteuil roulant. Il souffrait terriblement :

*La morphine a été inventée pour que les médecins puissent dormir tranquilles.*

◆ Ses difficultés financières sont telles qu'il lui faut, de temps à autre, se dessaisir d'un tableau, d'une pièce rare.

A la première de gala à l'Opéra de son film *SI PARIS NOUS ÉTAIT CONTÉ*, il fut porté jusqu'à sa loge par des laquais en habit à la française. On l'acclamait, il saluait, on aurait dit un roi.

**Paul Léautaud** meurt dans la misère. **Sacha Guitry,** se chargea de sa sépulture. Un dernier film encore, *ASSASSINS ET VOLEURS*... et ce sera terminé.

Cinquante années de spectacle, un demi-siècle de vie parisienne, meurent avec l'homme qui a personnifié mieux que quiconque, l'esprit français.

L'une de ses dernières paroles s'adressait à sa femme : *Ne me regarde pas, chérie, je ne suis plus un spectacle.* Il mourut le 24 juillet 1957 à 4 heures du matin.

On a dispersé ses trésors, l'hôtel qui les renfermait est tombé sous la pioche des démolisseurs. Seuls, les mots de **Sacha,** son esprit continuent de nous accompagner :

● *Ce qui, probablement, fausse tout dans la vie, c'est qu'on est convaincu qu'on dit la vérité parce qu'on dit ce qu'on pense.*

● *Cet homme vous ennuie ? Rendez-lui donc service et vous en serez débarrassé.*

● *Il y a des gens qui augmentent votre solitude en venant la troubler.*

● *C'est entre trente et trente-et-un ans que les femmes vivent les dix meilleures années de leur vie.*

● *Si les femmes savaient combien on les regrette, elles s'en iraient plus vite.*

● *Elles croient que tous les hommes sont pareils parce qu'elles se conduisent de la même manière avec tous les hommes.*

♦ *L'homme est plein d'imperfections. Ça n'est pas étonnant si l'on songe à l'époque à laquelle il a été créé !* déclarait **ALPHONSE ALLAIS**. Et, il est vrai que l'homme — qu'il remonte au déluge ou qu'il descende du singe — n'est pas une invention récente. S'il est admis que l'homme ne date pas d'hier... avant-hier, c'était quand au juste ?

♦ Il fut une époque bénie où l'on croyait que la réponse à toutes les questions se trouvait dans la Bible. C'est ainsi qu'en 1650, **JAMES USHER** (1581-1656), un théologien protestant irlandais, avait très sérieusement déterminé l'âge de notre Terre, en se basant strictement sur les indications de l'Ancien Testament. Sa conclusion était étonnante : la Terre avait été créée par Dieu, **le 2 octobre de l'an 4004 av. J.-C.,** à 9 heures du matin ! Voilà ce qui s'appelle une précision scientifique !

Pour compléter ce résultat, nous ajouterons modestement qu'à notre avis, ce jour devait être un *mercredi* (le 3ᵉ jour) puisque nous savons que Dieu consacra les deux jours suivants à façonner la Terre et à la remplir d'animaux et de plantes. Puis, avec la bonne conscience du travailleur, il s'était accordé le repos dominical après un *samedi* très chargé au cours duquel il avait créé l'Homme puis sa compagne !

Soyons sérieux et essayons de comprendre avec les savants actuels « comment » et « quand » est apparu l'Homme sur la Terre.

♦ Au théâtre de la création du monde, tout a commencé, non par les trois coups traditionnels, mais par un seul : une fantastique explosion à laquelle on donne le nom familier et rassurant de **BIG BANG**. C'était, il y a **15 milliards d'années**, la toute première bombe thermonucléaire. La matière en fusion fut projetée à travers l'espace sidéral qu'elle éclaboussa de myriades d'étoiles. Celles-ci se regroupèrent en galaxies. **Dix milliards d'années plus tard**, au centre d'un tournoiement de gaz et de poussières, le soleil commença de se former au sein de cet univers. Alors qu'il s'échauffait, l'extérieur de la sphère ralentissait son mouvement et des particules de matières se télescopaient, s'agglutinaient en blocs de plus en plus gros, de plus en plus chauds. Ainsi seraient nées les planètes.

Notre Terre était l'une d'entre elles. Ceci se passait il y a **4,6 milliards d'années**. D'abord boule en fusion, elle se refroidit peu à peu. Une croûte se forma à sa surface. En se refroidissant, la Terre se contracta, se crevassa, cracha du feu par toutes les bouches de ses volcans. Les gaz empoisonnés l'entourèrent d'une atmosphère méphitique. Puis, de la vapeur d'eau fusa, se regroupa en nuées épaisses qui firent pleuvoir des torrents de pluies pendant des milliers d'années.

Un jour, timidement, la vie allait apparaître, trembloter, hésiter, sortir de cette soupe primitive. Ce furent d'abord de simples **bactéries**, puis des **algues**, des **coquillages**. Il y a **400 millions d'années** apparurent les **poissons**. Des pattes poussèrent à certains d'entre eux qui, devenus amphibies, furent les premiers **vertébrés** à sortir de l'eau. La vie alors se répandit sur terre et ce fut l'ère des **reptiles** qui se prolongea durant 150 millions d'années.

Les **mammifères** leur succéderont et à leur tour domineront le monde.

♦ Tout au bout de cette vertigineuse évolution, dont les moindres étapes se comptent en millions d'années, voici que nous commençons à apercevoir l'**homme**. En regard de la durée d'une vie humaine, il n'est guère de différence sensible entre un million ou un milliard d'années. Notre esprit peine à se mouvoir au long de l'échelle des temps géologiques et se perd dans ses tentatives d'imaginer l'inimaginable.

Afin de donner une vision simple de l'importance relative de chacune des grandes périodes qui ont abouti à la naissance de l'**homme**, on a imaginé de représenter toute l'histoire de la Terre par une seule année.

Nous voici donc le **1ᵉʳ janvier** : la Terre, boule de feu, commence son existence autonome. Ce n'est qu'au **15 juin** que se formera l'écorce terrestre. En **octobre**, les mers recouvriront la Terre. Les premiers poissons apparaîtront dans la **troisième semaine de novembre**. Alors, viendront les amphibiens et les premiers reptiles. Les mammifères feront leur ap-

parition entre **le 14 et le 15 décembre,** mais leur domination ne commencera que dans les derniers jours de l'année. L'**Homme** naîtra dans la soirée du **31 décembre.** Les 6 000 dernières années de l'humanité — celles qui correspondent aux temps historiques par opposition avec la préhistoire — se dérouleront dans les 90 dernières secondes de l'année, chaque seconde représentant la durée d'une existence humaine.
Si l'on respecte les mêmes proportions, le **big bang** initial se serait produit cinq ans avant le début de cette année-là et le soleil n'aurait commencé de briller qu'en avril de l'année précédant la naissance de la Terre.

◆ Au terme d'un fantastique voyage en accéléré, voici donc l'**homme.**
Qui est cette créature, seule sur terre à posséder un corps et un esprit ? Est-elle d'essence divine, chassée du Paradis et tombée sur la Terre pour y travailler, y souffrir et y mourir ? Est-elle un animal évolué qui, grâce à son cerveau et à ses mains est parvenu à dominer le monde et à l'asservir à son caprice ?

◆ Écrivains, poètes, philosophes, penseurs et humoristes ont tenté de résoudre cette vivante énigme qu'est l'**HOMME.** voici quelques-unes de leurs plus belles phrases :

- *L'Homme est une corde tendue entre l'animal et le surhomme, une corde au-dessus d'un abîme.*  F.W. Nietzsche

- *L'Homme n'est qu'un roseau, le plus faible de la nature, mais c'est un roseau pensant.*  Blaise Pascal

- *L'Homme est le plus pauvre des esprits parce qu'il possède un corps et le plus triste des animaux, parce qu'il possède un esprit.*  Vérine

- *Qu'est-ce que l'Homme dans la Nature ? Un néant à l'égard de l'infini, un tout à l'égard du néant, un milieu entre rien et tout.*  Blaise Pascal

- *Borné dans sa nature, infini dans ses vœux*
  *L'Homme est un dieu tombé qui se souvient des cieux.*  Lamartine

- *L'Homme est un animal qui a la faculté de penser parfois à la mort.*  Jules Renard

- *La grandeur de l'Homme est grande en ce qu'il se connaît misérable. Un arbre ne se connaît pas misérable.*  Blaise Pascal

- *L'Homme a conscience d'être Dieu et il a raison parce que Dieu est en lui. Il a conscience d'être un cochon et il a également raison parce que le cochon est en lui. Mais il se trompe cruellement quand il prend le cochon pour un Dieu.*  Léon Tolstoï

- *Il n'y a pour l'Homme que trois événements : naître, vivre et mourir. Il ne se sent pas naître, il souffre à mourir et il oublie de vivre.*  La Bruyère

- *De tous les animaux qui s'élèvent dans l'air*
  *Qui marchent sur la terre ou nagent dans la mer*
  *De Paris au Pérou, du Japon jusqu'à Rome*
  *Le plus sot animal, à mon avis, c'est l'Homme.*  Boileau

- *L'Homme est le roi de la création. Qui a dit cela ? L'Homme !*  Gavarni

- *L'Homme est un être délicieux : c'est le roi des animaux. On le dit bouché et féroce, c'est de l'exagération. Il ne montre de férocité qu'aux gens hors d'état de se défendre et il n'est point de question si obscure qu'elle lui demeure impénétrable : la simple menace d'un coup de pied au derrière ou d'un coup de poing en pleine figure, et il comprend à l'instant même.*  Georges Courteline

- *L'Homme se vante d'être sobre quand il ne digère plus ; d'être chaste quand son sang est stagnant et son cœur mort ; de savoir se taire quand il n'a plus rien à dire et appelle vices les plaisirs qui lui échappent et vertus les infirmités qui lui arrivent.* ALPHONSE KARR

- *Il faut pleurer les Hommes à leur naissance et non pas à leur mort.* MONTESQUIEU

- *C'est dans ce que les Hommes ont de plus commun qu'ils se différencient le plus.* BLAISE CENDRARS

- *C'est dans ce que les hommes ont de plus commun qu'ils se différencient le plus.* BLAISE CENDRARS

- *Les Hommes sont égaux. Il n'y a de véritable distinction que la différence qui peut exister entre eux.* HENRI MONNIER

- *Chaque Homme a trois caractères : celui qu'il a, celui qu'il montre et celui qu'il croit avoir.* ALPHONSE KARR

- *Le médecin voit l'Homme dans toute sa faiblesse, le juriste le voit dans toute sa méchanceté, le théologien dans toute sa bêtise.* SCHOPENHAUER

- *L'Homme naît bon. Ça commence à se dégrader entre 6 et 7 mois.* GEORGES PERROS

- *Les grands Hommes meurent deux fois : une fois comme « Hommes » et une fois comme « grands ».* PAUL VALÉRY

---

## Hugo (Victor) — 1802-1885

◆ La scène se passe en 1802 dans les bureaux de l'État-civil de Besançon. Entre un officier venu déclarer la naissance d'un garçon :
— Mon fils est né hier, 26 février, à 22 h 30.
— Nom et prénom de l'enfant ?
— HUGO, Victor...
Très ému, l'employé se lève.
— **Victor HUGO** ! Permettez-moi de vous féliciter, Monsieur, vous êtes le père d'un génie !

◆ L'humoriste, auteur de cet impossible dialogue, exagérait à peine. Toute sa vie et même depuis un âge assez tendre, **Victor Hugo** s'est senti appelé à un destin hors du commun. A 14 ans, il écrivait déjà dans son journal : *Je veux être Chateaubriand ou rien.* Ce en quoi il se trompait car il fut bien davantage encore : *Victor Hugo et tout.*
On a porté sur lui des jugements à la pelle.

**Flaubert :** *Un immense bonhomme ! Sacré nom de Dieu, quel poète !*

**Léon Paul Fargue :** *Victor Hugo, c'est vraiment l'honneur de la profession.*

**Paul Claudel :** *Il fut l'inspiré par excellence.*

**Jules Renard :** *Les écrivains qui n'aiment pas Hugo me sont ennuyeux à lire, même quand ils n'en parlent pas.*

**Jean Cocteau :** *Hugo était un fou qui se croyait Hugo.*

◆ Quant à **André Gide**, tout le monde connaît la réponse qu'il fit : *Victor Hugo... hélas !* lorsqu'on lui demanda le nom du plus grand poète français.
En 1985, toute la France commémora le centième anniversaire de la mort du grand homme. Parues à cette occasion, plusieurs biographies importantes (celles d'Alain Decaux, d'Hubert Juin, de Jean-François Kahn...) ont permis de redécouvrir l'homme **Hugo** dans les moindres détails de sa vie. Tout a été dit de lui.
Cet homme a connu une vie extraordinaire comme si le doigt du destin l'avait désigné, dès la naissance, pour être un géant, un surhomme, un génie. Il a touché à tout et a tout bouleversé. Il a été poète, romancier, dramaturge, peintre,

politicien, pamphlétaire, orateur Au cours d'une longue vie il a connu tous les succès, mais toutes les tragédies La gloire et le malheur furent pour lui exemplaires On peut tout admirer dans son existence : sa précocité comme sa longévité, son humanité comme sa démesure, sa puissance de travail comme le jaillissement de l'inspiration. Tout au long de sa vie, il construit une œuvre et il se façonne une statue

Seul, il s'est dressé contre l'Empereur, contre l'Allemagne, pour l'Europe ; il s'est battu contre les injustices, contre les lâchetés et les égoïsmes au point que nous pouvons, aujourd'hui encore, souscrire à la plupart de ses généreuses prises de position.

## AIMER, C'EST PLUS QUE VIVRE

A 18 ans, **Victor** tombe amoureux fou d'**Adèle FOUCHER**, fille d'amis de sa mère. Ce projet d'union ne plaît ni à Mme Hugo, opposée à ce parti médiocre, ni aux Foucher qui hésitent à marier leur fille à un poète sans le sou. Pour mieux séparer les jeunes gens, les Foucher emmènent Adèle passer l'été loin de Paris... à Dreux.

Le voyage en diligence coûte 25 francs et **Victor** — dont la mère vient de mourir — ne possède pas une telle fortune ! Il fera le trajet à pied et, en trois jours, poussiéreux et barbu, parviendra à retrouver sa bien-aimée. Touchés par cette obstination les Foucher finissent par consentir au mariage qui sera célébré le 12 octobre 1822 en l'Église St-Sulpice. **Victor** avait désiré arriver vierge au mariage, mais sa sensualité, longtemps refoulée, allait se déchaîner. La nuit de noces sera agitée et Adèle subira à neuf reprises les assauts de son trop fougueux mari. **Victor** lui donnera cinq enfants sans parvenir jamais à éveiller sa sensualité. Dix ans suffiront à transformer la passion des époux en une union de plus en plus mal supportée. Adèle tombe alors dans les bras du timide et laid **Sainte-Beuve** dont la douceur a su l'émouvoir. Quant à **Victor**, il fera peu après la rencontre de celle qui allait lui vouer toute son existence : **JULIETTE DROUET**.

C'est une jeune comédienne au passé tumultueux qu'il a rencontrée aux répétitions de sa *LUCRÈCE BORGIA*. Entre eux, ce sera la révélation, l'éblouissement. Voici ce que lui écrit Victor : *Le 26 février 1802, je suis né à la vie. Le 17 février 1833, je suis né au bonheur dans tes bras. La première date, ce n'est que la vie, la seconde, c'est l'amour. Aimer, c'est plus que vivre !* Folle d'amour, éperdue d'admiration, **Juliette** acceptera de vivre dans l'ombre du grand homme qu'elle suivra partout, même dans son exil, condamnée à attendre dans la solitude et la pauvreté les quelques miettes de sa présence que lui accorde son amant.

**Adèle HUGO** s'éloignera de Sainte-Beuve et décidera de consacrer désormais sa vie à ses enfants et à son génie de mari

Voici donc le poète flanqué de deux admiratrices jalouses et un peu encombrantes. Le dévouement de l'une et la dévotion de l'autre accompagnent son existence mais, il trouve toujours le moyen de donner libre cours à sa fringale de chair fraîche. Les conquêtes se succèdent qu'il note scrupuleusement sur ses carnets dans un langage codé ou dans un espagnol de cuisine.

En 1845, alors qu'il est au faîte des honneurs, un mari jaloux fait surprendre, par le commissaire de police, le Pair de France **Hugo** en flagrant délit d'adultère avec sa femme, **Léonie BIARD** née d'AUNET. La coupable est jetée en prison. Heureusement, le cocu est peintre, un mauvais peintre. Contre la promesse d'une commande officielle d'un de ses tableaux, il retirera sa plainte et le scandale sera évité.

Hugo a 70 ans lorsque trois petites comédiennes viennent chez lui afin de solliciter un rôle dans l'une de ses pièces. Il les reçoit... à tour de rôle. Après quoi, il note sobrement dans son carnet : *todas la tres* (toutes les trois). Il obtiendra son dernier succès féminin à l'âge de 83 ans, le 5 avril 1885, un mois et demi avant sa mort.

## HÉLAS ! QUE J'EN AI VU MOURIR DES JEUNES FILLES !

Comme s'il existait dans le grand livre de la Providence une mystérieuse comptabilité où bonheur et malheur doivent s'équilibrer, Victor Hugo a connu, à côté des plus grands triomphes, les plus affreuses tragédies familiales. Il a vécu assez longtemps pour voir disparaître, l'un après l'autre, quatre de ses cinq enfants et la cinquième devenir folle, *plus que morte*. Le premier, **LÉOPOLD**, est mort en bas âge en 1823. **LÉOPOLDINE** naît l'année suivante. Elle est si jolie, si pure, si fragile, que son père hésite à lui accorder l'autorisation d'épouser le fils d'un de ses amis hâvrais, **Charles VACQUERIE**. Le mariage est pourtant célébré à Paris le 15 février 1843. Quelques mois plus tard, le 4 septembre, alors que les jeunes époux se promènent en voilier sur la Seine, à **Villequier**, un coup de vent soudain fait chavirer l'embarcation. C'est le naufrage. Léopoldine se noie sous les yeux de son mari, qui, après avoir tenté à plusieurs reprises de la repêcher, se laisse couler de désespoir.

A ce moment-là, **Victor Hugo** et **Juliette** reviennent d'un voyage en Espagne et rentrent à petites étapes. C'est par hasard, dans un café de Rochefort, que Victor lira dans un journal l'atroce nouvelle.

Troisième enfant du ménage Hugo, **CHARLES** — le futur père de Georges et de Jeanne — naît en 1826. Il mourra à Bordeaux en 1871, à 45 ans, frappé d'apoplexie dans un fiacre.

Le quatrième enfant, **FRANÇOIS-VICTOR** né en 1828, sera emporté en 1873 par le tuberculose.

La cinquième, enfin, la petite **ADÈLE**, née en 1830, connaîtra le pire destin. En 1863, elle s'enfuira au Canada, pour retrouver **Alfred PINSON**, le lieutenant anglais dont elle était tombée amoureuse à Guernesey. Apprenant qu'il était marié, elle perdit la raison au point qu'il fallut l'interner en 1872. Elle mourut en 1915 dans une maison de santé de St-Mandé.

**Madame HUGO** était morte en 1868 à Bruxelles. La fidèle **Juliette DROUET** accompagna presque jusqu'au bout son héros. Elle le quitta le jour de sa mort le 11 mai 1883.

Désormais, il ne restait au vieux poète, de tous ceux qu'il avait aimés, qu'une fille folle, deux petits-enfants de 14 et 15 ans... et la Gloire !

## CAR LE JEUNE HOMME EST BEAU, MAIS LE VIEILLARD EST GRAND

Une longue vie, une rare précocité et la gloire conquise dès 30 ans. Plus de soixante années d'une activité littéraire ininterrompue, une puissance de travail peu commune au service d'une prodigieuse faculté créatrice : Comment dès lors s'étonner que **Victor Hugo** figure dans le *Livre des Records* comme le poète le plus prolixe avec **153 837 vers**. Il écrivait en vers aussi facilement que d'autres s'expriment en prose.

Son premier poème date du 1er janvier 1814. C'était un madrigal adressé à la Générale Lucotte par un gamin de douze ans. Il n'a que 17 ans lorsqu'il remporte le « LYS D'OR », la plus haute récompense aux *Jeux Floraux de l'Académie de Toulouse* pour son *Ode sur le rétablissement de la statue d'Henry IV*.

Un an plus tard, Louis XVIII lui compte sur sa cassette une gratification de 500 F pour son *Ode sur la mort du Duc de Berry*. En 1823, **Victor Hugo** publie ses *Odes et poésies diverses*.

Le roi Charles X, à peine monté sur le trône, le décore de la Légion d'honneur avant de l'inviter aux cérémonies de son sacre à Reims : il n'a que 23 ans ! En 1830, il écrit, en moins d'un mois, un drame en cinq actes et en vers, *HERNANI* qui l'imposera, au cours d'une bataille célèbre, comme le chef de l'École Romantique et le prince de la jeunesse. L'année suivante, ce sera le succès de *NOTRE-DAME DE PARIS* qui entraînera les travaux de restauration de cette cathédrale dont les tours sont comme l'*H de son nom*.

Après la publication des *FEUILLES D'AUTOMNE* il écrit : *Pourquoi maintenant ne viendrait-il pas un poète qui serait à Shakespeare ce que Napoléon est à Charlemagne ?* Byron est mort, **Goethe** mourant, **Chateaubriand** et **Lamartine** n'écrivent plus. **Victor Hugo** est consacré comme le plus grand poète du monde.

Eugène, son frère aîné, meurt fou. Le voici **VICOMTE HUGO**. Il est reçu par le duc et la duchesse d'Orléans, les enfants de Louis-Philippe. Le poète a un faible pour la duchesse : on dit que c'est à elle que s'adresse le vers de *RUY BLAS* : *Je suis le ver de terre amoureux d'une étoile*. En 1841, à 38 ans, **Victor Hugo** est élu à l'Académie française. Il ne manque à ses ambitions que leur consécration politique. Elle vient en 1848 avec son élection à l'Assemblée. C'est avec l'appui des Conservateurs qu'il a obtenu son siège et pourtant, il n'est pas de Droite. La Gauche acclame ses interventions, mais ne le reconnaît pas comme un des siens. La Droite qui n'aime pas les transfuges commence à le haïr.

**Louis-Napoléon Bonaparte** est élu président au Suffrage Universel. **Victor Hugo** s'oppose à lui et ne cesse de manifester son désaccord. Il s'écrie dans un discours à la Chambre : *Quoi ! Après Auguste, Augustule ! Parce que nous avons eu Napoléon le Grand, il faut que* nous ayons *Napoléon le Petit* !

Après le Coup d'État du 2 décembre 1852 où **Louis-Napoléon Bonaparte** se fait proclamer Empereur, **Victor Hugo** est en danger. Dans les rues, sur les boulevards, c'est le massacre. On fusille au hasard. **Victor Hugo** doit s'enfuir : sa tête est mise à prix 25 000 francs-or. Sous un déguisement d'ouvrier, avec un passeport au nom de **LANVIN**, typographe, il prend le train à la Gare du Nord pour Bruxelles. Il y rédige un pamphlet *NAPOLÉON-LE-PETIT* qui sera publié à Londres. Avant sa parution, il se réfugie à **Jersey** où, tel un souverain en exil, il sera entouré de toute une cour : femme, enfants, amis, admirateurs, visiteurs de passage. Juliette — décence oblige — habitera la maison voisine. Pendant les trois ans de son séjour à Jersey, **Hugo** accomplira un prodigieux travail : *LES CHATIMENTS*, d'abord, qui sont le plus grand pamphlet du siècle, *LES CONTEMPLATIONS, LES CHANSONS DES RUES ET DES BOIS* et le début des *MISÉRABLES*. Au cours d'un voyage dans l'île, **Delphine de GIRARDIN**, initie les Hugo au **spiritisme**. Désormais, chaque soir, à *MARINE TERRACE*, les tables vont tourner et taper du pied. Tour à tour, Léopoldine Hugo, Jésus-Christ, Shakespeare, Molière, Marat et tant d'autres âmes célèbres, se rendront à la convocation du poète pour y faire une déclaration dans un style hugolien. Il arrive qu'à force de vivre dans le surnaturel, la raison chavire. **Jules ALLIX**, l'un des participants devint fou et **Victor Hugo** arrêta définitivement ces dangereuses expériences.

Sommé de quitter Jersey à la suite d'incidents avec les autorités, **Victor Hugo** se réfugie en 1855 à **Guernesey**. Apprenant qu'on ne peut expulser ceux qui possèdent une maison dans l'île, il achète *HAUTEVILLE HOUSE*. Il vivra quinze ans dans ce décor à sa démesure qu'il a entièrement conçu et fabriqué. La cour se reconstitue autour du poète en exil. En France, Napoléon III multiplie les offres d'amnistie. Quelques-uns des proscrits se laissent tenter. **Hugo** tient bon.

*Et s'il n'en reste qu'un, je serai celui-là* !

Peu à peu, le dandy cède la place au patriarche. Les cheveux blanchissent, la barbe pousse. Le voici devenu « l'aïeul universel ». Il distribue aux pauvres de l'île le tiers de ses revenus.

Ses œuvres connaissent sur le continent un prodigieux succès. Avec la *LÉGENDE*

*DES SIECLES*, la France a trouvé son poète épique. C'est d'ailleurs à elle qu'il a dédié cette œuvre :

*Livre, qu'un vent t'emporte*
*En France où je suis né !*
*L'arbre déraciné*
*Donne sa feuille morte.*

(Préface sept. 1859)

◆ Les *MISÉRABLES*, qui paraissent à Paris en 1862, reçoivent un accueil triomphal. Et puis, c'est Sedan, l'effondrement de l'Empire, la fuite de Napoléon III. La République est proclamée le 4 septembre 1870. **Hugo** arrive à Paris le 5, reçu avec les honneurs d'un roi, avec la ferveur d'un dieu, par une foule indescriptible. Mais la France n'est pas au bout de ses malheurs. Dans Paris assiégé, les Parisiens mourant de faim mangent du rat. Par faveur spéciale, **Hugo** reçoit de temps en temps en cadeau la viande des animaux du zoo qu'on a abattus. Il mange du rôti d'antilope, de cerf, d'éléphant, d'ours.

Il se présente aux élections et est élu à Paris. Mais, très vite, l'Assemblée, fortement marquée à droite lui devient odieuse. Face aux hurlements de haine de ses adversaires, il démissionne. Il gardera le regret de n'avoir pu proposer toutes les mesures qui lui tenaient tellement à cœur : l'abolition de la peine de mort, les États-Unis d'Europe, l'instruction gratuite et obligatoire, les droits de la femme...

Il se trouve à Bruxelles au moment de la Commune. Il se voudrait au-dessus de la mêlée, mais la haine et la férocité déchaînées couvrent sa voix. Il écrira l'*ANNÉE TERRIBLE* en souvenir de cette année 1871 où une partie de la France faisait la guerre à l'autre.

◆ Élu sénateur en 1876, **Victor Hugo** est devenu une gloire internationale. Il reçoit, dans sa maison de l'avenue d'Eylau, l'hommage des célébrités de France et du monde entier. Le gouvernement, pour l'honorer, rebaptise l'avenue d'Eylau, **AVENUE VICTOR HUGO**. Désormais, on lui écrit : *A Monsieur VICTOR HUGO, en son avenue.* Pour son quatre-vingtième anniversaire, 600 000 personnes défilent sous ses fenêtres. L'avenue est couverte de fleurs.

◆ En 1878, il a eu une légère attaque cérébrale dont il s'est bien remis. Mais il sent la fin approcher :

*J'aurai bientôt fini d'encombrer l'horizon.*
Au mois d'avril 1885, il est frappe de
congestion pulmonaire. Pendant son
agonie, il dira un dernier alexandrin
*C'est ici le combat du jour et de la nuit.*
En mourant, il dira encore : *Je vois de la
lumière noire.*
C'est le vendredi 22 mai 1885 a 13 h 27. La
foule silencieuse, recueillie attend sous
les fenêtres.
On prend connaissance du testament du
poète
*Je donne cinquante mille francs aux pau-
vres. Je désire être porté au cimetière dans
leur corbillard. Je refuse l'oraison de toutes les églises ; je demande une prière à
toutes les âmes. Je crois en Dieu.*

L'Assemblée nationale, pour une fois
unanime (ou presque), lui votera des **Obsèques nationales**, par 415 voix sur 418.
Son corps sera embaume le 23 mai avant
d'être exposé sous l'Arc de Triomphe.
Deux millions de personnes defileront
devant sa depouille Les funerailles ont
ete fixees au 1er juin a 11 heures Il fallut
onze chars pour transporter les fleurs
(estimees a un million de francs or). La
tête du cortège atteignit le Panthéon à
14 heures. Le dernier groupe n'y arrivera
qu'à 18 h 30

♦ Le 30 mai 1878, **Victor Hugo** avait
prononcé, pour le centième anniversaire
de la mort de VOLTAIRE, un discours
dont la péroraison pourrait s'appliquer,
mot pour mot, à celui qui le prononçait :
*Il y a cent ans, un homme mourait. Il
mourait immortel. Il s'en allait, chargé
d'années, chargé d'œuvres (...). Il s'en
allait, maudit et béni. Maudit par le passé,
béni par l'avenir et ce sont là les deux
formes superbes de la gloire (...). Il était
plus qu'un homme, il était un siècle.*

♦ Comme l'a écrit **Alain Decaux** :
*Le plus grand poète de la France est de-
venu le poète de la France.*

## Iles (de la France)

♦ Près de la moitié des frontières de la
France sont maritimes : 2 700 kilomètres
(sans compter les découpures) sur
5 670 km. Tout au long de ses côtes,
solidement amarrées au rivage, **la
France a ses îles.** Qui serait capable de
citer de mémoire les îles de la France ?
Elles sont plus de **20**. Certaines minuscu-
les, à peine de la taille de la grande
exploitation agricole. A l'opposé, la
CORSE représente plus de trois fois la
superficie du Grand-Duché du Luxembourg.
Mais, pour tous les terriens que nous
sommes, ces îles ont un point commun
Elles sont synonymes de dépaysement,
de mystère, de solitude, de charme, de
trésor même aux grands enfants que
nous sommes restés.
*Mon île au loin, ma Désirade*

♦ Répertoriées dans le sens inverse des
aiguilles d'une montre, voici les îles de
France (cette liste ne comprend pas les
îles intérieures comme celles du golfe du
Morbihan)
★ Ile CHAUSEY : Un archipel de
300 îles dont une seule est habitée. Rattachée à la commune de GRANVILLE. Une
heure de traversée à partir de GRAN-
VILLE (homards, crevettes). Un hôtel -
restaurant.

★ Ile de BRÉHAT : Deux îles reunies
par un isthme. 10 minutes de traversée à
partir de la pointe de l'ARCOUEST, près
de PAIMPOL, 553 habitants (les Bréha-
tins). Trois hôtels et un restaurant.

★ Ile de BATZ : En face de ROSCOFF.
15 minutes de traversée. 807 habitants.
Primeurs, goëmon, pêche. Trois hôtels -
restaurants.

★ Ile d'OUESSANT : La plus occiden-
tale des îles du littoral atlantique. Fait
partie de l'arrondissement de BREST
Traversée : 1 h 30 (escale à MOLÈNE et au
CONQUET). Liaison aérienne : 15 mn à
partir de BREST-GUIPAVAS. 15,5 km²
1 450 habitants (les Ouessantins) (moutons de pré-salé). Cinq hôtels - restaurants. Environs dangereux pour la navigation *Qui voit Ouessant, voit son sang.*

★ Ile de MOLÈNE : Rattachée à l'arrondissement de SAINT-RENAN. Située
entre OUESSANT et la pointe SAINT-
MATHIEU. 30 minutes de traversée.
397 habitants (orge, pommes de terre,
homards, langoustes). Un hôtel - restaurant.

★ Ile de SEIN : La plus petite des îles
atlantiques : 5,6 ha - longueur : 2 800 mètres. 607 habitants (les Sénans ou les

lliens). Une liaison quotidienne au départ d'AUDIERNE (pêche, crustacés). Navigation dangereuse *Qui voit Sein, voit sa fin.* Deux hôtels et plusieurs restaurants.

★ **Iles de GLÉNAN** (dites à tort LES GLÉNANS) : Groupe de neuf îlots quasi inhabités dépendant de la commune de FOUESNANT (Sud-Finistère). École de navigation à voile.

★ **Ile de GROIX :** Située au large de LORIENT : 45 minutes de traversée. Superficie de 15 km². 2 605 habitants (les Groisillons), pêche et tourisme. Quatre hôtels - restaurants.

★ **BELLE-ILE-EN-MER :** (en breton *INIS ER GERVEUR*) : Située à 15 kilomètres au large de QUIBERON. Une heure de traversée. Liaisons aériennes avec : LORIENT, VANNES, QUIBERON, NANTES. 90 km². Longue de 17 km. Formée par un plateau qui atteint 71 mètres d'altitude (agriculture, pêche, tourisme). Le port du PALAIS est le chef-lieu de l'île. Sept hôtels - restaurants.

★ **Ile d'HOUAT :** Rattachée à QUIBERON. Située entre BELLE-ILE et la presqu'île de RHUYS. 390 habitants. Durée de la traversée : une heure. Pêche, écloserie de homards. Deux hôtels - restaurants.

★ **Ile d'HOËDIC :** Liaison maritime à partir de QUIBERON (via HOUAT). Située entre BELLE-ILE et la côte de la presqu'île de GUÉRANDE. 126 habitants (pêche et tourisme). Gisement mésolithique : huit sépultures. Un hôtel - restaurant.

★ **Ile de NOIRMOUTIER :** Fait partie de l'arrondissement des SABLES-D'OLONNES. On peut y accéder à pied sec de deux façons : soit (depuis 1971) par un pont à péage qui relie FROMENTINE à la pointe sud de l'île, soit par le « GOIS », passage de 4,5 kilomètres, gratuit, mais utilisable seulement à marée basse. 49 km². 8 094 habitants (les Noirmoutrins) (cultures maraîchères et pêche). Une quinzaine d'hôtels et une trentaine de restaurants.

★ **Ile d'YEU :** De toutes les îles atlantiques c'est la plus éloignée du continent. Traversée de 1 h 15 entre FROMENTINE et PORT-JOINVILLE (chef-lieu). Liaison aérienne à partir de NANTES et de la ROCHE-SUR-YON. Superficie : 23 km². 4 766 habitants (les Ogiens). Le **Maréchal Pétain** fut interné de 1945 à sa mort, en 1951, au Fort du Portalet. Sa tombe est au cimetière de PORT-JOINVILLE. Cinq hôtels - quatre restaurants.

★ **Ile de RÉ :** Située à 3 km du port de LA PALLICE. Un bac fait la traversée en 20 minutes. En 1988, l'île pourrait être reliée au continent par un pont de 3 km. Longue de 28 kilomètres, large de 3 à 5 kilomètres. Superficie : 85 km². 3 210 habitants (les Rétais) (agriculture, parcs à huîtres, marais salants). Ruines de l'abbaye des Chevaliers. Vestiges de fortifications de Vauban. Très nombreux hôtels et restaurants.

★ **Ile d'AIX :** Commune de Charente-Maritime au sud de LA ROCHELLE. Embarquement à FOURAS (Pointe de la Fumée). 20 minutes de traversée. 210 habitants. Fortifiée par Vauban pour défendre l'accès de ROCHEFORT. **Napoléon** s'y embarqua pour se livrer aux Anglais et se mettre *sous la protection des lois du plus puissant, du plus constant et du plus généreux de ses ennemis.* Musée de l'Empereur. Deux hôtels - restaurants.

★ **Ile d'OLÉRON :** Depuis 1966, un viaduc sur piles long de 2 862 mètres la relie au continent. La plus grande des îles atlantiques. 175 km². 7 900 habitants (parcs à huîtres, céréales, élevage). Voir au large le Fort BOYARD. Quarante hôtels de toutes catégories.

★ **Les îles au large de MARSEILLE :**

● **L'archipel du FRIOUL :** Comprend les deux îles RATONNEAU et POMOGUES réunies par une digue ainsi que l'île d'IF (voir ci-dessous). Port de plaisance. Hôtels - restaurants.

● **IF :** Ilot calcaire. Château-fort construit sous **FRANÇOIS 1er** qui servit de prison d'État. A acquis une renommée internationale grâce à **Alexandre Dumas**.

● **Les îles des CALANQUES :** Ile MAIRE, Ile de JARRE, Ile CALSERAIGNE, Ile de RIOU, îlots calcaires, déserts.

★ **Ile de BENDOR :** Face à BANDOL. Traversée : 5 min. Propriété personnelle de **Paul Ricard.** Port de plaisance. Village provençal. Zoo. Musée de la mer et du vin. Hôtel - restaurant.

★ **Ile des EMBIER :** Au sud de Sanary.

★ **Ile de PORQUEROLLES :** La plus grande des îles du Levant. A 5 km au large de la presqu'île de GIENS. Traversée : vingt minutes à partir de l'embarcadère de la Tour Fondue. Superficie : 1 254 ha. Culmine à 150 m. 400 habitants. Fort du

XVI<sup>e</sup>. Le phare est le point le plus méridional de l'île. Hôtel restaurant.

★ **Ile de PORT-CROS :** Traversée : 35 minutes à partir du LAVANDOU - 45 minutes à partir de LA LONDE LES MAURES — 2 heures à partir de CAVALAIRE. Superficie 640 ha. Culmine à 196 m d'altitude. Fort du Moulin (XVI°-XVII°). L'île est classée **parc national.** Un hôtel - restaurant. Au nord-ouest : île de **Bagaud.**

★ **Ile du LEVANT :** Traversée : 35 minutes à partir du LAVANDOU. Ile rocheuse et dénudée longue de 8 km. Superficie de 996 ha. Culminant à 140 m. Occupée au nord-est par une station d'essais de la Marine, interdite au public. HÉLIOPOLIS : station naturiste.

★ **Iles de LÉRINS :** Groupe d'îles au large de CANNES dont les deux plus importantes sont **Sainte-Marguerite** et **Saint-Honorat.**

• **Sainte-Marguerite :** A 1 km du Cap de la CROISETTE. Superficie de 210 ha. Fort du XVII° où fut enfermé le **Masque de fer.** L'ex-maréchal **Bazaine** s'en évada en 1874.

• **Saint-Honorat :** Séparée de SAINTE-MARGUERITE par un chenal de 700 m. Superficie de 60 ha. Au V° siècle, **St-Honorat** y fonda le plus ancien monastère de l'Occident

★ **CORSE :** Après la Sicile et la Sardaigne, la Corse est la troisième des grandes îles de la Méditerranée. Elle se trouve à 170 km des côtes de France. Superficie : 8 720 km² - 183 km de long - 83 km de large. Point culminant : le MONTE CINTO (2 707 m). Fait partie de la France depuis 1769. 226 700 habitants.
De MARSEILLE à AJACCIO : la traversée est de 11 h. De MARSEILLE à BASTIA : de 13 h. De NICE à AJACCIO : 8 h - à BASTIA : 6 h 30 - à CALVI : 5 h 30. Liaisons aériennes par Air-France et Air Inter (1 h 30 depuis PARIS - 50 mn depuis MARSEILLE). Principales villes : AJACCIO (54 600 h) - BASTIA (52 000 h) - PORTE-VECCHIO (7 800 h) - SARTÈNE (6 000 h) - CORTE (5 775 h) - CALVI (3 680 h) - BONIFACIO (3 000 h)...

◆ La liste des richesses touristiques et des beautés de la CORSE est telle, qu'il serait vain de vouloir la réduire à un simple paragraphe consacré aux îles de la France.

# Inventions (les petites)

◆ Le XIX° siècle fut le théâtre de la révolution industrielle. En ce temps de progrès triomphant, la science était considérée comme infaillible. Une succession d'inventions commença à modifier profondément les conditions de l'existence. Parallèlement aux vrais chercheurs, les humoristes inventaient eux aussi de leur côté, mais surtout une nouvelle façon de provoquer le rire en alliant la loufoquerie de la trouvaille au ton sérieux du scientifique.
Ainsi pouvait-on lire dans le journal *L'HYDROPATHE* la nouvelle suivante : *On va désormais enduire les navires de cold-cream pour faciliter leur entrée dans les ports de mer dont l'accès est difficile. Les capitaines ne s'en plaindront pas.*

◆ **ALPHONSE ALLAIS** ne pouvait pas se tenir à l'écart de ce nouveau courant humoristique. C'est à lui que l'on doit les inventions suivantes dont le caractère indispensable n'échappera à personne :
• Le **coton noir** pour les oreilles des personnes en deuil...

• La **casserole carrée** pour empêcher le lait de tourner...
• Des **plantes grimpantes** pour monter le courrier dans les étages...
• Un **amidon bleu, blanc, rouge** pour maintenir les drapeaux déployés les jours où il n'y a pas de vent...
• Et surtout, le fameux **aquarium en verre dépoli** pour poissons rouges timides.

◆ Le plus étonnant de ces petits inventeurs était, lui, un véritable savant, auteur de vénérables ouvrages comme *la Philosophie du travail* ou *le Travail intellectuel et la volonté.* Il se nommait **GASTON DE PAWLOWSKI.** Il publia un recueil intitulé *Inventions nouvelles et dernières nouveautés* dans lequel il donnait libre cours à son imagination fantastique et à son irrésistible génie comique. Nous vous en présentons quelques extraits :
« Voici une invention bien curieuse que l'on vient de présenter à l'Institut : c'est le **nouveau boomerang français** dont le bois est taillé de telle sorte que l'instru-

ment, une fois **jeté sur l'adversaire ne revient pas à celui qui l'a lancé.** On évite ainsi tout risque d'accident. »

« Le **bénédisiphon** est un accessoire de luxe qui remplace l'ancien goupillon dans nos grandes églises de Paris. Sa forme extérieure rappelle exactement celle de l'instrument sacré. Un bouton à pression permet au public élégant de se servir de l'instrument comme d'un siphon avec la même précision et la même sûreté. L'Église, on le voit, se modernise. »

« Il faut bien le constater, hélas ! le sabotage fait encore des recrues et s'introduit parfois jusque dans les campagnes. C'est ainsi que l'on nous signale que les anciens **scieurs de long** se sont transformés un peu partout en **scieurs de large** pour diminuer leur besogne. C'est là un manque de conscience professionnelle qui discrédite la classe ouvrière. »

« Parmi les objets usuels de ménage, citons **la nouvelle passoire à un seul trou,** infiniment pratique et qui permet de passer instantanément les objets les plus divers et les plus résistants. La passoire se compose d'un manche portant à son extrémité un simple cercle en métal. »

« D'après le Dr ORDURIN, il paraît que l'on peut soigner et **guérir le diabète au moyen de simples bains de café.** Cette cure est basée, paraît-il, sur la propriété véritablement exceptionnelle que possède le café pour dissoudre le sucre. »

« **Les nouvelles étiquettes cintrées pour bouteilles** seront bien accueillies par tous les pharmaciens, cavistes et marchands de vins. L'étiquette se colle sans difficultés sur la bouteille dont elle a exactement la forme. »

« Une dame du monde s'étonne que, le **vibromasseur** électrique ayant rendu d'utiles services, personne n'ait encore songé à construire un **vibromonfrère.** »

« Pour les temps de chaleur excessive, c'est avec joie que je signale **la nouvelle baignoire à entrée latérale.** Ainsi, il suffira d'ouvrir une petite porte pour pénétrer de plain-pied dans la baignoire. »

« Tous les ouvriers du bâtiment savent combien de temps l'on perdait inutilement avec les anciens fils à plomb à fil souple qui se balançaient interminablement avant de rester immobiles. **Le nouveau fil à plomb à tige rigide** supprime ce fâcheux inconvénient. »

◆ Cette inspiration burlesque a trouvé récemment un prolongement avec **CARELMAN** et son merveilleux *Catalogue d'objets introuvables* (Balland, éditeur). Messieurs, la science continue !

---

# *Io*

◆ Parmi tous les noms de la mythologie grecque, le plus célèbre est, sans aucun doute, celui d'**IO**, cette nymphette de rien du tout, sans laquelle il n'est pas de bonne grille de **mots croisés.**

◆ **IO** était une jeune prêtresse d'une grande beauté lorsque **ZEUS**, le roi des dieux, la remarqua. Afin de pouvoir la courtiser en paix, sans encourir les foudres d'**HERA**, sa divine et jalouse moitié, il eut l'idée de la transformer en génisse. Pauvre Zeus, s'il avait cru que, grâce à son stratagème, sa liaison passerait inaperçue, il se fourrait l'index sacré dans l'orbite céleste : des millions de cruciverbistes, qui rencontrent chaque jour le nom d'*IO* dans leurs grilles, conservent la mémoire de ses turpitudes. »

◆ Les meilleurs faiseurs de **mots croisés** font assaut d'esprit et d'ingéniosité pour trouver à ce petit nom de deux lettres des définitions originales. A tel point que la petite **IO** aurait bien mérité de devenir la patronne des cruciverbistes si ceux-ci ne s'étaient déjà donné comme patron Saint-Laurent (à cause de la grille sur laquelle il fut torturé !)

Voici quelques définitions d'**IO** par les grands spécialistes du genre :

● *Eut une destinée inverse de celle des grands hommes d'affaires qui sont venus à Paris en sabots.* TRISTAN BERNARD

● *Ne resta pas fille après avoir connu l'amour.* GUY BROUTY

● *On pouvait l'entendre venir avec ses gros sabots.* MAX FAVALELLI

● *A été de mâle en pis.* ROBERT SCIPION

● *Son père aurait eu de bonnes raisons de ne pas la reconnaître.* ROGER LA FERTÉ

● *Devenue génisse à la suite d'une vacherie.* PIERRE DEWEVER

- *Dame de trèfle.*  MICHEL LACLOS
- *Reçut un mufle.*  THÉOPHRASTE
- *Changea d'allure en perdant sa forme.*
  FERDINAND EXBRAYAT

◆ Et puis, au hasard :

- *A dû ruminer sa vengeance.*  R. SCIPION
- *N'a pas dû apprécier sa nouvelle robe.*
  R. SCIPION
- *S'est en partie racornie.*  R. SCIPION
- *Fut, sans doute, victime de la traite.*
  M. FAVALELLI
- *Quitta ses sandales pour mettres des sabots.*  M. FAVALELLI
- *Changea brusquement de station.*
  M. FAVALELLI
- *Elle acheva bêtement une existence qui s'annonçait divine.*  P. DEWEVER

- *Dormit sur le tard sans quitter sa culotte.*  G. BROUTY
- *Porta finalement une robe à queue.*
  G. BROUTY
- *Fut, tour à tour, la belle et la bête.*
  G. BROUTY
- *Ne riait pas assez pour avoir du bon fromage.*  R. SCIPION

◆ A suivre... dans votre prochaine grille de MOTS CROISÉS.

## La Joconde

◆ Le plus célèbre tableau de tous les temps est peint sur un panneau de bois de peuplier d'Italie et ne mesure guère que 0,40 m² (hauteur : 0,77 m - largeur : 0,53 m - épaisseur : 3,68 mm). C'est le portrait d'une jeune femme, pourtant vieille de cinq siècles, nommé **LISA DEL GIOCONDO**.

◆ Épouse de Messer ZANOBI DEL GIOCONDO, un obscur nobliau florentin, Madona LISA a 24 ans lorsque **LÉONARD DE VINCI** la prend pour modèle. Il n'achèvera son œuvre que six ans plus tard après de nombreuses esquisses, quelques pauses et d'innombrables retouches.

D'une femme banale au visage régulier et aux mains fines, le génie de **Léonard** parvint à créer un archétype de l'universelle beauté. La mortelle s'était transfigurée en une divinité au sourire éternellement mystérieux.

◆ Amoureux de sa création, le peintre ne voulut pas se séparer de son chef-d'œuvre. Au mari venu prendre possession du portrait de sa femme il prétendit que le tableau n'était pas terminé. Lorsque, quelques années plus tard, mal en cour dans son pays, **Léonard de Vinci** accepta de partir pour la France où l'appelait le roi **François 1er**, il emporta ce tableau dans ses bagages ainsi que la

« Sainte-Anne » et le « Saint-Jean Baptiste ».

Le souverain, aussitôt qu'il la vît, tomba amoureux de la Joconde et il sut convaincre le peintre de la lui céder contre une véritable fortune : 12 000 livres — presque un milliard de nos centimes !

C'est ainsi qu'en 1516, l'année d'après MARIGNAN, la Joconde fut naturalisée française.

◆ **Léonard de Vinci** mourut trois ans plus tard, le 2 mai 1519, dans une chambre du **château de Cloux** (aujourd'hui le Clos-Lucé), après avoir — dit la légende — contemplé une dernière fois son chef-d'œuvre qu'il avait réclamé à son chevet.

◆ La Joconde fut d'abord l'orgueil du « cabinet doré » de **Fontainebleau** avant de trôner à **Versailles** dans la petite galerie du roi.

Après l'avoir confiée au garde-meubles de la place de la Concorde, la Révolution l'installa au Louvre. En 1870, elle fut cachée dans les souterrains de l'arsenal de **Brest**. En 1914, on la mit à l'abri à **Bordeaux**, puis à **Toulouse**. En 1939, elle fut dissimulée dans la cave du château d'**Amboise**, avant d'être envoyée dans des demeures anonymes du Lot et des Causses pour échapper à la convoitise de

ce grand « collectionneur » qu'était le
**Maréchal Goering.**
Dans l'existence agitée de MONA LISA,
on compte aussi un enlèvement, une
blessure et deux grands voyages.

### ◆ ON A VOLÉ LA JOCONDE !
Le 21 août 1911, le brigadier des gardiens
du Louvre, l'honorable **Poupardin**, fit ir-
ruption chez M. **Bénédite**, conservateur
des Antiquités Égyptiennes qui remplaçait le directeur du Musée, M. **Homolle**,
en vacances dans les Vosges :
« Monsieur ! On a volé la Joconde ! »
Ce fut un scandale énorme qui prit vite un
tour international. L'opinion publique accusait **Guillaume II**, l'Empereur d'Allemagne, d'avoir monté le coup.
Ce fut un autre Guillaume qu'on arrêta :
le poète **Guillaume Apollinaire.** Il avait,
quelques années auparavant, employé
comme secrétaire et homme à tout faire,
un drôle de loustic nommé **Géry-Pieret.**
L'amusement de celui-ci était de dérober
des statuettes et des masques phéni-
ciens dans la salle des Antiques au Louvre. Il en faisait cadeau à des amis : il
avait même vendu deux masques à **Picasso** pour 80 F, et donné une statuette
à son maître. Bien que totalement étranger à cette affaire, **Guillaume Apollinaire** fut arrêté pour complicité de vol et
passa dix jours en prison. Il fut d'ailleurs
le seul homme arrêté en France pour le
vol de la Joconde.
MONA LISA resta introuvable pendant
deux ans. Jusqu'au 11 décembre 1913 où
un inconnu viendra la proposer au si-
gnore **Geri**, un antiquaire de Florence.
Le vendeur de la Joconde était un peintre
en bâtiment nommé **Vincenzo Perugia**
qui, au cours des travaux du ravalement
du Louvre, l'avait emportée sous sa
blouse. Pendant deux ans, il avait gardé
la Joconde pour lui tout seul dans sa
chambre misérable. Il s'attendait à être
récompensé pour avoir rendu le
chef-d'œuvre de **Vinci** à l'Italie. Il eut
droit à des menottes et à un an de prison.

◆ Le retour de MONA LISA en France
sera considéré comme le plus beau des
cadeaux de Noël. Elle revint dans son
pays avec les honneurs réservés aux
souverains et retrouva sa place de première dame du Louvre.
En 1956, un cuisinier bolivien, probablement cinglé, projeta un caillou contre
MONA LISA et lui écorcha le bras. Après

avoir réparé les dégâts, on enferma le
tableau à l'abri des attentats dans une
cage de verre blindé

◆ En 1963, la France accepta d'envoyer
aux États-Unis la plus prestigieuse de ses
ambassadrices. Elle embarqua sur le
*France*, accompagnée de ses gardes du
corps, de ses médecins et des officiels
qui avaient à leur tête **André Malraux**, le
ministre des Beaux-Arts, celui-là même
qui avait qualifié la Joconde de *mortelle au regard divin*. Le commandant
**Croisille** accueillit MONA LISA en gants
blancs et la conduisit à la cabine M 79 qui
lui avait été réservée, au centre du bateau
afin de lui épargner les atteintes du mal
de mer. Le mardi 8 janvier à 22 heures, le
président **John F. Kennedy** avait convié
le Tout-Washington *à venir admirer le
célèbre tableau, la MONA LISA, gracieusement prêté aux États-Unis d'Amérique
par le Gouvernement français de la
Ve République.*

◆ En 1974, la Joconde, qui avait pris goût
aux voyages, partit pour le Japon. Cette
fois, elle emprunta l'avion. L'Empire du
Soleil Levant vivait, depuis l'annonce de
cette visite, à l'heure MONA LISA.
Son sourire était sur toutes les affiches,
sur tous les tee-shirts, dans toutes les
vitrines. La foule qui se pressa à Tokyo
pour l'admirer était si dense qu'on dut
limiter à neuf secondes le délai pendant
lequel on était autorisé à contempler la
super-star : le temps d'une rapide déclaration d'amour... Le temps d'un sourire.

# La Fontaine (Jean de) — 1621-1695

◆ Nous autres, petits Français, sommes nourris dès notre tendre jeunesse au pur jus de **LA FONTAINE**. A peine entrons-nous à l'école que déjà, sans y comprendre goutte, nous ânonnons l'une de ses fables.

On pourrait se demander quelle étrange aberration a conduit des générations successives de pédagogues à décider que **La Fontaine** est un auteur pour enfants sous prétexte qu'il met en scène dans ses fables des animaux doués de la parole.

Rien n'est plus cruel, en réalité, que ce théâtre animal où les agneaux innocents sont dévorés, où les ânes sans défense sont livrés au bourreau pour trois brins d'herbe qu'ils ont mangés et où des grenouilles vachement gonflées éclatent de vanité. Jamais ce fabuliste misanthrope et souriant n'a caché que ses animaux n'étaient que des hommes mal déguisés qui se mettent un loup sur le visage pour commettre leurs forfaits.

Il serait regrettable que la réputation d'auteur scolaire faite — bien à tort — à **La Fontaine**, détournât plus tard l'adolescent ou l'homme de la lecture de ses Fables. Comment un lecteur ne suivrait-il pas les préceptes d'une morale si simplement, si joliment exprimée que les mots en restent à jamais gravés dans sa mémoire ? La France, pays de **La Fontaine**, devrait être sage entre toutes les nations puisque la morale quotidienne s'y trouve mise en vers légers et souriants. Ah ! si nous avions eu un juriste, poète comme lui, pour mettre le Code Civil en vers inoubliables, nul ne serait plus censé ignorer la Loi !

Dans le langage quotidien, nous utilisons sans nous en rendre compte — et sans lui verser ce droit d'auteur moral qui se nomme la reconnaissance — les images, les expressions ou les vers de notre ami le fabuliste. Puisse la musique des mots de cette minuscule anthologie composée de ses vers les plus célèbres monter à sa rencontre jusqu'au vert paradis où il rêve l'éternité :

*A ces mots, on cria « haro » sur le baudet...*
(Les Animaux malades de la peste)

*Adieu, veau, vache, cochon, couvée...*
(Pérette et le pot-au-lait)

*Aide-toi, le ciel t'aidera.*
(Le Charretier embourbé)

*Amour, amour, quand tu nous tiens,*
*On peut bien dire adieu prudence.*
(Le Lion amoureux)

*Apprenez que tout flatteur*
*Vit aux dépens de celui qui l'écoute.*
(Le Corbeau et le Renard)

*Car c'est double plaisir de tromper le trompeur.* (Le Coq et le Renard)

*Car, que faire en un gîte, à moins que l'on ne songe ?*
(Le Lièvre et les Grenouilles)

*Ce bloc enfariné ne me dit rien qui vaille.* (Le Chat et un vieux Rat)

*Cette leçon vaut bien un fromage sans doute.*
(Le Corbeau et le Renard)

*Deux coqs vivaient en paix, une poule survint...* (Les Deux Coqs)

*Deux pigeons s'aimaient d'amour tendre...* (Les Deux Pigeons)

*Deux sûretés valent mieux qu'une...*(Le Loup, la Chèvre et le Chevreau)

*En toute chose, il faut considérer la fin.* (Le Renard et le Bouc)

*Est bien fou du cerveau*
*Qui prétend contenter tout le monde et son père.*
(Le Meunier, son Fils et l'Ane)

*Garde-toi, tant que tu vivras,*
*De juger les gens sur la mine.*     (Le Cochet, le Chat et le Souriceau)

*Honteux comme un renard qu'une poule aurait pris.*
     (Le Renard et la Cigogne)

*Il m'a dit qu'il ne faut jamais*
*Vendre la peau de l'ours qu'on ne l'ait mis par terre.*
     (L'Ours et les Deux Compagnons)

*Il n'est pour voir que l'œil du maître.*     (L'Œil du maître)

*Il se faut entraider, c'est la loi de nature.*     (L'Ane et le Chien)

*Ils ne mouraient pas tous, mais tous étaient frappés.*
     (Les Animaux malades de la peste)

*Ils sont trop verts, dit-il, et bons pour des goujats.*
     (Le Renard et les Raisins)

*Je suis oiseau : voyez mes ailes (...)*
*Je suis souris : vivent les rats.*
     (La Chauve-Souris et les deux Belettes)

*La raison du plus fort est toujours la meilleure.*  (Le Loup et l'Agneau)

*Le plus âne des trois n'est pas celui qu'on pense.*
     (Le Meunier, son Fils et l'Ane)

*Ne forçons point notre talent*
*Nous ne ferions rien avec grâce.*     (L'Ane et le petit Chien)

*Passe encor de bâtir, mais planter à cet âge !*
     (Le Vieillard et les trois jeunes Hommes)

*Patience et longueur de temps*
*Font plus que force ni que rage.*     (Le Lion et le Rat)

*Petit poisson deviendra grand*
*Pourvu que Dieu lui prête vie.*     (Le Petit Poisson et le Pêcheur)

*Que tel est pris qui croyait prendre.*     (Le Rat et l'Huître)

*Qu'un ami véritable est une douce chose.*     (Les Deux Amis)

*Rien ne sert de courir, il faut partir à point.*     (Le Lièvre et la Tortue)

*Selon que vous serez puissant ou misérable*
*Les jugements de cour vous feront blanc ou noir.*
     (Les Animaux malades de la peste)

*Si Peau d'Ane m'était conté*
*J'y prendrais un plaisir extrême.*     (Le Pouvoir des fables)

*Travaillez, prenez de la peine*
*C'est le fonds qui manque le moins.*     (Le Laboureur et ses Enfants)

*Ventre affamé n'a point d'oreilles.*     (Le Milan et le Rossignol).

♦ Laissons, pour terminer, la plume au fabuliste :

> *Tout parle en mon ouvrage, et même les poissons*
> *Ce qu'ils disent s'adresse à tous tant que nous sommes.*
> *Je me sers d'animaux pour instruire les hommes.*

## Liberté (statue de la)

◆ La statue de la *Liberté* est née dans l'imagination du jeune **Auguste BARTHOLDI** au cours des émeutes de 1848 un groupe d'émeutiers épuisés et découragés hésitait à donner l'assaut à une barricade. Alors, parut une jeune fille, une torche à la main. Indifférente aux balles, elle s'élança sur la barricade entraînant les insurgés à sa suite.

◆ Ce n'est qu'en 1874, un demi-siècle plus tard, que le sculpteur **Bartholdi** put donner corps à ce souvenir de jeunesse. La jeune République française avait décidé, en effet, d'offrir au peuple des États Unis une statue à la gloire de l'Indépendance américaine. Un comité de soutien fut créé en 1875 et une souscription nationale permit de recueillir les fonds nécessaires. Cette statue *la Liberté éclairant le monde* serait érigée sur l'île **Bedloe** à l'entrée de la rade de New York.

◆ Qui fut le modèle de **Bartholdi** pour sa « Liberté » ?
Lui, prétendit avoir pris sa mère pour modèle. Certains avancent le nom d'une certaine **Irma** dont les formes sculpturales faisaient le bonheur des clients du **Grand Seize**. D'autres parlent de **Céline**, superbe fille de l'Ohio, qui fréquentait Pigalle à cette époque.

◆ **Bartholdi** commença par sculpter une effigie de trois mètres de haut. Il fit ensuite quatre modèles successifs, de plus en plus grands, le dernier atteignant 10 mètres. Son atelier était aux environs du **Parc Monceau**, rue de Chazelles. Les photos de l'époque montrent, émergeant de la verrière, le flambeau d'abord, puis le bras, la tête et enfin la *Liberté* jusqu'à mi-taille.
La statue fut constituée de plaques de cuivre martelé rivées sur une structure intérieure en fer, due à l'ingéniosité de **Gustave Eiffel**. La *Liberté* mesurait 46 mètres (une fois sur son piédestal de pierre, elle atteindra 92 mètres).
Son poids est de 100 tonnes : 80 tonnes de cuivre et 20 tonnes de fer. Elle coûta 2 250 000 francs de l'époque.

◆ Le 4 juillet 1884, la *Liberté* fut remise officiellement au gouvernement américain. Le 15 mai 1885, on l'embarqua, démontée et répartie dans 210 caisses, à bord du navire de guerre l'*Isère*. Le 12 juillet 1886, on fixa le premier rivet. Le 28 octobre 1886, le dernier rivet fut posé et l'inauguration officielle eut lieu en présence du président **Cleveland.**

**Ferdinand de Lesseps** prononça un discours au cours duquel, emporté par son éloquence, il qualifia la statue de *huitième merveille du monde.*

### QUELQUES MENSURATIONS DE LA *LIBERTÉ* :

*Tour de taille* : 8 mètres.
*Hanches* : 10 m. *Poitrine* : 12 m. *Main* : 5,50 m. *Nez (aquilin)* : 1,12 m. *Oreille* : 0,90 m.
40 personnes peuvent tenir dans la tête de la statue.
En remerciement, la colonie américaine de Paris offrit à la France une **copie de la *Liberté*** de Bartholdi qui fut érigée au Pont de Grenelle.
Il existe **trois autres copies :**
— L'une dans la chapelle du **Musée des Arts et Métiers** à Paris.
— La seconde dans le **jardin du Luxembourg** (près de la rue Guynemer).
— La troisième devant l'**Hôtel-de-Ville de Roybon** (Isère), chef-lieu de canton de 1 300 habitants, près de St-Marcellin.

◆ La statue de la *Liberté* est, depuis la fin de 1983, l'objet de très importants travaux de réfection et de consolidation. Pendant trois ans, la *Liberté* sera invisible derrière les échafaudages métalliques qui la soutiennent. Après cette cure de rajeunissement, elle réapparaîtra, plus belle que jamais.

Des Français ont participe à cette restauration : 10 compagnons venus de Reims, les *Métalliers Champenois*, ont été chargés de la réfection du diadème et de la

torche dont la flamme sera d'or. L'inauguration officielle de la *Liberté* rénovée aura lieu le 4 juillet 1986 pour la Fête nationale américaine. Les Américains retrouveront avec joie leur mascotte et « sa silhouette de femme enceinte ». Pour tous les émigrants qui, fuyant des pays inhospitaliers, sont venus peupler l'Amérique, cette LIBERTÉ fut la première à les accueillir dans leur nouvelle patrie.

## *Le livre*

◆ Un livre est la rencontre de deux désirs décalés dans le temps : au commencement, celui d'un **écrivain** qui prend le risque de confier à une feuille blanche une partie de lui-même, jusque-là demeurée secrète. A l'autre bout, un **lecteur** qui attend, sans le savoir, ce message que l'auteur a confié au hasard.

*Un livre est une bouteille jetée en pleine mer sur laquelle il faut coller cette étiquette : « ATTRAPE QUI PEUT ».*
ALFRED DE VIGNY

◆ Pour que la rencontre miraculeuse entre un auteur et un lecteur puisse avoir lieu, il faudra bien des intermédiaires : un **éditeur**, un **maquettiste**, un **typographe**, un **metteur en pages**, un **correcteur**, un **fabricant de papier**, un **imprimeur**, un **relieur**, un **transporteur**, un **grossiste**, un autre transporteur et puis un **commerçant**, à moins que ce ne soit un **club** ou une **bibliothèque**.

*Trois choses sont nécessaires pour faire un bon livre : le talent, l'art et le métier, c'est-à-dire la nature, l'industrie et l'habitude.* J. JOUBERT

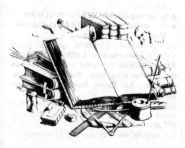

◆ Qui donc sera l'organisateur de la rencontre entre l'auteur et le lecteur ? Sera-ce un catalogue, une revue, une émission de télévision, une vitrine, le conseil d'un ami ou d'un professionnel ? A moins que ce ne soit tout bonnement le hasard.
Voici maintenant face à face l'auteur et le lecteur se regardant à travers le livre. Cet objet, fait de papier et d'encre, possède en plus toutes les qualités de la plaque de verre. Il dépend de celui qui lit que le verre soit transparent comme une vitre ou, au contraire, réfléchissant comme la surface d'une glace.

◆ Tel est le double destin du livre : être la **fenêtre** ouverte sur d'autres lieux, un autre temps, d'autres vies ou bien le **miroir** qui reflétera les préoccupations, les pensées de son lecteur. N'est-ce pas nous, bien souvent, qui nous lisons de livre en livre, qui nous projetons sur d'autres destins, sur d'autres existences ?

• *Qui veut se connaître, qu'il ouvre un livre.* JEAN PAULHAN

• *Un livre est une fenêtre par laquelle on s'évade.* JULIEN GREEN

• *Tout livre digne de ce nom s'ouvre comme une porte, ou une fenêtre.*
PHILIPPE JACCOTTET

• *La lecture, une porte ouverte sur un monde enchanté.* FRANÇOIS MAURIAC

• *La lecture de tous les bons livres est comme une conversation avec les plus honnêtes gens des siècles passés.*
DESCARTES

• *« Dis-moi ce que tu lis, je te dirai qui tu es », il est vrai. Mais, je te connaîtrai mieux si tu me dis ce que tu relis.*
FRANÇOIS MAURIAC

**124**

*• Une bibliothèque, c'est le carrefour de tous les rêves de l'humanité.*

JULIEN GREEN

*• La véritable université de nos jours est une collection de livres.* CARLYLE

*• Vous aimez les livres ? Vous voici heureux pour la vie.* JULES CLARETIE

*• Toutes les grandes lectures sont une date dans l'existence.* LAMARTINE

*• Je n'ai jamais eu de chagrin qu'une heure de lecture n'ait dissipé.*

MONTESQUIEU

◆ Il existe pourtant certains livres dont l'existence est bien triste : richement habillés, ils sont alignés comme à la parade sur les rayons d'une bibliothèque et semblent avoir été achetés uniquement pour servir d'alibi culturel à leur possesseur. Comme il se sent inutile le livre qu'on n'a pas lu !

*• Que de gens sur la bibliothèque desquels on pourrait écrire « usage externe » comme sur les fioles de pharmacie.*

ALPHONSE DAUDET

*• Il y a des gens qui ont une bibliothèque comme les eunuques ont un harem.*

VICTOR HUGO

◆ Un livre est fait pour être désiré, pour être feuilleté, lu, en attendant d'être relu. Mais le livre vieillit aussi, se démode, s'oublie, ses feuilles jaunissent et tombent comme celles d'un arbre.

*Les livres ont les mêmes ennemis que l'homme : le feu, l'humide, les bêtes, le temps... et leur propre contenu.*

PAUL VALÉRY

◆ **Avis aux gros lecteurs :** si toute votre vie, sans vacances ni week-end, vous lisiez un livre chaque jour, vous ne réussiriez pourtant à absorber que le contenu de 25 000 livres, soit dix pour cent des **250 000 titres** actuellement disponibles en France.

Aucune librairie, si importante soit-elle, ne pourrait se targuer d'avoir en stock la totalité de ces ouvrages.

On peut compter sur les doigts d'une seule main les librairies françaises possédant en rayons une centaine de mille titres. Une excellente librairie offre de 50 à 70 000 titres. Une moyenne, de 10 à 30 000.

Il existe en France environ **21 000 points de vente** présentant une quantité plus ou moins grande de livres. Ils peuvent se répartir ainsi :
● 600 **librairies générales** dont 200 vrais libraires.
● 4 000 **papeteries** possédant un rayon de livres.
● 1 200 **bibliothèques de gare.**
● 15 000 **points de vente** présentant quelques livres, à côté des journaux ou du tabac.

Ajoutons à cette énumération les 200 boutiques et relais du club France Loisirs. Le *CATALOGUE FRANCE LOISIRS* et son service correspondance est la seule librairie présente dans les 36 000 communes de France.

◆ Chaque année paraissent en France **28 000 livres** environ, c'est-à-dire une moyenne de **76 par jour**, dimanches compris. Si l'on exclut de ce total les éditions et les réimpressions nouvelles pour ne s'intéresser qu'aux livres vraiment inédits, on arrive au chiffre de **12 000**.

Ces livres sont produits par des **maisons d'édition**. On en référence **634**, car il suffit d'avoir publié une modeste brochure dans l'année pour avoir droit à la qualité d'éditeur.

En réalité, **20 éditeurs seulement** publient 60 % du nombre des titres sortis en France. Avec 67 maisons d'édition, on en arrive à 75 % de la production littéraire. L'édition française se trouve concentrée entre quelques grandes maisons qui ont sous contrat les auteurs les plus célèbres.
● On trouve en tête le **groupe HACHETTE** qui regroupe des éditions comme **Grasset, Fayard, Stock, Lattès, Édition N° 1...**
● Vient ensuite le **groupe des PRESSES DE LA CITÉ** avec Julliard, Plon, Perrin, Borrdas, Bourgois, Solar et Le Rocher.
● Le **groupe LAROUSSE-NATHAN.**
● Le **groupe GALLIMARD**-Denoël-Mercure de France

puis viennent quelques grands noms comme Flammarion, Laffont, Le Seuil, Albin Michel, Belfond et **Les Presses de la Renaissance, Balland, Orban, Ramsay, La Table Ronde, Calmann-Lévy... etc.**

Tous les éditeurs importants ont leur siège à Paris et généralement dans le **VIᵉ arrondissement**.

On assiste de nos jours à la naissance

d'éditeurs régionaux qui tentent, avec beaucoup d'enthousiasme et peu de moyens, l'aventure de la décentralisation littéraire.

◆ Tous ces éditeurs, les importants et les autres, ont vendu **en 1984, 372 millions de livres** dont 156 millions d'exemplaires des seules nouveautés.
Au prix du marché, cela représente un chiffre d'affaires de **12 milliards de francs hors taxes.**

56 % des Français déclarent avoir acheté au moins un livre dans l'année, ce qui signifie que 44 % n'en ont pas acheté un seul.

*Quand je pense à tous les livres qu'il me reste encore à lire, j'ai la certitude d'être encore heureux,* écrivait **Jules Renard.**

## Loterie (nationale)

◆ Le premier tirage de la Loterie Nationale eut lieu en **1933**, le 7 novembre. Le billet, gagnant le gros lot de **5 millions de francs** (environ 1 milliard de francs d'aujourd'hui) portait le **numéro 18414, série H.**
Le sort tomba sur **M. Paul BONHOURE**, coiffeur à TARASCON (13) qui, du jour au lendemain, devint une vedette nationale.
La veille, le premier commis de M. BONHOURE, un jeune immigré de Trévise (Italie) **Albert BIN, dit BIN-BIN**, avait convaincu son patron de le laisser faire un saut jusqu'au bureau de tabac voisin pour y acheter 2 billets de la nouvelle loterie. Il donna l'un à M. Bonhoure et garda l'autre.
En pleine nuit, M. PUJOL, le percepteur, vint tambouriner à la porte de BIN-BIN en hurlant que Paul avait décroché le gros lot. A la tête d'une telle fortune, M. Bonhoure cessa de travailler et, par reconnaissance, légua son salon de coiffure à son commis.
BIN-BIN, âgé aujourd'hui de 80 ans, se souvient sans amertume de ce jour où la fortune l'a vraiment frôlé de son aile.

◆ De nos jours, la Loterie Nationale n'est plus ce qu'elle était : elle a été détrônée par le P.M.U. puis le LOTO. Pourtant, grâce à l'invention géniale du **TAC-O-TAC** (1984), elle vient de connaître un regain de faveur. En 1985, elle a fait l'objet de **2 milliards de francs d'enjeux.**

## Loto

◆ *« Faites vos jeux... Rien ne va plus ! »*, annonce le croupier. Cependant que la voix tentatrice du fisc répond comme en écho :
— *« Faites vos jeux... Et, au contraire, tout ira pour le mieux, sinon pour vous, du moins pour moi ! »*
Car tout le monde le sait, mais personne n'en parle : aux jeux dits de hasard, il n'y a qu'un seul vrai gagnant : l'**État** qui empoche la part du lion.

**Les Français aiment le jeu :**
En 1984, ils ont joué ou parié la somme astronomique de **75 milliards de francs**, ce qui représente environ deux fois le budget des P.T.T., neuf fois celui de la Culture ou le tiers du produit de l'impôt sur le revenu.
Avec ce pactole, les joueurs auraient pu prendre le contrôle en Bourse de 20 % des sociétés industrielles et commerciales françaises.

La crise, le chômage et la restriction du train de vie qu'ils entraînent n'ont en rien diminué le montant des sommes jouées, bien au contraire. Dans les périodes difficiles, les hommes, qui vivent autant de rêve que de pain, demandent au hasard, à la chance, à une sphère remplie de boules multicolores ou à quelques chevaux de leur procurer ce que toute une existence de travail et de privations ne pourrait jamais leur apporter.

## Un Français sur deux joue régulièrement

On a dénombré en 1984 :

• 15 millions de joueurs de **loto** qui ont parié **11 milliards de F**.
• 7 millions de turfistes qui ont joué **30 milliards** au tiercé.
• 2 millions d'amateurs de tapis vert qui ont laissé **32 milliards** d'enjeux dans les **cercles** ou les **casinos**.
• A ce chiffre, il faut ajouter les **2 milliards de F** de billets de la **Loterie Nationale**. La bonne vieille Loterie que l'on croyait à bout de souffle connaît une nouvelle jeunesse grâce au **TAC-O-TAC**.
• Pour mémoire, signalons que **10 millions de F** ont été joués dans les **courses de lévriers**.

◆ Le **LOTO** est le plus récent des jeux de hasard. En quelques années, il est devenu le plus populaire de tous. Né en **1975** d'un décret signé par **Jacques Chirac**, il fait partie maintenant de la vie quotidienne des Français.
Aujourd'hui, chaque semaine, **plus de 10 millions de joueurs** font valider **15 millions de bulletins**.
On a peine à imaginer qu'au premier tirage — le **mercredi 19 mai 1976** — **73 680** bulletins seulement avaient été enregistrés pour un total de **50 600 F** d'enjeux !

★ **Le premier « gros » gagnant** fut un restaurateur de Metz qui, avec 6 bons numéros, gagna **86 000 F**, chiffre qui fait sourire, avec quelques années de recul !

◆ Comme aux Jeux Olympiques, les records au Loto ne cessent de tomber :
• **Novembre 1977** - Roger GÉRARD, 24 ans, commis-poissonnier à Chavelot (Vosges), gagne **2 300 000 F** avec 6 bons numéros. Cinq ans plus tard, il meurt d'une cirrhose du foie, solitaire et sans le sou.

• **13 février 1979** - Joël del GIUDICE (19 ans) et Marie-Christine BRÉSOLIN (17 ans) de Montigny-en-Moselle gagnent **4 480 000 F**. Ceux que la presse appela *Les gagnants de la Saint-Valentin* dilapident leur trésor en folies et se retrouvent, quatre ans plus tard, séparés et ruinés.

◆ Tous les gagnants du Loto ne connaissent pas un sort aussi tragique. En fait, l'argent tombé du ciel ne modifie guère le comportement de ceux qui le reçoivent sur la tête : les sages continuent à se conduire en sages et les fous restent fous.

• **11 juin 1980** - M. MALPAIX, rémouleur à Saint-Laurent-du-Var gagne **4 280 000 F**.
• **Février 1981** - M. ZAMBELLI, maçon à la retraite au Pradet (Var) établit un nouveau record avec **9 775 886,50 F** pour 7 F d'enjeu.

◆ Mais, il reste encore au Loto à franchir la barre fabuleuse du milliard de centimes. Ce sera fait le...
• **11 janvier 1984** - 38 ouvriers de l'usine MOULINEX à **Falaise** (Calvados) gagnent avec 4 bulletins **12 368 658 F**, ce qui fait 325 000 F pour chacun.
• **14 novembre 1984** - SERGE, cuisinier de 25 ans et sa compagne LOUISA gagnent **10 236 655 F** pour une mise de 14 F. Serge avait joué les chiffres qu'il avait rêvés et, pour terminer la grille, leur avait ajouté la pointure de leurs chaussures à tous les deux.
• **4 décembre 1984** - 14 policiers du commissariat de Caen gagnent **7 440 000 F**.
• **2 janvier 1985** - On apprend les résultats de la super-cagnotte de Noël. C'est une élève du Lycée Agricole de Chambray près de Louviers, Sandrine GROGNET qui, à 18 ans, gagne **10 583 640 F**. *La petite bergère de Louviers* dont le père est au chômage, s'achètera avec ce pactole un troupeau de moutons.
• **Février 1985** - Jacqueline BAS, employée de banque à Besançon, qui s'obstine à jouer la même grille depuis la création du Loto, voit sa persévérance récompensée par un chèque de **10 563 030 F**.
• Le record pour 1985 détenu par un habitant des Martigues (Bouches-du-Rhône), qui a remporté en janvier **10 748 290 F** à la super-cagnotte.

• **22 décembre 1985** Le record des gains est désormais une nouvelle fois pulvérisé : détenu par un habitant anonyme de la Région parisienne se souviendra longtemps de ce fabuleux cadeau de Noël : **17 000 000** de F

♦ Toutes les fois qu'un record tombe, **Michel CASTE**, le sympathique P.D.G. du Loto se frotte les mains. Dans la semaine qui suit l'annonce d'un gain miraculeux, un million de grilles supplémentaires sont jouées. Si l'État avait des mains, il se les frotterait aussi : le Loto lui rapporte autant que l'**impôt sur les Grandes Fortunes** et sans jamais faire grincer de dents. Ce sont des contribuables volontaires et pleins d'espoir qui viennent ainsi garnir ses caisses insondables. On a appelé le loto : **l'impôt sur les petites fortunes**.

♦ **Sur 100 F joués au Loto :**
• L'**État** encaisse environ .............. 31 F
• Les **frais de fonctionnement** coûtent (y compris 5 F pour le détaillant) .. 15 F
• Les **gagnants** reçoivent ............ 54 F
Ceux qui ne jouent jamais peuvent toujours se consoler en se disant qu'ainsi ils ont trouvé un moyen de payer moins d'impôt.

♦ **LE LOTO SPORTIF**

**1985** : une date à retenir dans l'histoire du jeu à travers les âges. C'est l'année où le **Loto sportif** a vu le jour en France.

★ **Le 23 avril 1985**, le premier gagnant du Loto sportif, **Michel DAVELU**, facteur à Evreux, empocha la coquette somme de **2 639 165 F**.
Malheureusement, le règlement du Loto sportif a été mal conçu. Au vu de résultats qui ne cessent se dégrader, il sera interrompu quelques mois, le temps pour ses organisateurs d'imaginer des règles

plus simples. Le Loto sportif remis à neuf s'inspire beaucoup du **toto-calcio** italien. Il porte maintenant sur le sport le plus populaire en France, le football.

♦ La nouvelle formule démarre en septembre 1985 sur les chapeaux de roues : **2 200 000 bulletins** la première semaine, **5 100 000** un mois plus tard. A son tour, le Loto sportif connaît des gains supérieurs à **10 millions de francs**.
Au tirage n° 9, le seul parieur qui a donné les seize résultats exacts a empoché la somme de **10 113 900 F**.

♦ Ce chapitre consacré au Loto ne parle que de gagnants heureux et de chèques astronomiques. Dût-il refroidir l'ardeur de tous les joueurs, nous ne citerons qu'un seul chiffre pour terminer, celui des combinaisons possibles d'une grille de Loto : elles sont au nombre de **13 983 816** !

## *Lune*

♦ La lune est le plus féminin des astres : mystérieuse comme la femme, comme elle changeante dans son apparence et soumise, elle aussi, à un cycle régulier de 28 jours. Tantôt croissant, tantôt demi-cercle, puis ronde et invisible enfin, la lune règne à la fois dans le ciel et sur le **calendrier des Postes** où les gens de la mer, comme ceux de la terre, suivent attentivement ses évolutions.

♦ Le marin et le pêcheur savent qu'à la **PLEINE LUNE** et, à un degré moindre, à la **NOUVELLE LUNE** (celle qui ne se voit pas) correspondent les plus fortes marées.
Le paysan sait que la lune influence le comportement des humains, des animaux et des végétaux. Il existe une logique campagnarde liée à l'activité lunaire et qui peut ainsi se résumer :

★ A la **LUNE MONTANTE**, c'est le moment de planter des arbres pour qu'ils grandissent rapidement et deviennent vigoureux. C'est le moment de semer tout ce qui doit pousser *au-dessus de la terre* : les céréales, les légumes verts, les fleurs, l'ail... Par contre, à la **LUNE DESCENDANTE**, il faudra abattre les arbres, tailler les rosiers et les haies. Ce sera le temps de planter les salades (pour qu'elles ne montent pas) ainsi que tous les légumes qui poussent *sous la terre* : oignons, carottes, radis, raves, navets, pommes de terre.

Il faudra aussi récolter les pommes de terre et les fruits pour qu'ils se conservent et mettre en bouteilles le cidre et le vin qui, ainsi, ne fermenteront pas.

La ménagère mettra en pot ses confitures (pour que le sucre ne remonte pas à la surface) et en bocaux ses conserves (pour qu'elles ne fermentent pas).

★ A la **NOUVELLE LUNE**, il ne faut pas entreprendre de travaux agricoles importants. Se contenter de sarcler son jardin, d'arracher des mauvaises herbes et de ramasser du bois.

★ Une fois par an, la **LUNE EST ROUSSE** : c'est ainsi qu'on appelle la première lune après Pâques (fin avril - début mai) car elle roussit et fait geler les jeunes pousses printanières.

★ La **PLEINE LUNE** a très mauvaise réputation : n'est-ce pas elle qui fait rôder le maniaque à la recherche d'un crime ou d'un viol à commettre ? C'est elle qui éclaire le sabbat des sorcières. C'est elle qui fait se retourner l'insomniaque dans son lit.

◆ La lune a aussi de l'influence sur la pousse des cheveux : si vous vous faites couper les cheveux en lune montante, ils seront fortifiés et repousseront plus vite. Par contre, si vous désirez qu'ils épaississent et poussent lentement, coupez-les donc à la lune descendante.

C'est aussi la lune, à qui rien n'échappe de ce qui se passe la nuit, qui va déterminer le sexe des enfants. Dans de nombreuses provinces de France, on vous dira que l'enfant, conçu pendant la pleine lune, sera un garçon. Mais, pendant la vieille lune, ce sera une fille.

*Une dernière question* : comment reconnaître la lune montante (ou croissante) de la lune descendante (ou décroissante) ? Voici ce qu'on apprend aux enfants :

*La lune est une menteuse : quand elle dit qu'elle croît* (c'est-à-dire quand son croissant forme un « C ») *c'est qu'elle décroît. Et quand elle dit qu'elle décroît* (c'est-à-dire quand son croissant forme un « D ») *c'est qu'elle croît.*

Çà n'est pas très intelligent comme explication. Ça serait même un peu c... comme la lune !

• *La lune était sereine et jouait sur les flots.*

Victor Hugo

• *C'était dans la nuit brune*
*Sur le clocher jauni*
*La lune*
*Comme un point sur un I.*

Alfred de Musset

• *Ah ! Ce soir, j'ai le cœur mal, le cœur à la lune.* Jules Laforgue

• *La lune est le soleil des statues.* Jean Cocteau

---

## Mariage

◆ S'il est une institution qui sut de tout temps exciter la verve des philosophes, des romanciers et des humoristes, c'est bien celle, sacrée, du **mariage**. On pourrait composer sur ce « t'aime » (ou thème) unique un dictionnaire de citations d'un format respectable. Toutes ces pensées et ces maximes ne sont peut-être pas pétries de l'esprit le plus délicat, mais elles dénotent de la part de leurs auteurs un commun désenchantement, une semblable méfiance à l'égard du m riage. Ce qui prouve à l'évidence

qu'on peut faire profession d'expliquer l'âme humaine ainsi que les subtils rouages qui commandent aux passions et se révéler incapable, dans son propre ménage, de passer de la théorie à la pratique. Il est à remarquer que les pensées désabusées ou vengeresses prenant le mariage pour cible sont dues, la plupart du temps, à des auteurs de sexe masculin. Les femmes s'accommoderaient-elles mieux des contraintes inhérentes à l'institution ? Seraient-elles plus indulgentes que les hommes ? Ou les hommes seraient-ils de si parfaits partenaires que jamais femme n'aurait eu à prendre la plume pour se plaindre d'eux ?

◆ Bornons-nous à poser ces questions avant d'énumérer quelques-unes des phrases les plus drôles ou les plus percutantes que le mariage inspira à des hommes d'esprit qui n'en furent pas moins malheureux en ménage :

• *Le mariage est une pièce à deux personnages dont chacun n'étudie qu'un rôle, celui de l'autre.* OCTAVE FEUILLET

• *Le mariage est une expérience chimique dans laquelle deux corps inoffensifs peuvent, en se combinant, produire un poison.* EDOUARD PAILLERON

• *Le mariage est une communauté composée d'un maître, d'une maîtresse et de deux esclaves, ce qui fait en tout deux personnes.* AMBROSE BIERCE

• *Le mariage est une cérémonie où un anneau est passé au doigt de l'épouse et un autre au nez de l'époux.* HERBERT SPENCER

• *Le mariage est un petit jeu de satiété.* HENRI DUVERNOIS

• *On s'étudie trois semaines, on s'aime trois mois, on se dispute trois ans, on se tolère trente ans... et les enfants recommencent.* HIPPOLYTE TAINE

• *Il y a de bons mariages, mais il n'y en a pas de délicieux.* LA ROCHEFOUCAULD

• *Les femmes sont faites pour être mariées et les hommes célibataires. De là vient tout le mal.* SACHA GUITRY

• *Les hommes se marient parce qu'ils sont fatigués, les femmes parce qu'elles sont curieuses. Les uns comme les autres sont forcément déçus.* OSCAR WILDE

• *Un bon mariage serait celui où l'on oublierait le jour qu'on est amant, la nuit qu'on est époux.* JEAN ROSTAND

• *Pourquoi faut-il que les noces ne durent qu'un jour et le mariage toute la vie ?* HENRI JEANSON

• *Le mariage est un dîner qui commence par le dessert.* JULES SANDEAU

• *Le mariage, depuis le moment où il est conclu et scellé est une chose à faire, non une chose faite.* ALAIN

• *Le mariage est une si belle chose qu'il faut y penser toute sa vie.* TALLEYRAND

• *Le mariage, c'est une femme de plus et un homme de moins.* FRANCIS DE CROISSET

• *Le mariage simplifie la vie et complique la journée.* JEAN ROSTAND

• *Se marier à l'église et à la mairie, c'est ficeler un paquet avec un double nœud : on a tellement peur que ça ne tienne pas !* ANDRÉ BIRABEAU

• *Oh ! Faire son voyage de noces tout seul !* JULES RENARD

• *De nos jours, le plus grand problème du mariage est la difficulté de subvenir avec un seul salaire aux besoins de sa femme et à ceux de l'État.* MARK TWAIN

• *J'épouserais plus volontiers une petite femme qu'une grande pour cette raison que, de deux maux, il vaut mieux choisir le moindre.* COMMERSON

◆ **Socrate**, en tant qu'aîné, aura le dernier mot : ce sera un encouragement au mariage

• *Dans tous les cas, mariez-vous : si vous tombez sur une bonne épouse, vous serez heureux. Si vous tombez sur une mauvaise, vous deviendrez philosophe, ce qui est excellent pour l'homme.*

Si nous avons bien compris, c'est à l'épouvantable caractère de Xanthippe, son épouse, que Socrate dut de devenir l'un des plus grands Sages de l'Antiquité.

◆ Face au mariage, plusieurs attitudes sont possibles.
Certains couples s'y épanouissent et y trouvent le bonheur. D'autres s'en accommodent.
Si, par malheur, l'union s'est révélée être un échec, il y a ceux qui se gardent bien d'insister, guéris à jamais, alors que d'autres, incurables optimistes, effectuent une ou deux tentatives encore, dans l'espoir de trouver, un jour, le bonheur à deux.
Enfin, il existe les collectionneurs ; ceux qui, incapables de constance envers un partenaire, conservent toute leur fidélité au mariage lui-même. L'opinion publique est régulièrement informée par les magazines spécialisés des figures libres de cet étonnant quadrille conjugal que dansent les personnalités du spectacle, sorte de danse du balai où l'on change très officiellement de partenaire à chaque claquement de mains.

**130** ◆ Avant la guerre, **Sacha Guitry** fit la fortune des chansonniers et le bonheur des gazettes en ne se mariant pourtant que cinq fois. Mais ce gentil Barbe Bleue avait, entre autres génies, celui de ne pas savoir passer inaperçu.

*1er mariage* : 14 août 1907 à Honfleur avec **Charlotte Lysès**. Une farce ! Le marié était en pyjama.

*2e mariage* : 10 avril 1919 à la mairie du XVIe avec **Yvonne Printemps**... qui épousera plus tard Pierre Fresnay, lui-même divorcé de Berthe Bovy.

*3e mariage* : 21 février 1935 à la mairie du VIIe avec **Jacqueline Basset** (dite Delubac). Le mariage a lieu le jour où Sacha a 50 ans : *J'ai le double de son âge, il est donc juste qu'elle soit ma moitié.*

*4e mariage* : 5 juillet 1939 à Fontenay-le-Fleury avec **Geneviève de Séréville** (née en 1914) premier mariage catholique.

*5e mariage* : 25 novembre 1949 à l'église orthodoxe roumaine avec **Lana Marcovici** (dite Marconi). *Les autres furent mes épouses. Vous, vous serez ma veuve.*

◆ Depuis, on a fait beaucoup mieux. Malgré la défaveur actuelle du mariage, la chanteuse espagnole **Gloria Lasso** a pu, comme son nom l'indique, ficeler successivement, puis relâcher neuf maris.

◆ **Elisabeth Taylor**, n'en est encore qu'à huit, mais le record ne tardera pas à tomber.

◆ Aujourd'hui, le seul véritable professionnel du mariage c'est, sans aucun doute, **Eddie Barclay** qui a su faire de chacun de ses sept mariages une fête et une opération publicitaire. Voici son palmarès actuel :

**Edouard Ruault** — dit Eddie Barclay — né le 26 janvier 1921. Profession avouée « Roi du disque » ou « Empereur du microsillon ».

*1er mariage* : 9 juillet 1945 avec **Michelle Barraud**.

*2e mariage* : 2 août 1949 avec **Nicole Vandenbussche**.

*3e mariage* : 30 juin 1965 avec **Marie-Christine Steinberg**.

Liaison avec Bianca Perez Monreno de Macias qui le quitta pour épouser Mick Jagger.

*4e mariage* : 5 juin 1970 avec **Béatrice Chartelier** actuellement Madame Guy Marchand.

*5e mariage* : 21 juin 1973 avec **Michèle Desmazures** divorcée de l'amiral de Scitiveaux.

*6e mariage* : 1er juin 1982 avec **Danièle**.

*7e mariage* : 21 juin 1984 avec **Cathy Esposito**.

Il est à remarquer que tous les mariages d'Eddie Barclay eurent lieu à la belle saison avec une nette préférence pour le mois de juin : est-ce parce que les jours y sont plus longs, ou parce que les lunes (de miel) y sont plus courtes ?

◆ Comme le dit si justement **Sacha**, l'orfèvre :

• *La plupart des hommes n'ont que ce qu'ils méritent. Les autres sont célibataires.*

---

## Militaire

◆ Le Français s'avoue volontiers anti-militariste mais ne manquerait pour rien au monde un défilé du 14-Juillet. Le Français qui déteste le service militaire et cherche par tous les moyens à y échapper, n'en finit pas de raconter son régiment ou sa guerre. Le Français a horreur des uniformes et adore les médailles et les décorations.

◆ Suivant les circonstances, les sentiments du Français envers son armée oscillent entre l'affectueux attachement et l'irrespect le plus subversif Mais qu'importe, puisqu'en France on peut impunément rire des généraux et se moquer des militaires

• *Il suffit d'ajouter « militaire » à un mot pour lui faire perdre sa signification. Ainsi la justice militaire n'est pas la justice, la musique militaire n'est pas la musique.*
CLEMENCEAU

- *Quand les talons claquent, l'esprit se vide.* MARÉCHAL LYAUTEY

- *En matière de tactique, il y a toujours deux solutions : la bonne... et celle de l'École de Guerre.* GÉNÉRAL PAUL VANUXEN

- *L'homme se tient debout sur ses pattes de derrière pour recevoir moins de pluie et pouvoir accrocher des médailles sur sa poitrine.* JEAN GIRAUDOUX

- *La guerre, c'est une chose trop grave pour la confier à des militaires.* CLEMENCEAU

- *Il y a trois sortes d'intelligence : l'intelligence humaine, l'intelligence animale et l'intelligence militaire.* ALDOUS HUXLEY

- *Le képi déforme la tête.* MAURICE DRUON

- *Un bon soldat ne doit penser qu'à trois choses : 1° Au roi, 2° A Dieu, 3° A rien.* PROVERBE ALLEMAND

- *Braves devant l'ennemi, lâches devant la guerre, c'est la devise des vrais généraux.* JEAN GIRAUDOUX

- *La guerre justifie l'existence des militaires en les supprimant.* HENRI JEANSON

- *Le métier d'officier consiste surtout à punir ceux qui sont au-dessous de soi et à être puni par ceux qui sont au-dessus.* ALPHONSE ALLAIS

- *Il est vrai que, parfois, les militaires s'exagérant l'impuissance relative de l'intelligence, négligent de s'en servir.* CHARLES DE GAULLE

GARDE A VOUS !

---

## Monosyllabiques (vers)

◆ **Théodore de BANVILLE** — un sacré rimeur ! — a écrit dans son « Petit Traité de versification française » : *La rime est tout le vers.*

Il est vrai que, bien souvent, le vers n'est écrit que pour aboutir à cette apothéose qu'est la rime. Pourquoi alors perdre son temps à composer des alexandrins de douze pieds, si onze ne servent à rien d'autre qu'à mettre le douzième en valeur ?

Écrire des vers d'un seul pied — celui qui supporte la rime — permet d'obtenir une quintessence de poème.

Et, c'est en vertu de cette conclusion paradoxale, que de grands poètes, des virtuoses de la rime, se sont amusés à composer des vers monosyllabiques.

Il convient d'applaudir à ces exercices de style dont certains sont des chefs-d'œuvre en miniature.

### de BAUDELAIRE

**Le pauvre diable**

| | |
|---|---|
| Père | Maigre |
| Las ! | Flanc, |
| Mère | Nègre |
| Pas. | Blanc, |
| | |
| Erre | Blême, |
| Sur | Pas |
| Terre... | Même |
| Dur ! | Gras. |

### de RIMBAUD

**Cocher ivre**

| | |
|---|---|
| Pouacre | Femme |
| Boit : | Tombe : |
| Nacre | Lombe |
| Voit : | |
| | |
| Acre | Saigne : |
| Loi, | Geigne, |
| Fiacre | Clame ! |
| Choit ! | |

### de LÉON VALADE

| Suicide du soupeur blasé | Monologue de l'amour maternel |
|---|---|
| Titres | Qu'on |
| Lus ! | Change |
| Pitres | Son |
| Vus ! | Lange ! |
| | |
| Litres | Mange |
| Bus ! | Mon |
| Plus | Bon |
| D'huîtres... | Ange. |
| | |
| Mort, | Trois |
| Ange | Mois |
| Fort, | D'âge ! |
| | |
| Change | Sois |
| Mes | Sage : |
| Mets ! | Bois ! |

Ces deux sonnets sont souvent attribués à tort à **Charles CROS** l'ami de Valade. Le plus réussi de ces mini-poèmes est un sonnet intitulé **A une jeune morte** et dû à la plume de **Paul de RESSÉGUIER** (1724-1797) qui mérite bien, pour la grâce avec laquelle il a su assembler ces quatorze syllabes, de passer à la postérité :

| | | | |
|---|---|---|---|
| Fort, | Sort | Rose | Brise |
| Belle, | Frêle | Close, | L'a |
| Elle | Quelle | La | Prise |
| Dort. | Mort ! | | |

# Morts bizarres

◆ Chacun connaît la célèbre réplique du film de **Carné** et **Prévert** *Drôle de drame* :

***Bizarre, bizarre ! J'ai dit bizarre ? Comme c'est étrange !***

Elle illustre à merveille ce chapitre consacré à quelques morts peu conventionnelles.

◆ Mourir est la chose du monde la mieux partagée et la plus banale qui soit. Depuis qu'il existe des hommes et qu'ils ont pris l'habitude de mourir, on peut considérer que toutes les façons de quitter ce bas monde ont été essayées avec succès et qu'il ne reste plus grande surprise à attendre de ce côté-là.
Pourtant, quelques personnalités (on parle moins des inconnus) parviennent à étonner une dernière fois leurs contemporains par l'étrangeté de leur mort... leur chant du cygne noir, en quelque sorte.

◆ Dans leur *Livre des Bizarres* (Laffont), **Guy Bechtel** et **Jean-Claude Carrière** ont répertorié quelques morts historiques singulières :

★ **ESCHYLE** (525-456 av. J.-C.), le grand tragédien grec mourut d'avoir reçu sur le crâne une tortue qu'un aigle qui l'emportait dans ses serres venait de lâcher.

★ **AGATHOCLE** (361-289 av. J.-C.), tyran de Syracuse, fut empoisonné avec un cure-dents. Il ordonna qu'on le plaçât sur un bûcher afin de mettre un terme à ses souffrances.

★ Le roi **HENRI IV** vit ses parents disparaître de façon peu banale. Sa mère **Jeanne d'ALBRET** mourut empoisonnée par des gants. Son père, **Antoine de NAVARRE** fut tué par une balle alors qu'il était en train d'uriner.

★ Le compositeur **Jean-Baptiste LULLY** (1632-1687) avait un caractère épouvantable. Au cours de la répétition de l'une de ses œuvres, il se mit en rage contre ses musiciens et frappa violemment le sol avec la longue canne qui, à cette époque, servait à battre la mesure. En fait, il se frappa le gros orteil. La gangrène s'y mit et il mourut quelques jours plus tard.

★ Autre compositeur, **Arcangelo CORELLI** (1653-1713) mourut de douleur, son concurrent **SCARLATTI** l'ayant convaincu qu'il avait fait une fausse note.

★ L'**Abbé PRÉVOST** (1697-1763), l'auteur de *Manon Lescaut*, fut découvert par des paysans, gisant inanimé dans la campagne. Un chirurgien appelé décida de pratiquer l'autopsie. Lorsque le bistouri s'enfonça, le romancier se mit à hurler, mais il était trop tard.

★ Le Pape **CLÉMENT XIV** (1705-1774) fut empoisonné par une pastèque.

★ Le Président de la République **Félix FAURE** (1841-1899) mourut d'apoplexie, le 16 février, dans les bras de la belle **Marguerite STEINHEIL.** Un prêtre, appelé d'urgence à l'Élysée, ayant demandé : *Le Président a-t-il encore sa connaissance ?,* l'huissier lui répondit :
— *Non ! Nous venons de la faire sortir par l'escalier de service !*

★ **Isadora DUNCAN**, célèbre danseuse américaine, s'était installée en France. Le 26 avril 1913, la voiture qui transportait ses deux enfants **Deirdre** (8 ans) et **Patrick** (3 ans) ainsi que leur gouvernante, tomba en panne le long des berges de la Seine. Le chauffeur descendit pour tenter de la faire repartir à la manivelle. Le frein mal serré, la voiture glissa dans la Seine. On repêchera trois cadavres.

★ Quatorze ans plus tard, le 14 septembre 1927, c'est de nouveau le drame. La danseuse s'est retirée à **JUAN-LES-PINS** pour rédiger ses mémoires. Un jeune garagiste qui désire lui vendre une BUGATTI grand sport de type 37, vient la lui faire essayer. Dès le démarrage, les franges de la longue écharpe de soie rouge peinte à la main que portait **ISADORA** viennent se prendre dans la roue arrière. La danseuse meurt aussitôt, les cervicales brisées.

★ En 1966, **Julien CARETTE**, un des plus populaires acteurs de seconds rôles du cinéma français de l'entre-deux-guerres, mourut de façon atroce. Paralysé depuis quelques années, il vivait cloué dans un fauteuil. Pendant une absence de sa femme, il alluma une cigarette. Il s'assoupit et le feu prit à sa robe de chambre qui se consuma peu à peu. L'acteur, incapable de bouger, mourût brûlé vif. Deux cents ans plus tôt, en 1766, l'ex-roi de Pologne, **STANISLAS 1er LESZC-ZYNSKI** était mort également brûlé dans sa robe de chambre.

★ **Vera Jayne PALMER**, plus connue sous le nom de **Jayne MANSFIELD** s'était fait un nom à Hollywood davantage par ses étonnantes mensurations mammaires que par son talent d'actrice (101 de tour de poitrine ! Mais ce qui est plus surprenant : 164 de Q.I. !) Elle avait épousé un Hongrois Mickey HARGITAY, élu à l'époque Monsieur UNIVERS. Tout était rose dans sa vie de star. Les magazines étaient remplis des photos de sa villa de LOS ANGELES où tout était rose et en

forme de cœur, même la piscine. Le 29 juin 1967, sur la route de la **Nouvelle Orléans** elle heurta dans sa décapotable rose, un camion chargé de plaques de tôle. L'une d'elles se détacha et vint très proprement lui séparer la tête du corps. Dix ans auparavant, elle avait été couronnée « Miss Autoroute » !

# Mots croisés

◆ Au Moyen Age, les Chevaliers se croisaient pour aller combattre l'Infidèle. Sous Louis XIII, ils croisaient le fer à tout bout de pré pour défendre leur honneur. Mais, c'étaient là des croisements bien dangereux !

◆ A notre époque de divertissements pacifiques, on se contente de croiser les mots, histoire de ne pas rester les bras croisés. Dans le train, le métro, à la plage en bronzant, à la maison dans un bon fauteuil, assis ou horizontalement, n'importe où, n'importe quand, ils sont des millions à sucer leur crayon en attendant de découvrir le mot idoine répondant à la définition proposée.

◆ Les **Mots Croisés** sont un loisir, un divertissement, un sport, parfois même un vice... et, en tout cas, un phénomène de société.

◆ C'est à un Anglais qu'est attribuée la paternité des *CROSSED WORDS.* Ce respectable gentleman qui vivait au XIXe siècle se nommait **Albert WYNNE** et s'était fait une spécialité dans les *MOTS CARRÉS.* Un jour qu'il se heurtait à une difficulté insurmontable, il eut l'idée géniale de glisser une case noire entre deux mots. Cette case noire fut aux **mots croisés** ce que l'invention du zéro avait été aux mathématiques.

◆ En 1913, les **mots croisés** accompa-

gnèrent les émigrants partis d'Angleterre à la conquête du Nouveau Monde. Le 21 décembre 1913 — date historique — le *New York World* publia la première grille dans son supplément du dimanche. Le nouveau jeu fit fureur. Après ce détour par les États-Unis, les Anglais redécouvrirent les **mots croisés** investis de la consécration yankee et bientôt, toute l'Europe se passionna pour les *CROSSED WORDS.*

◆ En France, ils apparurent en 1925 dans le journal *Le Gaulois* sous le nom de MOTS EN CROIX. D'emblée, ce fut le succès, un succès, qui, d'année en année, ne fit que s'amplifier.
Dans les années 30, on appelait *Œdipe* ceux qui cherchaient à résoudre des problèmes de **mots croisés** et *Sphinx* ceux qui en étaient les auteurs.

De nos jours, les adeptes des **mots croisés** se nomment *Cruciverbistes* mot inventé par **Léon ABRIC** qui le trouvait, à juste titre, plus élégant que celui de *Motscroisistes.*

◆ Les cruciverbistes possèdent en commun un incontestable bagage culturel :
Ils savent tous que le *NIL* coule en Égypte sous un soleil qui se nomme *RÂ.* Les fleuves qu'ils descendent le plus volontiers sont le *PO* ou l'*OB*, à moins que,

restant en France, ils n'abordent aux rives de l'*AA* ou de la *TÊT*.

Pas un n'ignore que l'*ERS* est une légumineuse de la famille de la lentille pour qui *ESAÜ* vendit son droit d'aînesse (phonétiquement *N S*). La vie est simple au cruciverbiste : il vit dans un monde où l'architecte ne sort jamais sans son *TE*, où le poète — dit aussi *AEDE* — compose surtout une *ODE* ou un *LAI*, ou le joueur de golf utilise un *TEE*, alors que celui d'échecs met son adversaire *PAT* ou *MAT*.

Le cruciverbiste n'est pas monothéiste : son ciel est peuplé de dieux, de déesses et de nymphes : *RÂ* ou *RÊ*, *GÊ*, *EOLE*, *ESUS*, *ISIS*, *IRIS*, *EROS*, *INO* et *IO* surtout, lui font un cortège charmant.

Ses amis et connaissances sont nombreux : *ADER*, *SUE*, *SAY*, *HUC*, *BATZ*, *DARU*, *AUER* (qui est tombé sur un bec !) *NAU*, *SEM*, *RIP* et autres célébrités.

Il aime l'argent et sait compter aussi bien en *AS* romain, en *ECU*, en *SOU* ou en *SOL*, en *YEN* ou en *SEN* japonais et en *LEU* roumain (s'il y en a plusieurs, ce sont des *LEI*). Son époque préférée, c'est l'*ÉTÉ*, sa période c'est l'*ÈRE*, sa colère l'*IRE* et pour faire partir ses amis, il leur dit tout simplement *ITE*.

◆ Bien heureusement, les grilles de **mots croisés** ne se limitent pas à la manipulation intensive des dictionnaires. Si l'on devait s'en tenir à trouver le mot correspondant à la définition proposée, ce ne serait pas un jeu d'esprit, mais un passe-temps tout juste bon pour les soirs où la télé est en grève.

**Tristan BERNARD** fut le premier à remplacer les définitions tirées du dictionnaire par des astuces de son cru. Ce faisant, il donnait aux **mots croisés** leurs lettres de noblesse. C'est l'humour des définitions qui fait des **mots croisés** le roi des jeux d'esprit. Tel le détective qui,

tout au long du roman policier, va remonter la piste qui le conduira jusqu'au coupable, ainsi le cruciverbiste astucieux devra-t-il résoudre l'un après l'autre les pièges que l'auteur a semés sur sa route. Il devra trouver le mot exact sous les allusions à double ou triple sens et décoder les indications les plus sybillines. Quel bonheur lorsqu'il y parvient enfin !

◆ L'exemple le plus fameux est la définition attribuée à **Tristan BERNARD** (alors qu'elle est de **Renée DAVID**, créatrice du *Journal des Mots Croisés*) du mot entr'acte :
*Vide les baignoires et remplit les lavabos.*

Il en est d'autres tout aussi célèbres :
*Moins cher quand il est droit* (Piano).
*Ne reste pas longtemps ingrat* (Age).
*Du vieux avec du neuf* (Nonagénaire).
*Do* (Demi-sommeil).
*Crevâsse* (Mourûsse).
*Tube de rouge* (Internationale).
*Feu rouge* (Staline).

◆ Les grandes signatures des **mots croisés** sont celles de : **Max FAVALELLI**, **Robert SCIPION**, **Yves GIBEAU**, **Michel LACLOS**, **Roger LA FERTÉ**, **Guy BROUTY**, **Guy HACHETTE**, **Jacques BENS**, **Ferdinand EXBRAYAT**, **Robert MALLAT**, de **Georges PEREC**, trop tôt disparu.

◆ Une belle histoire pour terminer : **Max FAVALELLI**, âgé de 80 ans, a pris sa retraite en septembre 1984. Ce parfait honnête homme cultivé et souriant, prouva pendant l'Occupation qu'une grille de **mots croisés** pouvait être le théâtre d'un acte de résistance. Sa définition : *A mérité le bâton* en 14 lettres ne fut pas refusée par la censure vichyste. La réponse était pourtant subversive : *MARÉCHAL PÉTAIN !*

## Nobel (Prix)

◆ Il ne faut pas laisser les enfants jouer avec les allumettes. Avec les explosifs encore moins !

Papa **NOBEL** bricolait déjà dans la nitroglycérine et son fils **Alfred** (né en 1833) suivit ses traces. En 1862, ils inventent un détonateur permettant de faire exploser la nitroglycérine *en toute sécurité*.

Deux ans plus tard, l'usine explose ainsi

qu'**Émile**, le jeune frère d'Alfred et cinq ouvriers.

**Alfred Nobel** ne se décourage pas, il continue à fabriquer de la nitroglycérine dans le monde entier.

◆ Dans cette deuxième moitié du XIXe, l'explosif est un produit très demandé : les mines, les canaux, le chemin de fer sont de gros consommateurs. Dans tous les pays, les explosions se succèdent — volontaires ou involontaires.

Une usine saute à Hambourg — 25 blessés à New York en 1865 — 28 morts à Brême — un cargo saute en plein dans le port de Panama, faisant cinquante victimes en 1866.

La France interdit la nitroglycérine, d'autres pays emboîtent le pas.

**Alfred** s'inquiète, cherche, et finit par trouver. En 1867, il invente la **dynamite**, qui est un explosif solide.

Il a eu l'idée de mélanger trois parties de nitroglycérine liquide avec une partie de *kieselguhr* qui est une sorte d'argile.

**NOBEL** devient dans le domaine de l'explosif l'équivalent de ce qu'est **Rockefeller** pour le pétrole. Il ouvre une douzaine d'usines dans une dizaine de pays. A la fin de sa vie, il a amassé plus de 33 millions de couronnes suédoises, ce qui équivaut à 40 millions de francs or.

♦ Lorsqu'**Alfred Nobel** meurt à San-Remo le 10 décembre 1896, les héritiers arrivent en foule... mais sont bien vite frappés de stupeur par le testament « explosif » qu'ils découvrent :

*Toute la fortune réalisable que je laisserai en mourant sera employée de la manière suivante : le capital, placé en valeurs mobilières sûres par mes exécuteurs testamentaires, constituera un fonds dont les revenus seront distribués chaque année, sous forme de prix, aux personnes qui, au courant de l'année écoulée, auront rendu à l'humanité les plus grands services.*

Cinq prix sont institués dans les domaines de la **physique**, de la **chimie**, de la **médecine**, de la **littérature** et de la **paix**.

♦ Les premiers **prix NOBEL** furent distribués le 10 décembre 1901 pour le cinquième anniversaire de la mort de leur fondateur. Ce furent :

• Pour la *physique* : **W.C. RÖNTGEN** (Allemagne).
• Pour la *chimie* : **J.H. Van T'HOFF** (Pays-Bas).
• Pour la *médecine* : **E.A. von BEHRING** (Allemagne).
• Pour la *littérature* : **SULLY-PRUDHOMME** (France).
• Pour la *paix* : **Henri DUNANT** (Suisse) conjointement avec **Frédéric PASSY** (France).

Si, en *littérature*, la France est première avec douze Prix, elle fait assez piètre figure dans les disciplines scientifiques. Les États-Unis viennent très nettement en tête devant la Grande-Bretagne, puis l'Allemagne et ensuite, seulement, la France.

**Voici les prix obtenus par des Français :**

**PHYSIQUE**
1903 : **H. Becquerel - P. Curie - M. Curie**
1908 : **G. Lippmann**
1926 : **J. Perrin**
1929 : **L.V. de Broglie**
1966 : **A. Kastler**
1970 : **L. Neel**

**CHIMIE**
1906 : **H. Moissan**
1911 : **M. Curie**
1912 : **V. Grignard - P. Sabatier**
1935 : **F. et I. Joliot Curie**

**MÉDECINE**
1907 : **C.L. Laveran**
1912 : **A. Carrel**
1913 : **C. Richet**
1928 : **C. Nicolle**
1965 : **F. Jacob - A. Lwoff - J. Monod**

**LITTÉRATURE**
1901 : **Sully Prudhomme**
1904 : **Frédéric Mistral**
1915 : **Romain Rolland**
1921 : **Anatole France**
1927 : **Henri Bergson**
1937 : **R. Martin du Gard**
1947 : **André Gide**
1952 : **François Mauriac**
1957 : **Albert Camus**
1960 : **Saint John Perse**
1964 : **J.P. Sartre** (prix refusé)
1985 : **Claude Simon**

**PAIX**
1901 : **F. Passy**
1907 : **L. Renault**
1909 : **P.H. Balluat - D'Estournelles de Constant**
1920 : **L. Bourgeois**
1926 : **A. Briand**
1927 : **F. Buisson**
1951 : **L. Jouhaux**
1952 : **A. Schweitzer**

♦ **Que rapporte un Prix Nobel ?**
Claude Simon, dernier Prix Nobel français, a reçu un chèque d'1,8 million de couronnes suédoises, soit environ 2 millions de francs.

## Noms de plume (cent)

| | |
|---|---|
| **Raymond ABELLIO**, *nom de plume de* | Georges SOULÈS |
| **ALAIN** | Émile CHARTIER |
| **Guillaume APOLLINAIRE** | Wilhelm Apollinaris de KOSTROWITSKY |
| **Louis ARAGON** | Louis ANDRIEUX |
| **Georges ARNAUD** | Henri GIRARD |
| **Gaston BONHEUR** | Gaston TEYSSEYRE |
| **Alain BOSQUET** | Anatole BISK |
| **Francis CARCO** | François CARCOPINO TUSOLI |
| **Lewis CARROLL** | Charles LUTWIDGE DODGSON |
| **Patrick CAUVIN** | Claude KLOTZ |
| **Louis Ferdinand CÉLINE** | Dr L.F. DESTOUCHES |
| **Blaise CENDRARS** | Frédéric SAUSER-HALL |
| **Gilbert CESBRON** | Jean GUYON |
| **Jacques CHARDONNE** | Georges, Jean-Jacques BOUTELLEAU |
| **Eugène CHAVETTE** | Eugène VACHETTE |
| **Agatha CHRISTIE** | Agatha Mary Clarissa MILLER |
| **CHRISTOPHE** | Georges COLOMB |
| **Joseph CONRAD** | Theodor Josef Konrad NALECZ KORZENIOWSKI |
| **Benjamin CONSTANT** | Henri, Benjamin de CONSTANT DE REBECQUE |
| **Henri COULONGES** | Marc-Antoine de DAMPIERRE |
| **Georges COURTELINE** | Georges MOINAUX |
| **Francis de CROISSET** | Frantz WIENER |
| **Jean Louis CURTIS** | Louis LAFFITTE |
| **DANIEL-ROPS** | Henri PETIOT |
| **DELLY** | Marie et Frédéric PETITJEAN de LA ROSIÈRE |
| **DESTOUCHES** | Philippe NERICAULT |
| **Roland DORGELÈS** | Roland LECAVELÉ |
| **Georges DUHAMEL** | Denis THÉVENIN |
| **George ELIOT** | Mary Ann EVANS |
| **Paul ÉLUARD** | Eugène Émile Paul GRINDEL |
| **Pierre EMMANUEL** | Noël MATHIEU |
| **ERCKMANN-CHATRIAN** | Émile ERCKMANN et Alexandre CHATRIAN |
| **Luc ESTANG** | Lucien BASTARD |
| **Claude FARRÈRE** | Frédéric Charles BARGONE |
| **William FAULKNER** | William FALKNER |
| **Anatole FRANCE** | Anatole François THIBAULT |
| **Jean FREUSTIÉ** | Pierre TEURLAY |

| | |
|---|---|
| **Romain GARY** | Romain KACEW |
| **Pierre GASCAR** | Pierre FOURNIER |
| **Paul GÉRALDY** | Paul LE FÈVRE |
| **Michel de GHELDERODE** | Adémar Adolphe Louis MARTENS |
| **Françoise GIROUD** | Françoise GOURDJI |
| **Maxime GORKI** | Alexis Maximovitch PECHKOV |
| **Julien GRACQ** | Louis POIRIER |
| **GYP** | Sybille Gabrielle Marie Antoinette de RIQUETI de MIRABEAU, comtesse de MARTEL de JANVILLE |
| **Philippe HÉRIAT** | Raymond Gérard PAYELLE |
| **Sébastien JAPRISOT** | Jean-Baptiste ROSSI |
| **LANZA DEL VASTO** | Joseph Jean Lanza di TRABIA-BRANCIFORTE |
| **Jean LARTÉGUY** | Jean OSTY |
| **Comte de LAUTRÉAMONT** | Isidore DUCASSE |
| **LA VARENDE** | Jean Balthazar Marie Mallard Comte de LA VARENDE |
| **Auguste LE BRETON** | Auguste MONTFORT |
| **Jean LORRAIN** | Paul DUVAL |
| **Pierre LOTI** | Julien VIAUD |
| **Pierre MAC ORLAN** | Pierre DUMARCHEY |
| **Curzio MALAPARTE** | Kurt SUCKERT |
| **Félicien MARCEAU** | Louis CARETTE |
| **Thierry MAULNIER** | Jacques Louis TALAGRAND |
| **André MAUROIS** | Émile HERZOG |
| **Francis de MIOMANDRE** | François DURAND |
| **MOLIÈRE** | Jean-Baptiste POQUELIN |
| **Jean MORÉAS** | Ioannis PAPADIAMANTOPOULOS |
| **Hégésippe MOREAU** | Pierre Jacques ROULLIOT |
| **Pablo NERUDA** | Ricardo Neftali REYES |
| **Gérard de NERVAL** | Gérard LABRUNIE |
| **Roger NIMIER** | Roger de la PERRIÈRE |
| **Marie NOEL** | Marie ROUGET |
| **O'HENRY** | William Sydney PORTER |
| **George ORWELL** | Eric Arthur BLAIR |
| **Stève PASSEUR** | Étienne MORIN |
| **Catherine PAYSAN** | Annie ROULETTE |
| **Pierre Jean RÉMY** | Jean-Pierre ANGRÉMY |
| **Jehan RICTUS** | Gabriel Randon de SAINT-AMAND |
| **Jules ROMAINS** | Louis FARIGOULE |
| **Claude ROY** | Claude ORLAND |
| **Maurice SACHS** | Jean-Maurice ETTINGHAUSEN |

| | |
|---|---|
| Françoise **SAGAN** | Françoise QUOIREZ |
| **SAINT JOHN PERSE** | Alexis SAINT-LÉGER LÉGER |
| Cécil **SAINT-LAURENT** | Jacques LAURENT |
| **SAINT-POL ROUX** | Paul Pierre ROUX |
| **SAN ANTONIO** | Frédéric DARD |
| George **SAND** | Aurore DUPIN, baronne DUDEVANT |
| Jean **SARMENT** | Jean BELLEMÈRE |
| Marcelle **SEGAL** | Marcelle SCHRESCHWSKY |
| Ignazio **SILONE** | Secondo TRANQUILLI |
| Philippe **SOLLERS** | Philippe JOYAUX |
| **STENDHAL** | Henri BEYLE |
| Robert **STEVENSON** | Robert Louis BALFOUR |
| | |
| Elsa **TRIOLET** | Elsa KAGAN |
| Frédérick **TRISTAN** | Jean-Paul BARON |
| Henri **TROYAT** | Lev TARASSOV |
| Mark **TWAIN** | Samuel LANGHORNE CLEMENS |
| Tristan **TZARA** | Samuel ROSENSTOCK |
| | |
| Roger **VERCEL** | Roger CRÉTIN |
| **VERCORS** | Jean BRULLER |
| Charles **VILDRAC** | Charles MESSAGER |
| François **VILLON** | François de MONTCORBIER |
| **VOLTAIRE** | François Marie AROUET |
| | |
| Tennessee **WILLIAMS** | Thomas LANIER |
| **WILLY** | Henri GAUTHIER-VILLARS |
| | |
| Marguerite **YOURCENAR** | Marguerite de CRAYENCOUR |

## Noms propres devenus communs

Si vous n'êtes pas né roi d'un grand pays, si vous n'avez été ni savant génial, ni écrivain prodige, ni général victorieux, vous avez peu de chances de survivre dans la mémoire des générations futures. Pourtant, si votre nom a été associé à une invention, à la culture d'une fleur nouvelle, voire à une recette culinaire, il se peut que le vocabulaire garde la trace de votre passage sur Terre. De nom propre devenu nom commun, en perdant votre majuscule, vous survivrez dans le langage des hommes.

Mais quelle est la jeune accouchée délivrée par césarienne qui fait le rapprochement entre le nom de l'opération qu'elle a subie et celui du grand JULES CÉSAR qui vint au monde de cette façon ? Et quelle cuisinière se souvient en tournant une sauce du MARQUIS DE BÉCHAMEL qui l'inventa ?

**BÉCHAMEL** : De Louis de BÉCHAMEL, marquis de Nointel (1630 1703) ancien maître d'hôtel de Louis XIV Devenu fer mier général, il amassa une fortune con sidérable. Il était aussi un remarquable cuisinier amateur

**BÉGONIA** : Cette plante a été baptisée en souvenir de **Michel BÉGON** gouver neur de Saint Domingue au XVIIe

**BINETTE** : D'abord perruque masculine créée par **BINET**, perruquier de Louis XIV Par extension, le mot désigna familièrement un visage

**CALICOT** : Désignait autrefois le commis d'un magasin de tissus Le nom de **CALICOT** était donné à un marchand de nouveautés qui singeait les héros de la Grande Armée dans une revue de Scribe et Dupin *Le Combat des Montagnes* ou *La Folie Beaujon*, représentée au théâtre des Variétés le 12 juillet 1817.

**CAMÉLIA** : Nom donné à cette plante originaire du Japon par **Karl von Linné** en l'honneur du père jésuite morave **KAMEL dit CAMELLUS**, missionnaire en Extrême-Orient, d'où il l'avait rapportée à la fin du XVIIe Le nom s'écrivait d'abord CAMELLIA. C'est Alexandre Dumas fils qui l'orthographia avec un seul « L » pour sa célèbre poitrinaire

**CARDAN** : De Gerolamo CARDANO — philosophe mathématicien et médecin italien (1501-1576) inventeur d'un dispositif d'articulation destiné à rendre la boussole insensible aux mouvements des bateaux

**CHAUVIN** : Nom d'un **personnage de vaudeville** exprimant des sentiments d'un patriotisme aveugle et étroit au sujet des succès et des revers de Napoléon Ier. En 1825 parut un recueil de chansons : *Guirlande poétique et militaire de Chauvin*

**CLÉMENTINE** : Du nom de l'abbé CLÉMENT, un père Blanc de l'orphelinat agricole de Mizerghine dans l'Oranais, en Algérie En 1902, il découvrit un hybride d'oranger et de mandarinier qu'il eut l'idée de greffer sur un pied cultivé de mandarinier

**COLT** : De Samuel COLT, ingénieur américain qui inventa en 1836 le pistolet à barillet.

**DAHLIA** : Plante originaire du Mexique qui fut baptisée par l'abbé et botaniste espagnol **Covanilles** en l'honneur d'An dreas **DAHL**, botaniste suédois, élève de son compatriote le grand **Linné** La plante fut acclimatée à Madrid en 1788 et introduite en France en 1802 par notre ambassadeur en Espagne

**DIESEL** : Du nom de l'ingénieur allemand **Rudolf DIESEL** (1858-1913) qui publia en 1893 un mémoire *Théorie et construction d'un moteur thermique rationnel destiné à supplanter la machine à vapeur et les autres machines à feu connues aujourd'hui*. Démonstration publique de son moteur à Kassel en 1897

**DOBERMANN** : Du nom d'un employé à la fourrière d'un bourg de **Thuringe** qui vers 1860 créa, par croisements, une race de chiens de garde à partir des animaux condamnés qu'il aurait dû tuer. Le **dobermann** a été présenté en France pour la première fois à Lyon

**GIBUS** : Chapeau haut de forme monté sur ressorts, du nom de son inventeur

**GODILLOT** : Nom d'un fabricant de **chaussures sans tige** très résistantes qui fut fournisseur des Armées en 1870 et mourut en 1903

**GOGO** : Monsieur GOGO était **un des personnages du mélodrame** *Robert Macaire* de Frédérick Lemaître, Saint-Amand et Benjamin Antier, joué en 1834.

**GUILLOTINE** : Un instrument semblable avait déjà fonctionné en Allemagne au Moyen Age et en Italie dès le XIIIe siècle. Le docteur **Joseph-Ignace GUILLOTIN** s'est contenté de recommander devant l'Assemblée nationale l'utilisation d'une machine qui abrégerait les souffrances des condamnés à mort C'est le **docteur LOUIS** qui reçut la mission du gouvernement de mettre au point une machine à décollation. Premier essai de la guillotine : 25 avril 1792 sur un voleur nommé **Nicolas-Jacques PELLETIER**.

**KLAXON** : Du nom d'une firme d'**accessoires automobile** qui a déposé le brevet d'un avertisseur sonore en 1914.

**MACADAM** : L'ingénieur écossais **John London McADAM** (1756-1836). A donné son nom à un système d'empierrement des routes mis au point en 1815. Il n'avait pourtant fait que reprendre la méthode inventée par le Français **Jean-Rodolphe PERONNET** (1708-1794).

**MAC FARLANE** : Du nom présumé de l'inventeur de ce **manteau sans manches** avec des ouvertures pour les bras et une pélerine descendant jusqu'à la ceinture.

**MAILLECHORT :** Alliage de cuivre, zinc et nickel, inventé en 1819 par deux Lyonnais **MAILLOT** et **CHORIER**.

**MANSARDE :** Pièce aménagée dans un comble du nom de l'architecte français Jules Hardouin **MANSART** (1646-1708).

**MASSICOT :** Appareil à couper le papier en feuilles du nom de son inventeur Guillaume **MASSIQUOT** (1797-1870).

**PÉPIN :** Nom porté par un bourgeois affublé d'un ridicule parapluie vert que jouait le comique **Brunet** dans la pièce *Romainville* ou *la Promenade du dimanche* en 1807.

**PIPELET :** Concierge en vieil argot. S'emploie aujourd'hui au féminin. Monsieur PIPELET était le nom donné à un portier par **Eugène SUE** dans ses *Mystères de Paris*.

**POUBELLE :** Eugène POUBELLE (1831-1907), préfet de l'Isère en 1872-1873, essaya vainement de lutter contre la malpropreté de Grenoble. Nommé Préfet de la Seine, il imposera par une ordonnance du 15 janvier 1884 l'usage des **boîtes à ordures** et leur ramassage quotidien.

**PRALINE :** Bonbon composé d'une amande recouverte d'une enveloppe de sucre cuit. Du nom du Maréchal du **PLESSIS-PRALIN** (1598-1673) dont le cuisinier inventa cette préparation.

**PULLMAN :** Du nom de Georges Mortimer **PULLMAN** (1831-1897) qui dessina les plans en 1863 à Chicago d'une voiture de chemin de fer (brevetée en 1864) qui possédait dans sa partie supérieure des lits dépliables pour la nuit.

**QUINQUET :** Du nom du pharmacien QUINQUET fabricant de lampes. La lampe « à la quinquet » date de 1789.

**RAGLAN :** Paletot à pèlerine très en vogue en 1855 après la guerre de Crimée. Du nom de **Lord Fitzroy James Henry SOMERSET, baron RAGLAN,** feld-maréchal britannique (1788-1855) qui commanda les troupes anglaises en Crimée.

**RIFLARD :** Parapluie — du nom d'un des personnages de la comédie *la Petite Ville* de **Picard** (1801) qui paraissait en scène en brandissant un immense parapluie.

**RIGODON :** (ou RIGAUDON) : Danse d'origine provençale, d'un rythme vif, très à la mode sous Louis XV. Dans son *Dictionnaire de musique*, Jean-Jacques **ROUSSEAU** prétend que ce serait un maître à danser du nom de **RIGAUD** l'inventeur de cette danse.

**RIPOLIN :** Peinture à l'huile créée en 1888 par l'inventeur **RIEP** plus l'élément **OL** (du néerlandais « OLIE », huile) et le suffixe savant **IN**.

**SANDWICH :** Mot anglais du nom de John **MONTAGU, comte de SAND-WICH** (1718-1792) joueur impénitent, à qui son cuisinier imagina de servir son repas entre deux tranches de pain afin qu'il puisse manger sans interrompre sa partie.

**SILHOUETTE :** Étienne de SILHOU-ETTE (1704-1767) Contrôleur des Finances qui voulut réaliser des économies draconiennes lorsqu'il parvint aux affaires en 1759. Arrivé en mars, il tomba en novembre, victime de son impopularité. Son nom fut employé pour caractériser un passage rapide, puis un dessin à peine ébauché.

**SPENCER :** Du nom de **Lord John Charles SPENCER** (1758-1834) qui mit ce vêtement à la mode.

**STRASS :** Faux diamant du nom de son inventeur Georges-Frédéric **STRAS**, joaillier parisien (1700-1773).

**TRAMPOLINE :** L'invention de ce sport serait due au Français **TRAMPOLONI**. Il était pratiqué par les trapézistes de cirque à la fin du XIXᵉ siècle. En 1953, les Américains codifieront les règles et les figures. Cette spécialité a été inscrite pour la première fois aux Jeux Olympiques de Moscou en 1980.

# Olorimes (vers)

**Olorime** signifie « une seule rime » On appelle vers olorimes deux vers qui riment entièrement. Il est possible de les définir comme des rimes riches — richissimes même — poussées à leurs plus extrêmes limites. Une hypertrophie de la rime en quelque sorte.

Mieux qu'une définition, un exemple célèbre suffit à expliquer ce que sont des vers olorimes :

> Gall, amant de la reine, alla, tour magnanime,
> Galamment de l'Arène à la Tour Magne à Nîmes.

Chaque année à l'occasion des Jeux floraux de Nîmes, une reine et un seigneur étaient élus ; ils devaient caracoler en tête du cortège qui défilait à travers les rues. Merveilleuse coïncidence : une année, le seigneur élu se nommait Gall. Ce qui permit à quelqu'un (certains disent **Victor HUGO**, d'autres, mieux renseignés, disent **Marc MONNIER**) de composer le distique ci-dessus qui confère à l'olorime ses lettres de noblesse.

Au cours du siècle dernier, c'était un genre extrêmement prisé qui, à côté d'œuvres laborieuses, a donné de véritables chefs-d'œuvre.
**Charles CROS**, poète délicat et inventeur du phonographe, a composé ce bijou :

### A un page bleu de la reine Isabeau

> Dans ces meubles laqués, rideaux et dais moroses
> Où, dure, Ève d'efforts sa langue irrite (erreur !)
> Ou du rêve des forts alanguis rit (terreur !)
> Danse, aime, bleu laquais, ris d'oser des mots roses

Si l'on veut bien y regarder de près, les vers olorimes ne sont que des calembours assaisonnés à la sauce poétique. Il était donc fatal que les humoristes s'emparassent de ce genre, et notamment le plus génial d'entre eux : **Alphonse ALLAIS**.
C'est à lui qu'on doit quelques unes des perles du genre :

> Aidé, j'adhère au quai. Lâche et rond, je m'ébats
> Et déjà, des roquets lâchés rongent mes bas

ou encore :

> Alphonse Allais de l'âme erre et se f... à l'eau
> Ah ! L'fond salé de la mer ! Hé ! ce fou ! Hallo !

### Exhortation au pauvre Dante

> Ah ! Vois au pont du Loing ! De là, vogue en mer, Dante !
> Hâve oiseau, pondu loin de la vogue... ennuyeuse

(La rime n'est pas très riche mais j'aime mieux ça que la trivialité, ajoutait Allais.)

### Conseils à un voyageur timoré
### qui s'apprêtait à traverser une forêt hantée
### par des êtres surnaturels

> Par le bois du Djinn où s'entasse de l'effroi,
> Parle ! Bois du gin !... ou cent tasses de lait froid

(Le lait froid, absorbé en grande quantité, est bien connu pour donner du courage aux plus pusillanimes.)

Alphonse ALLAIS a même composé un sonnet en vers olorimes. Le voici :

### Le bœuf à la vache

*D'où te vint*
*L'air boulot*
*L'herbe ou l'eau ?*
*Doute vain*

*O Seigneur !*
*Quelle panse !*
*Qu'elle pense*
*Au saigneur.*

### Réponse de la vache

*J'ai-mi-saoule,*
*Gémi sous le*
*Faix nouveau*
*Aide ! Grâce !*

*Et, de grasse*
*Fais-nous veau.*

A côté des olorimes d'Alphonse Allais, on cite souvent ce distique de **Gabriel de LAUTREC** lequel fut, outre un humaniste reconnu, le traducteur en français de **Mark Twain**.

> *Eau, puits, masseur, raide huis, habit, table, chandelle*
> *Oh ! puis, ma sœur, réduits habitables, chants d'elle.*

Les vers olorimes sont parfois de circonstance.
Ainsi de ces deux vers composés à la suite d'une course automobile où le Français **Laurent PICHAT** l'emporta sur l'Anglais Lord **EMPIS** :

> *Laurent Pichat virant, coup hardi, bat Empis*
> *Lord Empis, chavirant, couard dit : « Bah ! Tant pis ! »*

Plus près de nous, la délicieuse **Louise de VILMORIN** reprit le flambeau de l'olorime et les effets qu'elle en tira méritent toute notre admiration. Voici trois exemples particulièrement réussis :

> *Étonnamment monotone et lasse*
> *Est ton âme en mon automne, hélas !*

> *L'âme est moirée par mille émois sans torts*
> *La mémoire est parmi les mois, Centaure.*

> *Elle sort là-bas des menthes,*
> *La belle Ève à l'âme hantée*
> *Et le sort l'abat démente*
> *L'abbé laid va lamenter.*

L'olorime est loin d'être une spécialité perdue. **Michel LACLOS** raconte dans ses *Jeux de lettres, Jeux d'esprit* qu'un article sur les vers olorimes publié dans *le Figaro* il y a quelques années, suscita une impressionnante avalanche de distiques. Certains sont de vrais petits bijoux.

Qu'on en juge plutôt :

> *Dans cet antre, lassés de gêner au Palais*
> *Dansaient, entrelacés, deux généraux pas laids.*　　　　LUCIEN REYMOND

> *A Lesbos, à Tyr, l'évangile est appris*
> *Ah ! laisse, beau satyre, l'Ève en gilet t'a pris.*　　　　DAVID P. MASSOT

## Or (nombre d')

Quel est le secret de la beauté de ces chefs-d'œuvre absolus que sont la grande PYRAMIDE de **CHEOPS** ou le PARTHENON de l'**ACROPOLE** ?

Depuis l'Antiquité, les architectes et les philosophes croyaient à l'existence d'une proportion privilégiée que les artistes de la Renaissance baptisèrent le **NOMBRE D'OR**. Ce nombre d'or appelé aussi **porte d'harmonie** ou **divine proportion** est un rapport idéal entre deux grandeurs : il provient du nombre **5** que PYTHAGORE appelait, lui, le **nombre ornement**.

**Marcus Vitruvius Pollo**, architecte romain du Ier siècle — plus connu sous le nom de **VITRUVE** — a parfaitement défini ce principe de la section d'or.

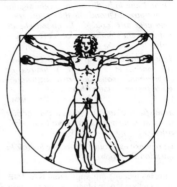

*Pour qu'un tout, partagé en parties inégales, paraisse beau, il doit y avoir entre la petite partie et la grande, le même rapport qu'entre la grande et le tout.*

```
A              B
├──────────────┼──────┤
        C
```

Soit une grandeur C divisée en deux grandeurs A et B, telles que :

$$\frac{C}{B} = \frac{B}{A} ,$$

On calcule que la fraction $\frac{B}{A}$ appelée

*nombre d'or* est égale à $\dfrac{1 + \sqrt{5}}{2}$

soit : **1,6180033989**...

On calcule aussi que c'est la limite de la fraction formée par deux nombres successifs de la série de **FIBONACCI** dont chacun des termes est la somme des deux précédents :

1, 2, 3, 5, 8, 13, 21, 34, 55, 89, 144, 233, 377...

Aussi, dans la pratique, retient-on comme *section dorée*, les rapports

$$\frac{8}{5} \text{ ou } \frac{13}{8} \text{ ou } \frac{21}{13} \text{ ... etc.}$$

.. étant entendu que l'approximation est d'autant plus satisfaisante que l'on pousse la série plus loin.

Il paraît étonnant, incroyable de pouvoir mettre la beauté en équation, d'enfermer l'harmonie dans une formule magique. Pourtant, le résultat est toujours là, sous nos yeux, fabuleux de beauté, sous le ciel de l'Égypte et de la Grèce.

---

## Oui

*Pour une réponse affirmative, il n'existe qu'un seul mot : « oui ». Tous les autres mots ont été inventés pour dire « non ».*
TRISTAN BERNARD

*« Oui » et « non » sont les mots les plus courts et les plus faciles à prononcer et ceux qui demandent le plus d'examen.*
TALLEYRAND

*« Oui », ce seul mot qui cimente tous les mariages, n'est peut-être si court que parce qu'on craint la réflexion.*
A. DUPUIS

*On est jeune tant que l'on sait dire « non ». Premier « oui », première ride.*
HENRI JEANSON

*Quand un diplomate dit « oui », cela signifie peut-être. Quand il dit « peut-être », cela veut dire « non »... Et quand il dit « non », ce n'est pas un diplomate.* H.L. MENCKEN

144 Avec une très légère modification, cette citation s'applique parfaitement à la femme du monde :

*Quand une lady dit « non », cela signifie « peut-être ». Quand elle dit « peut-être », cela veut dire « oui »... Et quand elle dit « oui », cela signifie que ce n'est pas une lady.*

*Une femme vous dira « non » à 10 heures du matin, et « oui » à 5 heures de l'après-midi, sans que rien ait changé entre-temps... sinon l'heure.*
DICTIONNAIRE DES FEMMES

*Je me flatte d'avoir toujours le dernier mot dans mon ménage... Et ce mot est généralement « oui ».* JULES RENARD

*La réponse est « oui ». Mais quelle était la question ?* WOODY ALLEN

Tous les lycéens ont appris que **RACINE** avait eu l'astuce de placer ce petit mot de trois lettres au tout début de certaines de ses tragédies. Ainsi, le personnage qui parle le premier est-il plus naturel en donnant l'impression de répondre à une question qui lui aurait été posée juste avant le lever du rideau et, de son côté, le spectateur se sent tout de suite plongé dans l'action.

Trois tragédies de Racine commencent ainsi :

**ANDROMAQUE** (1667)
Oreste, en retrouvant Pylade :
*Oui ! Puisque je retrouve un ami si fidèle...*

**IPHIGÉNIE** (1674)
Agamemnon :
*Oui ! C'est Agamemnon, c'est ton roi qui t'éveille...*

**ATHALIE** (1691)
Abner :
*Oui ! Je viens dans son temple adorer l'Éternel...*

Légère variante au « OUI », le « QUOI » qui indique soit l'interrogation, soit l'étonnement, et sur lequel s'ouvrent deux autres tragédies de RACINE.

**ALEXANDRE** (1665)
Cléophile :
*Quoi ? Vous allez combattre un roi dont la puissance...*

**BRITANNICUS** (1669)
Albine :
*Quoi ! Tandis que Néron s'abandonne au sommeil...*

Cet article vous a-t-il plu ? N'omettez pas de nuancer votre réponse, car
*Les questions auxquelles on répond par « oui » ou par « non » sont rarement intéressantes* JULIEN GREEN

---

## Palindromes

Quiconque a remarqué un jour que certains noms ou mots pouvaient se lire indifféremment dans un sens ou dans l'autre et s'est amusé ensuite à rechercher de nouveaux exemples, celui-là peut se vanter d'avoir fait des **palindromes** sans le savoir.
Les villes de **NOYON** (60), de **LAVAL** (53) ou de **SÉES** (61), des prénoms comme **EVE, AVA** ou **ANNA**, ou bien quelques rares mots — **NON, ÉTÉ, ARA, ICI, ANA, ELLE** ou **RADAR** — ont une forme palindromique.
On a vite fait le tour des possibilités offertes par le dictionnaire et une telle recherche n'a rien de vraiment passionnant.
Il en va tout autrement du véritable palindrome — du grec *palin*, « de nouveau » et *dromos*, « course » : littéralement, une nouvelle course, un deuxième parcours

— que l'on définit comme une phrase pouvant être lue deux fois, la première de gauche à droite et la deuxième de droite à gauche, tout en conservant le même sens.
Certains palindromes sont assez connus parmi les potaches comme le fameux :

*Et la marine va, papa, venir à Malte*

ou bien :

*Esope reste ici et se repose*

*Élu par cette crapule*

La fabrication de palindromes inédits a tenté certains auteurs connus. Le doux poète et inventeur **Charles CROS** a signé ce classique :

*Léon, émir cornu, d'un roc rime Noël.*

La phrase est peut-être un peu sybilline

mais une certaine obscurité ne messied pas au palindrome.

**Luc ÉTIENNE**, grand maître ès contrepets (c'était lui la comtesse **Maxime de la FALAISE** du *Canard Enchaîné*) s'était aussi essayé avec bonheur au palindrome, ainsi qu'en témoignent ces deux chefs-d'œuvre :

*Sexe vêtu, tu te vexes*
*Sévère mal à l'âme, rêves.*

La romancière **Louise de VILMORIN** s'y est montrée, comme à l'habitude fort brillante :

*L'âme sûre ruse mal*
*Eh ! Ça va la vache ?*
*A l'étape, épate-là !*
*Suce ses écus*
*L'ami naturel ? Le rut animal.*

**Michel LACLOS**, qui consacre dans ses *Jeux de lettres, jeux d'esprit* un chapitre au palindrome, en cite des exemples la tins dus à des écrivains comme **PLINE** :

*Si bene te tua laus taxat, sua laute tenebis*

ou bien **AUSONE** ou **QUINTILIEN** :

*Roma tibi subito motibus ibit amor.*

Et, au passage, **Michel LACLOS** nous propose quelques palindromes de sa composition :

*Et Luc colporte trop l'occulte*
*A Laval, elle l'avala.*

Le champion toutes catégories du genre reste **Georges PEREC** qui publia en 1969 — bien sûr sous le titre 9691 ! — un palindrome géant de plus de 5 000 mots

## Panthéon

En l'an de grâce 1744, l'église de l'**abbaye Sainte Geneviève** à Paris était à demi-ruinée, cependant que le roi **Louis XV** se trouvait à METZ à moitié mort. Le souverain inquiet de son état, promit à **sainte Geneviève**, en échange de sa guérison, de lui édifier une magnifique église tout en haut de la colline qui porte aujourd'hui son nom.

◆ Une fois rétabli, Louis XV tint parole et laissa au **marquis de MARIGNY** le soin de réaliser son vœu. Le marquis avait pour cela toutes les qualités plus une : il était le frère de Madame de Pompadour.

◆ L'architecte **Germain SOUFFLOT**, protégé de la marquise, fut chargé de dresser les plans de la future église. Grand admirateur des réalisations de l'Antiquité, il conçut un édifice colossal de 110 m de long, de 84 m de large et 83 m de hauteur, en forme de croix grecque et muni d'une façade de temple romain. La châsse de **sainte Geneviève** devait être placée sous une énorme coupole supportée par quatre groupes de colonnes.

◆ Les fondations commencèrent en 1758, mais les travaux furent ralentis par des difficultés financières. Qu'à cela ne tienne ! L'argent n'ayant pas d'odeur, Marigny eut recours à trois loteries successives pour s'en procurer. Les ennuis techniques prirent le relais : le poids considérable de l'édifice ayant provoqué

quelques crevasses, il fallut consolider le sous-sol truffé de carrières à cet emplacement. Le pauvre Soufflot rendit l'âme en 1780 sans avoir pu terminer son église. Ce fut l'un de ses élèves, **RONDELET**, qui acheva le gros œuvre en 1789 — mauvaise année pour les églises ! C'est alors que commença pour l'église Sainte-Geneviève un destin en forme de valse hésitation :

● **Décret du 4 avril 1791** : La Constituante décide que l'édifice deviendra le **« Panthéon des hommes illustres »**.
● **1806** : L'Empereur rend l'Église Sainte-Geneviève au culte.
● **1830** : Elle devient **« temple de la gloire »**.
● **1851** : Napoléon III lui rend sa destination première d'**église catholique**.
● **1871** : Elle est envahie par les **Communards** qui y installent leur quartier général.
● **1885** : A l'occasion des funérailles nationales de Victor Hugo, le monument devient définitivement **« temple laïque voué au culte des grands hommes »**.

◆ **QUELS SONT LES « GRANDS HOMMES » QUI REPOSENT AU PANTHÉON ?**

**MIRABEAU** y entra en 1791, mais il fut remplacé par **MARAT** en septembre 1794. Celui-ci n'y fit qu'un bref séjour puisqu'on l'en expulsa en février 1795.

**Jean-Jacques ROUSSEAU**, qu'on avait arraché à la paix champêtre de son tombeau d'Ermenonville, y côtoya quelques années son vieil ennemi intime **VOLTAIRE**. Selon Guy Breton (*Histoires d'Humour de l'Histoire de France* (Plon) des inconnus, en 1814, violèrent la sépulture de celui-ci et transportèrent sa dépouille dans un dépôt d'ordures à Bercy. Elle fut enfouie dans la chaux vive et recouverte de détritus. On ne connut cette mésaventure qu'un demi-siècle plus tard par les fils de l'un des coupables. Il était trop tard pour rechercher VOLTAIRE qui se trouve donc aujourd'hui sous les bâtiments de la Halle aux Vins. Son cœur, lui, est déposé à la Bibliothèque Nationale.

On y trouve le **Maréchal LANNES, Lazare et Sadi CARNOT, Émile ZOLA, Marcellin BERTHELOT** et sa femme, **Jean JAURÈS, Paul PAINLEVÉ, Jean PERRIN, Paul LANGEVIN, Louis BRAILLE**, inventeur de l'alphabet des aveugles, **Victor SCHOELCHER** à qui l'on doit l'abolition de l'esclavage aux Antilles. Le député **Alphonse BAUDIN** est là également. Si sa vie est peu connue, sa mort elle, est entrée dans la légende : le 12 décembre 1851, il défendait une barricade aux côtés d'ouvriers qui ne voulaient pas avec eux d'un député *qui gagnait 25 francs par jour*. Alors, **BAUDIN** monta sur la barricade en disant : *Vous allez voir, Messieurs, comme on meurt pour 25 F par jour !* et il tomba, percé de balles.

Dans la dernière crypte, se trouvent les restes des quarante et un dignitaires de l'Empire. Parmi les plus connus, on remarque les noms des mathématiciens **LAGRANGE**, du banquier **PERREGAUX** devenu régent de la Banque de France et du juriste **TRONCHET**.

D'autres ne sont qu'en partie au Panthéon qui partage avec d'autres nécropoles l'honneur de conserver une fraction de leur dépouille.

**Léon GAMBETTA**, par exemple, ne figure parmi les « grands hommes » que grâce à son cœur qui fut placé dans une urne le 11 novembre 1920, jour de l'inhumation du **Soldat Inconnu** sous l'Arc de Triomphe.

Pour **LA TOUR D'AUVERGNE**, c'est le contraire : son corps est au Panthéon mais son cœur aux Invalides.

L'explorateur **BOUGAINVILLE**, lui non plus, n'a pas son cœur avec lui. Celui-ci est enterré dans le minuscule cimetière Saint-Pierre de Montmartre.

Le plus dispersé de tous ces morts illustres est le pauvre **MARCEAU** qui n'a au Panthéon qu'un tiers de ses cendres, les **Invalides** et la ville de **Chartres** se partageant le reste.

Le plus récent des hôtes du Panthéon est **Jean MOULIN**, le chef de la Résistance Française qui y fut inhumé en décembre 1964, au son de la *Marche lugubre* de **François-Joseph Gossec** (1793) et aux échos des deux discours successifs d'**André Malraux** et de **Charles De Gaulle**.

◆ Mais on ne saurait évoquer le Panthéon sans penser aussitôt à **Victor HUGO** dont la grande ombre attire en ce lieu de très nombreux visiteurs. **Georges FOUREST**, poète charmant et irrespectueux, a désigné le Panthéon d'un alexandrin fameux :

*Ce grand gâteau des rois dont Hugo est la fève...*

Dans l'après-midi du **11 mai 1981**, le Panthéon se retrouva, une fois de plus, au centre de l'actualité. François MITTERRAND, élu la veille Président de la République, y vint seul fleurir d'une rose symbolique les tombes de **JAURÈS**, de **SCHOELCHER** et de **Jean MOULIN**. Les caméras de la télévision permirent à tous les Français de descendre avec lui dans la crypte où reposent nos grands hommes.

Les passants qui arrivent place du Panthéon remarquent sur la droite de l'édifice un hôtel modeste portant fièrement le nom de *HÔTEL DES GRANDS HOMMES*. Les étudiants, pas très argentés qui y logent un temps, peuvent se dire qu'ils ont toute leur vie pour traverser la place.

# *Parodies*

Une phrase très belle, très célèbre, un tantinet solennelle et trop souvent citée finit par agacer comme le ferait un personnage grave et suffisant que l'on verrait trop souvent parader. Alors, prend l'envie de se moquer, de rire de l'une comme de l'autre en les caricaturant, en exagérant leur allure, en déformant leurs traits.

Ce pied-de-nez à la célébrité littéraire qu'est la **parodie** a le pouvoir de déclencher un rire libérateur. Tentons l'expérience :

*L'ennui naquit un jour de l'uniformité.*

★ Cet alexandrin de **LAMOTTE-HOU-DAR** est ressassé jusqu'à l'écœurement. Au cours d'une soirée, **Madame de CHATEAUBRIAND**, fatiguée d'entendre deux grands pontes de l'Université discourir des heures entières d'enseignement, de lycées, de professeurs, s'écria :

*L'ennui naquit un jour de l'Université.*

On pourrait imaginer une situation différente : deux vieilles culottes de peau à la retraite exaspèrent l'assistance par leur interminable évocation de la vie des casernes et des cantonnements.

Comment se moquer d'eux plus spirituellement qu'avec cette parodie :

*L'ennui naquit un jour de l'uniforme ôté.*

★ Tout le monde connaît — au moins le premier vers — du sonnet de **Joachim du BELLAY** :

*Heureux qui, comme Ulysse, a fait un beau voyage...*

Il suffit que l'actualité nous en donne l'occasion — que **Georges MARCHAIS** aille faire un tour à Cuba ou **Henri KRA-SUCKI** à Moscou — pour qu'on puisse déclamer :

*Heureux qui, communiste, a fait un beau voyage...*

★ **Alfred de MUSSET**, dans son poème *la Coupe et les Lèvres* affirmait avec superbe :

*Mon verre n'est pas grand, mais je bois dans mon verre.*

Ce que **Jules RENARD** transformait dans son *Journal* en :

*Mon verre est petit, mais je ne veux pas que vous buviez dedans.*

★ Pauvre **MUSSET**, il suscitera encore bien des parodies avec ce distique de *la Nuit de mai* :

> *Les chants désespérés sont les chants les plus beaux*
> *Et j'en sais d'immortels qui sont de purs sanglots*

Un anonyme fonctionnaire du ministère des Finances les transforma ainsi :

> *Les plus disciplinés sont les chefs les plus beaux*
> *Et j'en connais de tels qui sont de purs flambeaux.*

**Jacques PRÉVERT** n'y était pas allé de main morte avec :

> *Les chats désespérés sont les chats du pied-bot.*

★ D'ailleurs, **Jacques PRÉVERT** qui s'était fait une spécialité dans le déboulonnage des statues les plus solennelles, avait mis à mal la célèbre exhortation de Bonaparte en Égypte :

*Soldats, du haut de ces pierres humides, vingt mille lieues sous les mers vous contemplent !*

★ La phrase archi-connue d'**HARAUCOURT**,

*Partir, c'est mourir un peu.*

Elle a engendré, bien sûr,

*Mourir, c'est partir beaucoup.*

Mais surtout, elle a inspiré à **PRÉVERT**

**148** — encore lui ! — une superbe parodie en forme de contrepet :

*Martyr, c'est pourrir un peu !*

★ Des torrents de larmes accompagnent la lecture des *Premières Méditations* de **LAMARTINE**. Vous savez...

*Un seul être manque, et tout est dépeuplé...*

L'iconoclaste **J.-P. GROUSSET**, dans son recueil *Si t'es gai, ris donc !* s'arrange pour que des larmes de rire accueillent sa parodie forestière :

*Un seul hêtre vous manque et tout est des peupliers.*

★ La plus belle parodie, nous la devons à **Yvan AUDOUARD**. Elle porte sur les deux vers de VICTOR HUGO :

> *Ce siècle avait deux ans, Rome remplaçait Sparte,*
> *Déjà Napoléon perçait sous Bonaparte...*

En le sollicitant très légèrement — et c'est là le génie ! — ce distique décrit parfaitement le parcours inattendu de l'auteur italien **Curzio MALAPARTE** qui avait commencé par marcher sur Rome avec les fascistes, pour finir dans « la peau » d'un communiste.

> *Ce siècle avait trente ans, Rome remplaçait... Sparte*
> *Déjà caméléon perçait sous Malaparte.*

★ Et pour clore ce chapitre de très leste façon, cet anonyme pastiche de la chanson *Au clair de la Lune* :

> *Au clair de la lune*
> *Ma chandelle est prête*
> *Ouvre-moi ton feu*
> *Prête-moi ta lune.*

## (La) Première fois... en France

• **15 octobre 1783** : Premier VOL A BORD D'UNE MONTGOLFIÈRE CAPTIVE (84 m) par François PILÂTRE DE ROZIER.

• **21 novembre 1783** : Premier VOL A BORD D'UNE MONTGOLFIÈRE LIBRE par PILÂTRE DE ROZIER et François-Laurent D'ARLANDES.

• **25 avril 1792** : Première EXÉCUTION A LA GUILLOTINE sur un bandit nommé Nicolas-Jacques PELLETIER.

• **22 octobre 1797** : Première DESCENTE EN PARACHUTE D'UN BALLON LIBRE au-dessus de Paris par André-Jacques GARNERIN.

• **Juillet 1808** : Premier BACCALAURÉAT.

• **1er octobre 1829** : Premier VOYAGE D'UNE LOCOMOTIVE A VAPEUR pour le chemin de fer de ST-ÉTIENNE A LYON.

• **Août 1853** : Première CORRIDA à Bayonne en présence de Napoléon III et Eugénie de Montijo.

• **7 novembre 1869** : Première COURSE CYCLISTE de fond entre PARIS et ROUEN.

• **14 juillet 1880** : Premier 14 JUILLET comme FÊTE NATIONALE (Loi du 6 juillet 1880).

• **6 juillet 1885** : Première VACCINA-TION CONTRE LA RAGE pratiquée par PASTEUR, sur le petit Alsacien Joseph MEISTER (9 ans). (Celui-ci devenu employé de l'Institut Pasteur à Paris se suicidera en juin 1940 pour ne pas assister à l'entrée des Allemands à Paris.)

• **Mai 1891** : Première GRANDE COURSE CYCLISTE sur route BOR-DEAUX-PARIS : 572 km.

• **28 décembre 1895** : Première séance de CINÉMATOGRAPHE, bd des Capucines à Paris par les Frères LUMIÈRE.

• **28 mars 1899** : Premier TÉLÉ-GRAMME TRANSMIS PAR T.S.F. à travers la Manche — il est adressé par MARCONI à BRANLY : « M. Marconi envoie à M. Branly ses respectueux compliments par le télégraphe sans fil à travers la Manche. Ce beau résultat étant dû en partie aux remarquables travaux de M. Branly. »

• **10 décembre 1901** : Premiers PRIX NOBEL.

• **16 octobre 1902** : Premier criminel confondu grâce au PROCÉDÉ BERTIL-LON des empreintes digitales : Henri-Léon SCHEFFER - 24 ans.

• **1er juillet 1903** : Premier TOUR DE FRANCE.

• **21 décembre 1903** : Premier PRIX GONCOURT — attribué à John Antoine NAU pour son roman FORCE ENNEMIE.

• **1904** : Premier PRIX FÉMINA à Myriam HARRY pour la CONQUÊTE DE JÉRUSALEM.

• **1906** : Premier PETIT LAROUSSE IL-LUSTRÉ.

• **15 septembre 1916** : Premier CHAR D'ASSAUT utilisé par les Anglais sous la direction du général ESTIENNE dans la Somme.

• **Décembre 1921** : Premier BULLETIN MÉTÉOROLOGIQUE (lu par un sapeur du génie) sur l'antenne de la Tour Eiffel.

• **1922** : Premier FEU ROUGE A PARIS au carrefour Rivoli-Sébastopol.

• **26 février 1925** : Première GRILLE FRANÇAISE DE MOTS CROISÉS parue dans l'Excelsior.

• **3 mai 1925** : Première BANDE DES-SINÉE FRANÇAISE : ZIG ET PUCE d'Alain SAINT-OGAN dans le Dimanche Illustré.

• **30 mai 1926** : Première célébration de la FÊTE DES MÈRES grâce à Camille SCHNEIDER.

• **Novembre 1926** : Premier PRIX RE-NAUDOT à Armand LUNEL pour NIC-COLO PECCAVI.

• **20 février 1930** : Premier MAIGRET, écrit par Georges SIMENON, paru aux Éditions FAYARD, PIETR LE LETTON.

• **Novembre 1930** : Premier PRIX IN-TERALLIÉ à André MALRAUX pour LA VOIE ROYALE.

• **1er janvier 1931** : Premier AUTORAIL A BANDAGES MÉTALLIQUES mis en circulation en France.

• **14 avril 1931** : Première DÉMONS-TRATION PUBLIQUE DE TÉLÉVISION EN FRANCE à l'École Supérieure d'Électricité.

• **10 septembre 1931** : Premier AUTORAIL A BANDAGES PNEUMA-TIQUES (MICHELINE) mis en service sur PARIS-DEAUVILLE : 107 km/h.

• **27 avril 1935** : Premier PRO-GRAMME RÉGULIER DE T.V.

• **23 juin 1946** : Premier BIKINI (inventé par Louis RÉARD) porté par Micheline BERNARDI à la piscine Molitor.

• **18 décembre 1952** : Première GREFFE DU REIN effectuée en France par l'équipe du Pr. HAMBURGER sur le jeune Marius RENARD.

• **9 février 1953** : Première édition de LIVRE DE POCHE en France — avec trois romans : Kœnigsmark de Pierre Benoît, Les Clés du royaume de Cronin et Vol de nuit de Saint-Exupéry.

• **22 janvier 1954** : Premier TIERCÉ — inventé par André CARRUS — il fallait jouer le 13 - 15 - 17.

• **5 février 1954** : Premier spectacle de l'OLYMPIA-MUSIC-HALL, sous la direction de Bruno COQUATRIX avec, en vedettes Lucienne DELYLE, Aimé BARELLI et un débutant nommé Gilbert BÉCAUD.

• **30 septembre 1956** : Premier TRANS EUROP EXPRESS sur le trajet LYON-MILAN.

• **Novembre 1956** : Première VI-GNETTE AUTO.

• **1957** : Premier SUPERMARCHÉ EN FRANCE à Paris, XVIIe arrondissement.

• **7 novembre 1957** : Première expérience de **ZONE BLEUE** sur les Champs-Élysées et une partie des Grands Boulevards

• **Décembre 1958 :** Premier PRIX MÉDICIS à Claude OLLIER pour *LA MISE EN SCÈNE*.

• **13 février 1960 :** Première explosion d'une **BOMBE ATOMIQUE** française à REGGANE (Sahara).

• **Septembre 1963 :** Premier MONO-KINI à la plage de PAMPELONNE a SAINT TROPEZ.

• **18 avril 1964 :** Premier PROGRAMME de la 2ᵉ **CHAINE DE TÉLÉVISION.**

• **12 mai 1968 :** Première **GREFFE DU CŒUR FRANÇAISE** à l'Hôpital BROUS-SAIS réalisée par l'équipe du Pr DUBOST sur le R.P. DAMIEN BOULOGNE. Il survivra 14 mois. Le 3 décembre 1967, Christian BARNARD avait réalisé la première greffe du cœur

• **1ᵉʳ juillet 1970 :** Premier **CATALO-GUE FRANCE LOISIRS** (tirage 10 000 exemplaires)

• **1ᵉʳ janvier 1973 :** Premier PRO-GRAMME de la 3ᵉ **CHAINE DE TÉLÉ-VISION.**

• **10 janvier 1975 :** Premier **NUMÉRO D'« APOSTROPHES »** — Thème « Les avocats n'ont-ils pas facilement bonne conscience ? » avec Mᵉ Émile POLAC, Mᵉ Charles LIBMAN, Claude CHARMES, Paul LEFÈVRE et Mᵉ René FLORIOT

• **6 mars 1980 :** Première **FEMME A L'ACADÉMIE FRANÇAISE :** Marguerite YOURCENAR par 20 voix contre 12 à Jean DORST

• **2 juin 1983 :** Premier **AFRICAIN A L'ACADÉMIE FRANÇAISE :** Leopold SEDAR SENGHOR par 20 voix sur 34 votants.

• **1985 : PREMIER CLUB DE LIVRES AU MONDE** à atteindre 4 millions d'adhérents **FRANCE LOISIRS.**

• **23 octobre 1985 à 23 h :** Première du téléphone à 8 chiffres — 23 millions d'abonnés changent de numéro en une nuit.

---

## Prison (écrit en)

♦ Le poète est né pour être libre, pour vivre en état d'apesanteur, pour traverser les miroirs. Le poète vit d'air pur et d'eau fraîche et non de pain sec et d'eau. Il arrive parfois qu'on emprisonne le poète, qu'on l'enchaine et qu'on le tue.

Pourtant, personne ne peut lui interdire de chanter et les plus épais des cachots ne peuvent empêcher sa voix de parvenir jusqu'à nous

Les geôliers qui le gardent, les bourreaux qui le torturent mourront, oubliés. La gloire du poète vaincu, humilié, emprisonné c'est de vivre éternellement dans les mémoires.

♦ Voici quelques poèmes écrits en prison

**FRANÇOIS VILLON :** né en 1431
Emprisonné à la suite d'une rixe dans la rue Saint-Jacques, il subira le supplice de l'eau et échappera de peu à la potence.
C'est dans l'attente du supplice qu'il écrit :

### La ballade des pendus

*Frères humains qui après nous vivez*
*N'ayez les cœurs contre nous endurcis*
*Car, si pitié de nous, pauvres, avez*
*Dieu en aura plus tôt de vous mercis*
*Vous nous voyez ci attachés cinq, six :*
*Quant de la chair que trop avons nourrie,*
*Elle est piéça, dévorée et pourrie,*
*Et nous, les os, devenons cendre et poudre*
*De notre mal, personne ne s'en rie :*
*Mais, priez Dieu que tous nous veuille absoudre.*

> Comme un dernier rayon, comme un dernier zéphyre
>> Animent la fin d'un beau jour
> Au pied de l'échafaud, j'essaye encor ma lyre
>> Peut-être est-ce bientôt mon tour ?
> Peut-être avant que l'heure, en cercle promenée
>> Ait posé sur l'émail brillant,
> Dans les soixante pas où sa route est bornée
>> Son pied sonore et vigilant,
> Le sommeil du tombeau pressera ma paupière
>> Avant que de ses deux moitiés,
> Du vers que je commence ait atteint la dernière,
>> Peut-être en ces murs effrayés,
> Le messager de mort, noir recruteur des ombres,
>> Escorté d'infâmes soldats,
> Ébranlant de mon nom ces longs corridors sombres
>> Où seul dans la foule à grand pas,
> J'erre, aiguisant ces dards persécuteurs du crime,
>> Du juste trop faibles soutiens
> Sur mes lèvres soudain va suspendre la rime...

**GÉRARD DE NERVAL :** 1808-1855.
En 1832, participant à une manifestation estudiantine, il est emprisonné à Sainte-Pélagie où il écrit :

### Politique

Dans Sainte-Pélagie
Sous ce règne élargie
Où, rêveur et pensif,
Je vis captif.

Pas une herbe ne pousse
Et pas un brin de mousse
Le long des murs grillés
Et frais taillés !

Oiseau qui fend l'espace...
Et toi, brise qui passe
Sur l'étroit horizon
De la prison.

Dans votre vol superbe,
Apportez-moi quelque herbe
Quelque gramen mouvant
Sa tête au vent !

Au matin du 25 janvier 1855, Gérard de Nerval fut retrouvé pendu par un lacet blanc attaché à la fenêtre d'un escalier ouvrant sur la rue de la Vieille Lanterne (à l'emplacement exact où se trouve aujourd'hui le trou du souffleur du Théâtre de la Ville).

**PAUL VERLAINE :** 1844-1896.
Il a tiré deux coups de revolver sur son ami Arthur Rimbaud — il sera condamné à deux ans de détention qu'il fera du 8 août 1873 au 16 janvier 1875 à la prison de Mons (Belgique) :

Le ciel est par-dessus le toit
>> Si bleu, si calme
Un arbre par-dessus le toit
>> Berce sa palme.

La cloche dans le ciel qu'on voit
>> Doucement tinte
Un oiseau sur l'arbre qu'on voit
>> ¨Chante sa plainte.

Mon Dieu, mon Dieu la vie est là
>> Simple et tranquille
Cette paisible rumeur-là
>> Vient de la ville.

Qu'as-tu fait, ô toi que voilà
>> Pleurant sans cesse
Dis, qu'as-tu fait toi que voilà
>> De ta jeunesse ?

**GUILLAUME APOLLINAIRE :**
1880-1918.
A la suite du vol de la **JOCONDE,** la police soupçonna d'abord le secrétaire d'Apollinaire puis, le poète lui-même qui fut emprisonné quelques mois (voir l'article JOCONDE) :

En arrivant dans la cellule
Il a fallu me mettre nu
Une voix sinistre ululle
« Guillaume, qu'es-tu devenu ? »

*Que lentement passent les heures*
*Comme passe un enterrement*
*Tu pleureras l'heure où tu pleures*
*Qui passera trop vitement*
*Comme passent toutes les heures.*

**ROBERT BRASILLACH :** 1909-1945

Il fut condamné à mort à la Libération pour les opinions politiques qu'il avait soutenues pendant l'Occupation. Malgré une pétition signée par les plus grands écrivains français, De Gaulle refusa de le grâcier. Il fut fusillé le 6 février 1945.

**Bijoux**

*Je n'ai jamais eu de bijoux,*
*Ni bagues, ni chaîne aux poignets*
*Ce sont choses mal vues chez nous :*
*Mais on m'a mis la chaîne aux pieds.*

*On dit que ce n'est pas viril,*
*Les bijoux sont faits pour les filles :*
*Aujourd'hui comment se fait-il*
*Qu'on m'ait mis la chaîne aux chevilles ?*

*Il faut connaître toutes choses,*
*Être curieux du nouveau :*
*Étrange est l'habit qu'on m'impose*
*Et bizarre ce double anneau.*

*Le mur est froid, la soupe est maigre*
*Mais je marche, ma foi, très fier,*
*Tout résonnant comme un roi nègre*
*Paré de ses bijoux de fer.*

◆ N'oublions pas tous les autres poètes emprisonnés et parmi eux **CERVANTES, OSCAR WILDE, ROBERT DESNOS** (mort en déportation), et **MAX JACOB.**

*Toutes les filles du monde rêvent d'un prisonnier,* dit le poème, *mais pas une au monde ne rêve d'un geôlier.*

## Prix littéraires (Les)

◆ Le Français, grand amateur de médailles devant l'Éternel, se plaît à collectionner décorations, palmes, titres et distinctions diverses. Dans ce pays qui inventa l'égalité, rien n'est autant prisé que ce qui distingue des autres. Tout y est prétexte à classement, à palmarès, à remise de prix, tout... sauf le travail de l'écolier ou du lycéen où pourtant la méthode avait prouvé son efficacité. S'il est entre tous un domaine où la médaille est l'objet d'une véritable inflation, c'est bien celui de la chose littéraire.

◆ Chez nous, on décerne **chaque année** plus de **1 500 prix littéraires,** c'est-à-dire statistiquement 4 prix chaque jour de la semaine et 5 le dimanche.
Un prix étant destiné à attirer l'attention du public sur une œuvre et un auteur, il est présomptueux de penser que, même un lecteur rapide et enthousiaste puisse retrouver son chemin dans cette inextricable forêt de lauriers.

C'est donc au milieu de la totale indifférence du public que sont décernés quatre-vingt-dix-huit pour cent des prix littéraires.

Soyons justes, ils font pourtant quelques heureux : le lauréat d'abord, qui pourra ajouter une ligne à sa carte de visite professionnelle, ses amis, invités au cocktail qui suit toute remise de prix et les membres du jury qui se sentent investis, une fois l'an, du redoutable pouvoir de choisir un candidat, c'est-à-dire d'éliminer tous les autres en fonction de leurs personnelles antipathies.

◆ La véritable saison littéraire se situe autour du mois de novembre où sont décernés les 6 grands prix de littérature d'imagination : ce sont, chronologiquement, le **Grand Prix du Roman de l'Académie Française** (doté de 30 000 F), le **Prix Goncourt,** le **Prix Renaudot,** le **Prix Fémina,** le **Prix Médicis** et l'**Interallié.**
L'attribution de ces prix provoque souvent — mais rien n'est moins sûr — une certaine augmentation du tirage et des ventes.

◆ Voici la liste d'une vingtaine d'autres prix importants qui, s'ils n'ont pas toujours une influence directe sur les ventes, sont pour le lecteur une garantie de qualité :
• Le **Grand Prix National des Lettres** (20 000 F).
• Le **Grand Prix de la Ville de Paris** (30 000 F).
• Le **Prix du Prince Pierre de Monaco** (30 000 F).
• Le **Prix de la Critique littéraire** (200 F).
• Le **Prix Chateaubriand** (50 000 F).
• Le **Prix Sainte-Beuve.**
• Le **Prix des Ambassadeurs.**
• Le **Grand Prix de Littérature** (100 000 F).
• Le **Prix Méridien des Quatre-Jurys** (10 000 F).
• Le **Prix des Critiques** (5 000 F).
• Le **Prix des Deux-Magots** (3 000 F).
• Le **Prix Cazes** (Patron de Lipp).
• Le **Prix de l'Humour Noir.**
• Le **Prix du Quai des Orfèvres.**
• Le **Grand Prix de la Littérature policière.**
• Le **Prix Albert Londres** (5 000 F pour un journaliste).
• Le **Prix Rabelais.**
• Le **Prix Gobert** (30 000 F - Histoire).
• Le **Prix Apollinaire** (5 000 F - Poésie).
• Le **Prix Max Jacob** (10 000 F).
• Le **Prix des Volcans** (10 000 F).
• Le **Prix Paul Valéry.**
• Le **Prix de la Fondation de France** (60 000 F).
• Le **Prix Aujourd'hui...,** etc.

◆ Ce n'est pas sur la dotation d'un prix qu'un auteur doit compter pour s'enrichir. Bien que personne ne refuse aujourd'hui un chèque de 10 ou de 50 000 F, il y a tout de même une évidente disproportion entre le montant du prix et le temps et le

talent nécessaires à l'écriture d'une œuvre.

Deux prix pourtant sont superbement dotés : le **Prix Paul Morand,** décerné par l'Académie Française à l'ensemble d'une œuvre qui rapporte 300 000 F à son bénéficiaire ainsi que le **Prix Del Duca** doté, lui, de 200 000 F.

◆ A côté de ces prix, décernés par des jurys de spécialistes, existent maintenant des prix qui reposent sur les votes d'un grand nombre de lecteurs non professionnels. Attribués par la base, ils ont davantage de chances de séduire un large public. C'est ainsi qu'un jury d'auditeurs de « France Inter » décerne chaque année le **Prix du livre Inter** et que des auditeurs de R.T.L. choisissent le roman qui obtiendra le **Prix R.T.L.**
Des lectrices du magazine **ELLE** attribuent leur prix après qu'une importante pré-sélection ait été effectuée au niveau de chaque région.
De même, ce sont les votes des libraires qui permettent de décerner le **Prix des Libraires** et ceux des dépositaires de Presse, le **Prix des Maisons de Presse.**
Ces récompenses, accompagnées d'une intense promotion dans les stations de radio ou dans les magazines initiateurs du prix, ou encore dans les vitrines des libraires concernés, atteignent généralement leur but qui est de faire lire des livres de qualité à un public que l'importance et la variété de la production littéraire désorientent souvent.

◆ Mais qui dit *Prix littéraires* pense d'abord au **Goncourt** et, accessoirement au **Renaudot,** au **Fémina,** au **Médicis** et à l'**Interallié.**

## LE GONCOURT

Fondée par le testament d'Edmond de GONCOURT en 1884 (son frère Jules était mort en 1870), l'**ACADÉMIE DES GONCOURT** a été constituée en 1902 et reconnue d'Utilité Publique en 1903. Composée de dix écrivains, cette Académie décerne chaque année, au mois de novembre, un prix littéraire destiné à récompenser *« le meilleur volume d'imagination en prose publié dans l'année ».*
Dans l'esprit des **Goncourt,** ce prix devait contribuer à révéler de jeunes talents. Avec l'attribution du Prix en 1981, à **Lucien BODARD** (67 ans) et, en 1984 à **Marguerite DURAS** (70 ans), les jurés semblent plutôt vouloir rendre hommage à la carrière littéraire d'un auteur réputé.

**154** Au début du siecle, le Prix Goncourt rapportait à son auteur une somme de **5 000 Francs or** Aujourd'hui, par le jeu des devaluations successives, le laureat n'empoche qu'un chèque de **50 F** tiré sur la Caisse des Dépôts et Consignations. Seuls les écrivains avares l'encaissent. Les autres le font encadrer. Heureusement l'auteur couronné s'enrichit grâce au montant des droits que lui vaut le tirage plus ou moins considérable consecutif à l'attribution du Prix

**Quatre couverts pour un fauteuil**

Si l'Academie Française comprend quarante fauteuils numerotes, l'Academie Goncourt se compose de dix couverts. En effet, le Prix est decerne dans un grand restaurant à l'issue d'un déjeuner.
**En 1903** : chez CHAMPEAUX
**De 1904 à 1913** : au CAFÉ DE PARIS
**Depuis 1915** : chez DROUANT, place Gaillon.
Le repas est offert par DROUANT. Seuls, les pourboires sont payés par les membres de l'Académie.
C'est une tradition bien établie de contester chaque année le choix des **Goncourt** : s'il couronne un ouvrage difficile, le public ne le ratifie pas par ses achats et les libraires se plaignent. Par contre, si ce choix se porte sur un roman qui se vendait déjà, les jurés sont accusés de voler au secours de la victoire.
**Le Prix Goncourt** reste, malgré tout, le plus important des prix littéraires. Selon que le choix est plus ou moins bon, il assure au livre primé un tirage de 100 000 à 500 000 exemplaires.
Que reste-t-il, quelques années plus tard, de la célébrité passagère que confère le **Goncourt** ?
Qui donc se souvient aujourd'hui de **John-Antoine NAU**, le premier **Prix Goncourt** (1903), de **Marius et Ary LEBLOND** (1909), d'**André SAVIGNON** (1912), de **René MARAN** (1921), d'**Henri DEBERLY** (1926) ou de **Marius GROUT** (1943) ?
On cite volontiers quelques erreurs célèbres des Académiciens Goncourt qui ont laissé passer, sans les couronner, des écrivains de talent :
• En 1910, ils ont préféré **Louis PERGAUD** à COLETTE et à Guillaume APOLLINAIRE
• En 1913, leur choix s'est porté sur **Marc ELDER** au détriment de Valéry LARBAUD

• En 1917, ils ont couronne **Henri MALHERBE** et dedaigné Jean GIRAUDOUX
• En 1920, c'est **Ernest PEROCHON** qui a obtenu le prix et non Pierre MAC ORLAN
• En 1924, **Thierry SANDRE** a devance Henri de MONTHERLANT
• En 1931, **Jean FAYARD** l'emporte devant Jean SCHLUMBERGER
Les jurés **Goncourt** ont beau s'efforcer à l'impartialité, il est difficile à certains d'entre eux d'oublier qu'ils sont eux-mêmes écrivains et qu'ils appartiennent — à l'une ou l'autre des trois plus grandes maisons d'édition littéraire, c'est-à-dire qu'on aura reproche de recompenser le plus souvent des livres publiés par GALLIMARD, GRASSET ou LE SEUIL (le fameux triangle GALLIGRASSEUIL). Chaque année, à l'époque du Beaujolais nouveau, la polémique se réveille. Elle a, dans le fond, assez peu d'importance. L'essentiel n'est-il pas de parler du livre ? D'ailleurs, ce n'est pas d'aujourd'hui que date la grogne anti-Goncourt. Temoin cette épigramme citée par Pierre Descaves (reproduite par le *Crapouillot* — « Le Dictionnaire de la conversation », n° 32, 1956) et qui date de l'après-première guerre :

*Les Goncourt, s'il fallait les en croire*
*Dispensent la célébrité.*
*S'ils savent où se vend la gloire,*
*Que ne s'en sont-ils acheté ?*

★ Qui sont les jurés du **Goncourt** ?
Hervé BAZIN, Daniel BOULANGER, Jean CAYROL, Edmonde CHARLES-ROUX, Françoise MALLET-JORRIS, François NOURISSIER, Emmanuel ROBLÉS, Robert SABATIER, André STIL, Michel TOURNIER.

## LE RENAUDOT

Ce prix, dédié à Théophraste RENAUDOT, créateur de la *Gazette de France* (1631) est décerné le même jour et à la même heure que le Prix Goncourt.
Il a été fondé en 1925 par un groupe de journalistes littéraires qui s'ennuyaient en attendant que le jury Goncourt ait terminé ses délibérations. La création de ce prix avait, dans l'esprit de ses fondateurs, un autre objectif qui était de corriger le choix des Goncourt.
Le jury **Renaudot** est toujours composé de journalistes et critiques.

★ En font partie :
Marcel SAUVAGE, Francis AMBRIÈRE,

Luc ESTANG, Henri AMOUROUX, Alain BOSQUET, André BOURIN, Pierre MAZARS, Roger VRIGNY, Robert MALET, André BRINCOURT

## LE FÉMINA

Le **Prix Fémina** est décerné une semaine après le Prix Goncourt. Il a été fondé en 1904, par des collaboratrices de la revue *Vie heureuse*, devenue par la suite la revue *Femina*. Ce prix avait pour but de rendre plus étroites les relations de « confraternité » entre les femmes de lettres.

★ Le jury du **Prix Fémina** est composé de la Duchesse de la ROCHEFOUCAULT, Dominique AURY, Madeleine CHAPSAL, Suzanne PROU, Benoîte GROULT, Diane de MARGERIE, Renée MASSIP, Zoé OLDENBOURG, Marie SUSINI, Claire GALLOIS et — dernière entrée — Régine DEFORGES.

## LE MÉDICIS

C'est le benjamin des prix littéraires : il a été créé en 1958 sur une idée de **Jean-Pierre GIRAUDOUX** soumise à **Gala BARBIZAN,** qui accepta d'en être le mécène.
Le but du **Prix Médicis** est de couronner de préférence un livre de recherche — mais pas obligatoirement — qui passerait inaperçu si aucune distinction ne le signalait à l'attention du public. Le lauréat reçoit un chèque de **4 500 F**.

★ Comme les quatre autres grands jurys, celui du **Médicis** se compose de dix écrivains : François-Régis BASTIDE, Dominique FERNANDEZ, Jean-Pierre GIRAUDOUX, Claude MAURIAC, Francine MALLET, Jacqueline PIATIER, Christine

de RIVOYRE, Alain ROBBE-GRILLET, Marthe ROBERT et Marcel SCHNEIDER.

## L'INTERALLIÉ

Le **Prix Interallié** est né en 1930 d'une colère, celle des journalistes littéraires chargés de couvrir les événements littéraires de l'époque. Ceux-ci estimaient que le meilleur roman de l'année était, et de très loin, *La Voie royale* d'André MALRAUX.
Furieux de voir qu'il n'avait été retenu ni par les jurés Goncourt (qui avaient couronné Henri FAUCONNIER) ni par les dames du Fémina (qui avaient préféré Marc CHADOURNE) ni par les jurés du Renaudot (qui avaient élu Germaine BEAUMONT), ils se réunirent au **Cercle Interallié** et décidèrent de fonder leur propre prix, dont le premier lauréat fut, bien entendu, **André MALRAUX.**
Ce prix récompense, en général — mais pas forcément — un roman écrit par un journaliste, il s'agit d'une récompense purement honorifique : Aucune remise de chèque n'accompagne la proclamation du vainqueur.
Tous les membres du jury ont été choisis parmi les titulaires du prix.

★ Voici la composition actuelle du jury : Lucien BODARD, Jean COUVREUR, Jean FERNIOT, Roger GIRON, Paul GUIMARD, Claude MARTIAL, Henri-François REY, Pierre SCHOENDOERFFER, Éric OLLIVIER et Jean-Marie ROUART.
Il est de tradition que le lauréat de l'**Interallié** de l'année précédente vienne participer aux délibérations du jury.
Le **Prix Interallié** est décerné quinze jours après le Goncourt et le Renaudot et une semaine après le Médicis et le Fémina.

---

# Pseudonymes d'auteurs

◆ Les écrivains renoncent parfois à signer de leur nom véritable certaines de leurs œuvres. Ne voyez surtout pas dans cette attitude la manifestation d'une vague modestie, qualité rarissime chez les gens de plume.

Non ! S'il leur arrive ainsi de déguiser leur nom et de s'avancer masqués à la rencontre de leurs lecteurs, ce n'est pas bien souvent sans d'excellentes raisons : face à l'intolérance du pouvoir politique ou à

la pudibonderie vigilante des mœurs officielles, un **pseudonyme** — ou bien l'anonymat pur et simple — a quelquefois permis à l'auteur d'une œuvre non conformiste ou subversive d'éviter les poursuites... en attendant l'arrivée de temps meilleurs et d'un retour de la liberté.

◆ Ce ne sont pas les exemples célèbres qui manquent :

★ En 1721, **MONTESQUIEU** fit paraître anonymement ses *Lettres Persanes*.

★ **VOLTAIRE** a publié *Candide et Zadig* sans nom d'auteur et il a utilisé dans son œuvre 175 pseudonymes différents dont HUME, CAILLE, PASSERAN ou le Docteur AKAKIA.

★ Plus près de nous **Charles MAURRAS** signait certains de ses articles XENOPHON XIII, Léon RAMEAU ou Octave MARTIN.

★ Pendant l'Occupation, de grands écrivains entrèrent en Résistance sous un nom de guerre :
FOREZ, c'était **François MAURIAC** — François LA COLÈRE, **ARAGON** — LOMAGNE, **Jean PAULHAN** et VERCORS était — et est toujours — **Jean BRULLER.**

★ Certains hommes politiques jugent préférable d'écrire un livre sous un nom d'emprunt afin d'éviter — mais le pseudonyme ne tarde pas à être découvert — l'interférence d'une activité accessoire sur une autre plus lucrative.
Ainsi **Jacques MALTERRE,** auteur des *Partis politiques français,* c'est **Michel ROCARD,** qui utilisait aussi le pseudonyme de **Michel SERVET.** L'écrivain **Roger JACQUES** n'a pas caché longtemps **Jacques DELORS.** L'auteur du *Socialisme industriel,* Antoine LAURENT n'était autre qu'**Alain BOUBLIL** et **Jacques GALLUS** qui écrivit *L'Inflation au cœur,* c'était **Xavier STASSE.**

**Jacques ATTALI** qui écrit beaucoup maintenant sous son nom, signait autrefois Simon FER.
Un spécialiste de la supercherie littéraire est **André BERCOFF** qui, sous le nom de Philippe de **COMMINES,** écrivit en 1982 *Les 180 jours de Mitterrand.* Mais, c'est surtout sous le pseudonyme de CATON qu'il intrigua la France entière en publiant deux ouvrages intitulés *De la reconquête* et *De la renaissance.*
N'oublions surtout pas le Président **Edgar FAURE,** omniprésent et protéiforme,

qui publia, au milieu d'œuvres très sérieuses, quelques romans policiers sous le pseudonyme transparent d'**Edgar SANDAY** (sous prétexte que son prénom d'EDGAR s'écrit sans « D » à la fin !).

★ Dans le domaine de la littérature, l'exemple le plus célèbre fut **Romain GARY,** seul auteur à avoir obtenu deux fois le prix Goncourt : la première fois en 1956 pour *Les Racines du ciel* et la deuxième fois pour *La Vie devant soi* en 1975, sous le pseudonyme d'**Émile AJAR** — Il avait voulu ainsi faire un dernier pied de nez — avant de quitter volontairement notre monde — à tous les critiques qui avaient cessé de lui trouver du talent.
Un autre pseudonyme fameux est celui qu'utilisa **Boris VIAN** pour écrire des parodies de romans noirs américains *J'irai cracher sur vos tombes* (1946), *Les morts ont tous la même peau* (1947), *Et, on tuera tous les affreux* et *Elles se rendent pas compte* (1950). Sur les premières éditions, ces romans étaient signés d'un certain **VERNON SULLIVAN** et le nom de Boris VIAN n'était cité que comme traducteur.

★ Le domaine d'élection du pseudonyme est, bien entendu, celui de la littérature érotique.
*Le Con d'Irène* publié sans nom d'auteur est attribué de façon quasi-officielle à **ARAGON,** lequel n'a jamais avoué en être l'auteur — ni démenti d'ailleurs.
La poétesse grecque BILITIS dont on retrouva « miraculeusement » un recueil de chants fort licencieux n'était autre que **Pierre LOUŸS,** l'auteur de *La Femme et le Pantin.*
Quant au plus célèbre des érotiques, *Histoire d'O,* signé **Pauline REAGE,** personne ne conteste plus qu'il ait été écrit par **Dominique AURY.**
Nous avons borné volontairement cette liste aux trois exemples les plus célèbres pour oublier tous les écrivains connus qui ont, un jour ou un autre, commis un roman érotique. Qui disait que l'argent n'avait pas d'odeur ?

◆ Pour alimenter leurs conversations quotidiennes ou pour fleurir leurs discours, les Français disposent d'un vaste trésor d'expressions toutes faites, de proverbes et d'aphorismes en vers ou en prose, dans lequel ils ne se font pas faute de puiser largement.

◆ Les citations surgissent au coin des phrases comme autant de références culturelles à l'appui d'une opinion ou comme une illustration familière à chacun des interlocuteurs. L'intention de celui qui les utilise n'est pas de surprendre mais de rassurer plutôt, en conférant au sujet particulier une résonance plus large, universelle presque. Une légère emphase dans le propos, ou un certain sourire dans la diction, salue au passage l'emprunt littéraire et lui tient lieu de guillemets verbaux.

◆ Mais qui sont donc les auteurs de ces phrases si connues qu'on ne se souvient pas de les avoir apprises un jour ? Sauriez-vous rendre à César ce qui lui appartient ?

Nous vous proposons de jouer entre amis au petit jeu du **De qui est-ce ?**

*L'ennui naquit un jour de l'uniformité.*
ANTOINE HOUDAR DE LAMOTTE (1672-1731)
Fables *Les Amis trop d'accord.*

*Si Dieu n'existait pas, il faudrait l'inventer.* VOLTAIRE (1694-1778). Épitres *A l'auteur du livre des trois imposteurs.*

*Tout homme a deux pays, le sien et puis la France.* HENRI DE BORNIER (1825-1901). *La Fille de Roland*, acte III, scène 2.

*Chacun son métier, les vaches seront bien gardées.* FLORIAN (1755-1794). Fables *Le Vacher et le Garde-chasse.*

*Qu'importe le flacon, pourvu qu'on ait l'ivresse !* ALFRED DE MUSSET (1810-1857). *La Coupe et les Lèvres.*

*Oh ! N'insultez jamais une femme qui tombe !* VICTOR HUGO (1802-1885). *Les Chants du crépuscule « Napoléon II ».*

*Rira bien qui rira le dernier.* FLORIAN. Fables *Les Deux Paysans et le Nuage.*

*Il ne faut pas être plus royaliste que le roi.* F.R. DE CHATEAUBRIAND (1768-1848). *La Monarchie selon la charte.*

*L'asile le plus sûr est le sein d'une mère.* FLORIAN. Fables *La Mère, l'Enfant et les Sarigues.*

*L'appétit vient en mangeant... la soif s'en va en buvant.* FRANÇOIS RABELAIS (1494-1553). Chansons.

*Tout vient à point à qui peut attendre.* CLÉMENT MAROT (1496-1544). Chansons.

*Les absents ont toujours tort.* DESTOUCHES. *L'Obstacle imprévu.*

*Chaque âge a ses plaisirs, son esprit et ses mœurs.* NICOLAS BOILEAU (1636-1711). *Art poétique.*

*Que diable allait-il faire dans cette galère ?* MOLIÈRE. *Les Fourberies de Scapin*, acte II, scène 7.

*Le temps est un grand maître, il règle bien des choses.* PIERRE CORNEILLE. *Sertorius.*

*Ah ! qu'il est doux de ne rien faire quand tout s'agite autour de vous !* M. CARRÉ et J. BARBIER. *Galatée* (1852).

*On est plus près du cœur quand la poitrine est plate.* L. BOUILHET (1821-1869). *A une jeune fille manquant de charme.*

*Rien ne manque à sa gloire, il manquait à la nôtre.* B.J. SAURIN (1706-1781). *Sous le buste de Molière à la Comédie-Française.*

*Plaisir d'amour ne dure qu'un moment, chagrin d'amour dure toute la vie.* FLORIAN. *Célestine.*

*Nécessité fait gens méprendre et faim saillir le loup du bois.* FRANÇOIS VILLON (1431-1463). *Le Testament.*

*Couvrez ce sein que je ne saurais voir.* MOLIÈRE. *Tartuffe*, acte III, scène 2.

*Mes pareils à deux fois ne se font point connaître*
*Et pour leurs coups d'essai veulent des coups de maître.*
PIERRE CORNEILLE. *Le Cid*, acte II, scène 2.

*Si jeunesse savait, si vieillesse pouvait...* HENRI ESTIENNE (1531-1598). *Les Prémices.*

*Nous n'irons plus au bois les lauriers sont coupés.*
MARQUISE DE POMPADOUR (1721-1764). Chanson.

*Où peut-on être mieux qu'au sein de sa famille ?*
MARMONTEL. *Lucile* (opéra). Musique de Grétry.

*Les beaux esprits se rencontrent.*
VOLTAIRE. *Correspondance* à M. Thiérot.

*Charbonnier est maître chez lui.*
B. DE MONLUC (1500-1577). Commentaire.

*Qui veut noyer son chien l'accuse de la rage.* MOLIÈRE (1622-1673). *Les Femmes savantes*, acte II, scène 5.

*Partir c'est mourir un peu.* HARAUCOURT (1856-1942). *Rondeau de l'adieu.*

*Tout homme a dans le cœur un cochon qui sommeille.*
CHARLES MONSELET (1825-1888).

*Le cœur a ses raisons que la raison ne connaît point.* BLAISE PASCAL (1623-1662). *Pensées.*

*La critique est aisée et l'art est difficile.* DESTOUCHES (Philippe Néricault, dit) (1680-1754). *Le Glorieux.*

*La façon de donner vaut mieux que ce qu'on donne.*
PIERRE CORNEILLE (1606-1684). *Le Menteur.*

*Pour vivre heureux, vivons caché.*
FLORIAN. Fables *Le Grillon.*

*Quand on est mort, c'est pour longtemps.*
M.A. DESAUGIERS (1742-1793). *Chansons.*

*Un repas sans fromage est une belle à qui il manque un œil.* A. BRILLAT-SAVARIN (1755-1826). *Physiologies du goût.*

*Ah qu'en termes galants ces choses-là sont mises !* MOLIÈRE (1622-1673). *Le Misanthrope*, acte I, scène 2.

*Chassez le naturel, il revient au galop.*
DESTOUCHES. *Le Glorieux*, acte III, scène 5.

*Il n'y a point de pires sourds que ceux qui ne veulent pas entendre.* MOLIÈRE. *L'amour médecin*, acte I, scène 4.

*Le geste auguste du semeur.*
VICTOR HUGO. Chansons des rues et des bois. *Saison des semailles. Le Soir.*

*Mon verre n'est pas grand, mais je bois dans mon verre.* ALFRED DE MUSSET. *La Coupe et les Lèvres.*

*Ma foi ! s'il m'en souvient, il ne m'en souvient guère.* THOMAS CORNEILLE (1625-1709). *Le Geôlier de soi-même.*

*Savoir par cœur n'est pas savoir.*
MONTAIGNE (1533-1592). *Essais.*

*L'esprit qu'on veut avoir, gâte celui qu'on a.* J.B. GRESSET (1709-1777). *Le Méchant*, acte IV, scène 7.

*Au banquet de la vie, infortuné convive.* GILBERT (1750-1780). *Odes.*

*Les gens que vous tuez se portent assez bien.* PIERRE CORNEILLE. *Le Menteur*, acte IV, scène 2.

*Tout bonheur que la main n'atteint pas n'est qu'un rêve.* JOSÉPHIN SOULARY (1815-1891). *Sonnets humoristiques.*

*Il faut qu'une porte soit ouverte ou fermée.* BRUEYS ET PALAPRAT. *Le Grondeur* (1891).

*Glissez, mortels, n'appuyez pas !* ROY. Dernier vers d'un quatrain figurant sous une gravure de Lancret « L'hyver » représentant des patineurs.

*Plus ça change... plus c'est la même chose.* ALPHONSE KARR (1808-1890). Titres de deux de ses ouvrages parus en 1875.

*Il grandira car il est espagnol.* MEILHAC ET HALÉVY. *La Périchole* (1868), musique d'Offenbach.

◆ Le **RÉBUS** mérite la qualification d'ancêtre des jeux de lettres dans la mesure où les hiéroglyphes égyptiens peuvent être considérés comme des rébus codifiés.

Son nom latin donne indiscutablement au jeu un air ancien.

Tous les écoliers latinistes savent que **rebus** est l'ablatif pluriel de *res*, *la chose*, et signifie *au sujet des choses*.

L'origine du mot est vraisemblablement picarde et remonte au XVe siècle. A l'occasion du Carnaval, les étudiants d'Amiens composaient chaque année sur les événements de la cité une sorte de revue satirique pleine d'allusions et d'équivoques intitulée « DE REBUS QUAE GERUNTUR », *sur les choses qui ont eu lieu.*

◆ Le **RÉBUS** a évolué et on peut le définir comme un ensemble de dessins mêlés de lettres, de signes ou de mots disposés de façon à ce que leur lecture phonétique révèle le sens caché de la phrase.

◆ Le **RÉBUS** connut sous l'Ancien Régime, puis sous la Révolution et l'Empire, une grande fortune. Il fleurissait sur les enseignes d'hôtel — où l'effigie d'un « lion d'or » signifiait *Au lit on dort* — et de cabarets où « 0 - 20 - 100 - 0 » devait se traduire *Au vin sans eau.*

On décorait de rébus les assiettes à dessert et les fonds de chapeau, par exemple. **GRANVILLE** consacra au rébus de très nombreuses illustrations.

◆ Nés de pères célèbres ou anonymes, voici quelques rébus :

Le Sieur **Estienne TABOUROT** (1547-1590) dans ses « BIGARRURES ET TOUCHES DU SEIGNEUR DES ACCORDS » (voir à la rubrique Contrepèteries) cite un certain nombre de rébus dont celui-ci, fort poétique :

| PIR | VENT | VENIR | |
|---|---|---|---|
| 1 | VIENT | D'UN | (1) |

◆ De la même inspiration est né le rébus ci-dessous :

| VENT | VIENT | PIRE | VENT | |
|---|---|---|---|---|
| A QUI | D'AMOUR | LE CŒUR | BIEN | (2) |

◆ Le plus royal des rébus connus est celui que **FRÉDÉRIC II**, Roi de Prusse, adressa à son hôte prestigieux, **VOLTAIRE** :

| P | A | 6 | |
|---|---|---|---|
| 6 heures | | 100 | (3) |

A quoi l'écrivain répondit par retour :

**G** a                                                                                     (4)

◆ **ARAGO** — non pas François, le savant, mais son frère **Jacques**, l'explorateur — avait composé pour lui-même ce rébus en forme de profession de foi :

(5)

◆ Au hasard, voici d'autres rébus non moins savoureux quoiqu'anonymes :

— MADEMOSELLE JE BIS A VORE                                                (6)

— LE AS $\frac{P}{A}$ i R   CHEZ   SON   N                                (7)

160

 $\frac{P}{100}$ (9)

(8)

**LUNDI** *mardi* **MERCREDI JEUDI**
VENDREDI *SAMEDI* **DIMANCHE** (10)

◆ Et, pour terminer, qu'il nous soit permis de citer un rébus plutôt drôle bien que d'une finesse assez contestable.
C'est la raison pour laquelle nous nous contenterons d'en donner la seule traduction phonétique :

(11)

## SOLUTIONS DES RÉBUS

(1) « un » sous « pir » — « vient » sous « vent » — « d'un » sous « venir » : *Un soupir vient souvent d'un souvenir.*
(2) Même procédé de lecture : *A qui souvent d'amour souvient, le cœur soupire bien souvent.*
(3) « 6 heures » sous « P » à « 100 » sous « 6 » : *Six heures, souper à « Sans-Souci ».*
(4) « G » grand, « a » petit : *J'ai grand appétit.*
(5) ARE à gauche ERIL à droite URE par dessus tout : *ARAGO chérit la droiture par dessus tout.*
(6) MADEMOISELLE (sauf i) Je BOIS (sans o) à VOTRE (sans t) : *Mademoiselle Sophie, je bois sans eau à votre santé.*
(7) Le — JE N'AI PAS MIS NOM D'AS — A sous P — i.R, SANS SERRER MON I   CHEZ SON ONCLE (sauf OCLE) : *Le jeune Epaminondas a soupé hier sans cérémonie chez son oncle Sophocle.*
(8) « A » long dans « C » sous les « O » rangés : *Allons danser sous les orangers.*
(9) Un grand AB plein d'« a » petits, « A » traversé par « I » « cent » sous « P » : *Un grand abbé plein d'appétit a traversé Paris sans souper.*
(10) *Les jours se suivent mais ne se ressemblent pas.*
(11) Houe-squelette-amer-H.i, dans un coin — dix « i » : caisse d'oranges — pas — m'haie — caisse de pêches.

# Renard (Jules) — 1864-1910

♦ *Tout le monde ne peut pas être orphe-lin.* Cette phrase horrible, venue sponta-nément aux lèvres de **Poil de Carotte**, résume tout le malheur des enfants mal aimés. Ce garçon intelligent, sensible, détesté par une mère qui parle trop et aimé en silence par un père craintif et renfermé, **Poil de Carotte**, c'est **JULES RENARD** lui-même.

Il était le quatrième enfant d'un ménage mal assorti et marqué par le malheur. Les époux RENARD — qui servirent de mo-dèle à *M. et Mme Lepic* — avaient subi un terrible choc : AMÉLIE, leur première petite fille née en 1856, était morte à l'âge de deux ans. **François Renard**, le père, bouleversé par ce deuil, avait songé à se tuer. Depuis, rien n'était plus pareil et le couple vivait dans une réserve proche de l'indifférence. Pourtant, deux autres en-fants naquirent : AMÉLIE, deuxième du nom, et MAURICE. C'est dans une am-biance de rancœur partagée et de haine recuite que, le 22 février 1864, le petit **Jules** fit son entrée dans le monde.

A peine la mère eût-elle aperçu la cheve-lure blond-roux du bébé qu'elle le baptisa « Poil de Carotte ». L'enfant, pour elle n'eût jamais d'autre nom. Pour se venger de la maladresse de son mari, responsa-ble de cette maternité non désirée, la mère reporta toute sa tendresse sur ses deux aînés, confondant dans une même haine le père et son dernier fils. Soucieux d'éviter les foudres de la mégère, Fran-çois Renard se mure dans le silence. Désormais, il se borne à écrire sur une ardoise les rares mots qu'il veut commu-niquer à sa femme. C'est dans ce foyer sans amour, dans cette atmosphère ir-respirable, que va grandir le petit **Jules Renard**. Comment l'écrivain qu'il devint n'aurait-il pas été marqué à jamais par tant d'agressivité latente, tant de haines injustes ?

♦ Il vint au monde dans le village de CHÂLON-SUR-MAYENNE. Lorsqu'il eut deux ans, ses parents s'installèrent à CHITRY-LES-MINES, dans la Nièvre, où François, le père, était né et dont il devint maire. Après avoir été pensionnaire au lycée de Nevers, puis à Charlemagne à Paris, **Jules Renard** se refusa à préparer le concours de l'École Normale. Il fré-quentait les cafés littéraires et courait les

éditeurs pour présenter des textes tou-jours refusés. Pour vivre, il exerçait des métiers subalternes.

*Je sais enfin ce qui distingue l'homme de la bête : ce sont les ennuis d'argent.*

En 1888, à 24 ans, il épousa **Marie MOR-NEAU**, une jeune fille de 17 ans dont la mère, veuve, avait du bien et qui lui apportait en dot 300 000 francs d'espé-rances.

Grâce à l'argent de sa femme, il put faire éditer ses nouvelles à compte d'auteur puis, participer comme actionnaire prin-cipal à la création des éditions du MER-CURE DE FRANCE. Il collabore désormais à plusieurs hebdomadaires littéraires et humoristiques.

Il écrit, réécrit, travaille son style. Il s'ap-plique à débarrasser sa phrase de tout effet littéraire. Il cherche le mot exact. Par dessus tout il déteste que l'écrivain *« fasse le beau »*. Son ambition à lui, c'est de faire vrai. Il analyse l'homme avec la méticulosité de l'entomologiste obser-vant un insecte. Sous son regard aigu comme un scalpel, les prétentions, les faux-semblants, les afféteries ne résis-tent pas, les baudruches se dégonflent.

**Jules Renard** est une sorte de natura-liste du genre humain. Surtout, ne trom-per personne et surtout pas soi-même :

*C'est l'homme que je suis qui me rend misanthrope.*

*On place ses éloges comme on place de l'argent, pour qu'ils nous soient rendus avec les intérêts.*

*Pour arriver, il faut mettre de l'eau dans son vin jusqu'à ce qu'il n'y ait plus de vin.*

*Ce n'est pas le tout d'être heureux, encore faut-il que les autres soient malheureux.*

*Pour bien arriver, il faut d'abord arriver soi-même, puis, que les autres n'arrivent pas.*

*Quand je donne un billet de cent francs, je donne le plus sale.*

♦ Ce n'est pas un hasard si ses écrivains préférés sont **LA BRUYÈRE** dont il a retrouvé l'art du trait et du portrait et **LA FONTAINE** pour sa langue simple.

Il n'aura de cesse d'aller, par désir d'au-thenticité, vers le dépouillement du style :

**162** *La clarté est la politesse de l'homme de lettres.*

*Le style, c'est l'oubli de tous les styles.*

*Le style, c'est l'habitude, la seconde nature de la pensée.*

◆ Il peignait les autres à travers lui-même et ne cessait de s'écorcher tout vif à coups d'épingles. Il était persuadé de rester un éternel méconnu.

*Moi et toi, cochon, nous ne serons estimés qu'après notre mort.*

*Mes mots feront fortune, moi pas.*

*Il faut vivre pour écrire et non pas écrire pour vivre.*

*Le métier des lettres est tout de même le seul où l'on puisse sans ridicule ne pas gagner d'argent.*

◆ Cet ironiste se contentait d'être méchant sur le papier :

*L'ironie est la pudeur de l'humanité.*

◆ Derrière son humour glacé, se cache — mal — un timide et un sentimental. Que de tendresse et de douleur, contient chacune de ses phrases !

*Que de gens ont voulu se suicider et se sont contentés de déchirer leur photographie !*

◆ **Jules Renard** donna à sa famille ce qu'il n'avait jamais reçu de la sienne. Il fut le meilleur des époux, le plus tendre des pères. Bon bourgeois, décoré de la Légion d'honneur, conseiller municipal, puis, maire de son village de CHITRY.

Il était d'ailleurs sans aucune illusion celui qui écrivait :

*Je vois très bien mon buste avec cette inscription : « A Jules Renard, ses compatriotes indifférents. »*

Il avait loué à Chitry un presbytère où il passait chaque année plusieurs mois en famille. Homme d'intérieur heureux, il chassait, pêchait ou faisait de la bicyclette.

A Paris, ses amis se nommaient **Tristan Bernard, Alfred Capus, Lucien Guitry** ou **Edmond Rostand**. On imagine les éblouissantes conversations qui devaient s'échanger entre ces princes de l'esprit.

*La conversation est un jeu de sécateur où chacun taille la voix du voisin aussitôt qu'elle pousse. Je ne ris pas de la plaisanterie que vous faites, mais de celle que je vais faire.*

◆ C'est en voyant ses amis triompher au théâtre qu'il se mit à son tour à écrire des pièces : *Le Plaisir de rompre* en 1897, fut son premier succès. Il récidiva avec *Le Pain de ménage* et devint une personnalité bien parisienne. Il était aussi l'ami des Goncourt, de Daudet, de **Schwob**. Il fut élu en 1908 à l'Académie Goncourt où il remplaça **J.-K. HUYSMANS**.
Le succès tant espéré ni la notoriété ne l'avaient rendu heureux pour autant :

*On n'est pas heureux : notre bonheur, c'est le silence du malheur.*

*Ne réveillez pas le chagrin qui dort.*

*La vie n'est ni longue ni courte : elle a des longueurs.*

*On ne peut pas pleurer et penser car chaque pensée absorbe une larme.*

◆ Le malheur, qui ne l'avait jamais complètement abandonné, se rappelait à lui. Le 19 janvier 1897, son père âgé de 76 ans, se tirait un coup de fusil en plein cœur, incapable qu'il était d'accepter la maladie qui le frappait. Son frère et sa sœur étaient morts eux aussi. Seule demeurait sa mère qui ne pouvait pas lui pardonner de l'avoir immortalisée sous les traits de *Madame Lepic*. « Chien d'encre ! » avait-elle laissé tomber après avoir lu **Poil de Carotte**. Son fils disait d'elle : *Maman a eu un tas de qualités naissantes qui n'ont pas grandi.*

Un jour d'août 1909 où il lui avait rendu visite, il entendit en partant une domestique hurler au secours. **Madame Renard** venait de tomber dans le puits. Accident ou suicide, on ne le sut jamais.

◆ Il survécut moins d'un an à celle qui l'avait si peu aimé.
A 46 ans, le 22 mai 1910, il mourut *d'une immense fatigue*. Sa veuve se hâta de brûler des centaines de pages de son *Journal* qu'elle jugeait non conforme à la morale de l'époque. Une perte irréparable pour la littérature qui se trouva être, une fois de plus, la victime des bons sentiments.

*Rien ne sert de mourir*, avait-il écrit, *il faut mourir à point.*

◆ Que devient notre pauvre langue française ?

Malmenée, dédaignée, méprisée, elle subit les assauts permanents d'un vocabulaire international, l'agression d'onomatopées venues de la bande dessinée, l'invasion de mots passe-partout — super, hyper, extra... — elle tend à se réduire, pour une partie de plus en plus grande de la population, à un vocabulaire de base de mille mots servant à exprimer quelques vagues besoins ou sentiments primaires.

★ **ALLITÉRATION :** Répétition au début de plusieurs mots ou syllabes des mêmes sonorités de façon à obtenir un effet surprenant ou harmonieux.
Exemples :
• De RACINE :
Pour qui **s**ont **c**es **s**erpents qui **s**ifflent sur vos têtes ?
• De RACINE encore :
De **c**e **s**acré **s**oleil dont je **s**uis de**s**cendue
• De HUGO :
Un **f**rais par**f**um sortait des tou**ff**es d'asphodèle
Les sou**ff**les de la nuit **f**lottaient sur Galgala

★ **ANACHOLUTE :** Discontinuité dans la construction d'une phrase :
**Vous voulez que ce dieu vous comble de bienfaits et ne l'aimer jamais ?**

★ **ANTIPHRASE :** Manière de s'exprimer qui consiste à dire, par ironie ou euphémisme, le contraire de ce que l'on pense :
**Bien visé !** à quelqu'un qui vient de manquer son but.

★ **ANTONOMASE :** Substitution de mot par laquelle on emploie un nom propre ou une périphrase énonçant sa qualité essentielle à la place d'un nom commun et réciproquement :
Exemple :
**Cet Harpagon** au lieu de cet avare
**Ce crésus** au lieu de cet homme riche
**L'empereur des Français** au lieu de Napoléon

L'humanité revient à ses sources : le singe n'est plus très loin. Il fut un temps — pas si lointain que ça ! — où l'on s'efforçait encore d'apprendre à bien parler, à bien écrire. Le style, la rhétorique étaient au programme des lycées. En souvenir de ce temps, aussi révolu que celui des pharaons, voici quelques-unes des figures de rhétorique les plus connues. Les noms, venus du grec en semblent barbares, ce qui est un comble, mais la plupart de ces procédés sont familiers à tous ceux qui ont conservé le souci de s'exprimer correctement :

★ **CATACHRÈSE** (du grec KATAKHRÊSIS : abus)
Métaphore consistant à employer un mot au-delà de son sens strict.
Exemple :
**Les bras ou les pieds du fauteuil**
**Être à cheval sur une chaise...**

★ **ELLIPSE :** Raccourci dans l'expression de la pensée. Fait de style consistant à omettre un ou plusieurs éléments de la phrase.
**Il a un grain** (sous entendu : de folie)
**Combien (vaut) ce bijou ?**
**Comment vas (tu) ?**
**Il n'est plus le même** (qu'il était avant)
Les mots aussi subissent des ellipses :
Le cinématographe est devenu le **CINÉMA** puis le **CINÉ**
C'est dans un télégramme ou dans une petite annonce que l'art de l'ellipse est poussé à l'extrême (**J.F. 40 a., blde, y. noisette, ch. H. âge indif. b. sit. vue mar. Pas sér. s'abst.**)

★ **EUPHÉMISME :** Adoucissement d'une expression qui pourrait choquer par sa brutalité ou sa tristesse :
Exemple :
**Il n'est plus très jeune** pour il est vieux
**Il s'est éteint** ou **il a disparu** ou **il est parti pour un monde meilleur** au lieu de il est mort.

★ **HYPALLAGE** (du grec HUPALAGE : échange)
Procédé par lequel on attribue à certains mots d'une phrase ce qui convient à d'autres mots de la même phrase :

**164**

HUGO :
**Ce marchand accoudé sur son comptoir avide**
**Rendre quelqu'un à la vie** au lieu de rendre la vie à quelqu'un

★ **HYPERBOLE** (du grec HUPERBOLE : excès)
Procédé qui consiste à exagérer l'expression afin de frapper l'imagination de son auditoire :
**Un génie** pour un homme intelligent
**Un hercule** pour un homme fort (dans ce dernier cas l'antonomase s'ajoute à l'hyperbole !)

★ **IRONIE** : Raillerie consistant à faire entendre, grâce à l'intonation, le contraire de ce qu'on dit. Aristote l'assimile à l'ANTIPHRASE.

★ **LITOTE** (du grec LITOTÊS : simplicité)
Expression consistant à dire moins pour faire entendre plus. Cette pratique est courante chez les Anglais qui l'appellent « understatement ».
CORNEILLE :
**Va, je ne te hais point !** qui signifie **je t'aime.**

★ **MÉTONYMIE** : Procédé de style par lequel on exprime l'effet par la cause, l'objet par son origine, le contenu par le contenant, le tout par la partie :
Exemple :
**Il s'est fait refroidir** (mis pour : **tuer**)
**Un bordeaux blanc**
**Boire une bonne bouteille** (mis pour : le **contenu** d'une bouteille)

**Il est 5 heures Paris** (les habitants de Paris) **s'éveille**

★ **PÉRIPHRASE** ou **CIRCONLOCUTION** :
Expression formée de plusieurs mots que l'on substitue à un seul :
**La ville lumière** pour **Paris**
**La messagère du printemps** pour **l'hirondelle**

★ **PRÉTÉRITION** : Figure de rhétorique par laquelle on déclare ne pas vouloir parler d'une chose, dont on parle néanmoins grâce à cet artifice.
**Je ne vous parlerai pas des forfaits sans nombre accomplis par cet homme, je ne vous dirai pas sa mauvaise foi...** etc.

★ **SYLLEPSE** (du grec SULLÊPSIS : compréhension)
Accord des mots dans une phrase en fonction du sens général et non selon les règles grammaticales :
**Une personne** me disait un jour qu'**il** avait eu une grande joie.

★ **SYNECDOQUE** : Procédé de style qui consiste à prendre la partie pour le tout, le tout pour la partie, le genre pour l'espèce, l'espèce pour le genre :
Exemple :
**Une escadre de trente voiles** (pour **navires**)
**Le plus insolent des mortels** (pour **hommes**)
**La saison des roses** (pour **fleurs**)

★ **ZEUGMA** (du grec ZEUGMA : réunion)
Procédé consistant à rattacher grammaticalement deux ou plusieurs noms à un adjectif ou à un verbe qui, logiquement ne se rapporte qu'à l'un des noms.

Exemple :
**GIDE : En achevant ces mots, Damoclès tira de sa poitrine un soupir et de sa redingote, une enveloppe jaune et salie.**

Ne sommes-nous pas comme **M. JOURDAIN** et, comme lui, ne faisons-nous pas, chaque jour, des figures de réthorique sans le savoir ?

Quel bonheur ce sera de pouvoir plaquer désormais un mot savant sur les plus banales de nos tournures de phrase !

# Rime

◆ Tout poète classique se doit de respecter, dans la composition de ses œuvres, deux impératifs majeurs : ses vers compteront le nombre de pieds voulus par le genre choisi — douze pour un alexandrin — et rimeront deux à deux. C'est du dépassement de ces contraintes que naissent l'harmonie et la musique du poème.

A la fin du siècle dernier, il était du dernier chic pour certains poètes de composer des œuvres aux rimes rares et sophistiquées : divertissement d'esthète à qui le goût de la performance littéraire et de l'acrobatie verbale faisait oublier que l'art et l'émotion proviennent le plus souvent de la simplicité.

◆ **Stéphane MALLARMÉ** était de ceux-là ; mais plus encore **Théodore de BANVILLE** qui s'était fait une spécialité dans les rimes impossibles.
C'est lui qui composa ces distiques célèbres :

> *Dans tout ce que l'Afrique a d'air,*
> *Bugeaud veut prendre Abd-el-Kader*

> *Blanc comme Eglé qui dort auprès d'un ami sien,*
> *Blanc comme les cheveux d'un académicien.*

◆ **Georges COURTELINE,** qui se mêla rarement de poésie, écrivit pourtant un dialogue pour se moquer de ces précieux chercheurs de rimes rares.

Il s'est mis en scène face à un butor parlant de tout sans en rien connaître, et qui prétendait lui donner des leçons de littérature en déclarant sur le mode péremptoire que **la rime était « la rencontre de trois lettres semblables en queue de deux mots différents ».**

— **Parfaitement,** lui répondit l'humoriste — Oyez plutôt :

*Monsieur Georges Courteline*
*A l'âme républicaine*

— **J'ai dit trois lettres, croyant dire quatre. C'est la langue qui m'a fourché !**

— **A la bonne heure ! Voilà qui change tout... et je le prouve :**

*J'ai débuté dans Ruche*
*Vous étiez même assez mouche*

— **Voyez pourtant, quand cela ne veut pas ! Tout à l'heure, croyant dire quatre, je disais trois et, à présent, croyant dire cinq, je dis quatre...**
— **Évidemment : témoin, le distique que voici :**

*Mêlés au bruit des orchestres*
*Tintent les cristaux des lustres*

— **C'est tout à fait par exception que les désinences de cinq lettres ne parviennent pas à former rimes. En tout cas, supposez-les de six et je vous garantis que, pour le coup, l'exception cesse d'être possible.**
— **Ainsi qu'il appert clairement de ces deux vers improvisés :**

*L'humidité des isthmes*
*Ne vaut rien pour les asthmes*

— **Vous êtes un esprit contrariant ! Vous me concéderez pourtant, je l'espère, que des rimes faites des sept mêmes lettres sont ce qu'on peut appeler des rimes ayant du foin dans leurs bottes.**
— **Et je le démontre sur l'heure :**

*Les poules du couvent*
*Ont des œufs qu'elles couvent*

— **Oui ? Eh bien, il faut en finir. Voulez-vous parier cent mille francs que des rimes composées de huit lettres pareilles constituent ce qui se fait de mieux dans le genre ?**
— **Je parie que non : je gagne et je prouve :**

*Les intérêts publics résident*
*Dans les pouvoirs du président*

**Donnez-moi mes mille balles !**
— **Flûte ! Vous m'agacez ! Allez vous faire lanlaire, vous n'aurez pas un radis !**

◆ Le bon Courteline aurait pu continuer longtemps encore sa démonstration. La preuve ! C'est Alphonse ALLAIS qui nous la donne :

*Les gens de la maison Dubois, à Bône, scient,*
*Dans la bonne saison du bois à bon escient*

**(C'est vraiment triste, ajoute-t-il, pour deux vers, d'avoir les vingt-deux dernières lettres pareilles et de ne pas arriver à rimer.)**

Pouvait-on démontrer plus spirituellement que la rime se moque de tout... et surtout de la raison ?

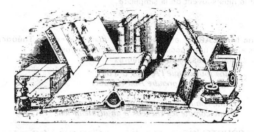

# Rostand (Edmond) — 1868-1918

◆ Comment imaginer aujourd'hui l'adulation que les Français vouaient à **Edmond ROSTAND** en ce début de siècle ? Toute une génération assoiffée d'héroïsme se reconnaissait en lui et en ses personnages :
— CYRANO, bretteur redoutable mais aussi poète amoureux, au profil grotesque mais au cœur sublime.

— LE DUC DE REICHSTADT, fragile silhouette écrasée par l'ombre immense de l'épopée impériale.

— CHANTECLER, coq superbe qui règne sur la basse-cour ; il croit que le soleil n'attend que son chant matinal pour apparaître chaque matin.

Ce sont là des héros aux qualités bien françaises : l'esprit, le panache, la générosité, la beauté du mot et du geste, le défi un peu ridicule, l'exploit désintéressé, la pointe, la bravoure et le trait. Et Dieu sait si l'esprit nationaliste français avait de l'importance au cours de cette période qui va de la débâcle honteuse de 1870 à l'espoir de revanche qui justifie la Grande Guerre de 1914 !

◆ **Edmond ROSTAND** vit le jour à Marseille en 1868, un 1er avril, au sein d'une famille de négociants aisés et cultivés. C'est avec nonchalance qu'il accomplit des études brillantes avant de décider de se consacrer à la poésie.

Les débuts ne furent guère encourageants. Oublions charitablement *LE GANT ROUGE*, un vaudeville écrit à 20 ans en collaboration qui atteignit à peine quinze représentations, pour retenir plutôt un recueil de vers, *LES MUSARDISES* qui obtint un succès d'estime. En 1890, il épouse Rose, Étiennette (dite **Rosemonde) Gérard**, une poétesse de 19 ans qui passera à la postérité pour un distique fameux qu'un industriel de la bijouterie reproduira « à la chaîne » sur des montagnes de médailles :

*Car, vois-tu, chaque jour, je t'aime davantage*
*Aujourd'hui plus qu'hier et bien moins que demain.*

Deux fils naîtront qui connaîtront des destinées fort différentes : en 1891, **Maurice** et, en 1894, **Jean**.

◆ **Edmond ROSTAND** continue de produire des pièces qui lui vaudront de compter, au sein d'un milieu littéraire qui l'ignore, quelques solides amitiés. Si *LES DEUX PIERROTS* sont refusés par la Comédie Française, *LES ROMANES-QUES*, eux, seront joués (1894). Il aura avec **Sarah Bernhardt** une liaison passionnée et, comme l'actrice dirige le théâtre de la Renaissance, elle montera et jouera ses deux pièces en vers *LA PRINCESSE LOINTAINE* (1894) et *LA SAMARITAINE* (1897).

C'est alors, qu'en 1898, éclate le succès inattendu, énorme, incroyable de *CY-RANO DE BERGERAC*, qui du jour au lendemain, fera de **ROSTAND** un héros national.

◆ Deux ans plus tard, ce sera l'*AIGLON*. Un public subjugué fera un triomphe à **Sarah Bernhardt** dans le rôle du jeune Duc de Reichstadt et à **Lucien Guitry** dans celui de Flambeau, le grognard.

Il n'est pas d'honneurs trop grands pour **Edmond ROSTAND** que l'Académie française accueille en 1901. A 33 ans, le voici siégeant parmi tant de vieilles barbes.

Hélas ! A la veille de la représentation de l'Aiglon, il avait contracté une pneumonie qui le condamnait à mener désormais l'existence précaire des tuberculeux. Son médecin lui recommanda CAMBO, une station des Pyrénées dont le climat était bon pour les poitrinaires.

Arrivé en novembre 1900, il tomba amoureux du pays. Sur un plateau d'où la vue embrasse la chaîne des Pyrénées, il acheta un immense terrain où il entreprit d'élever le palais de ses rêves. Des nuées d'ouvriers commencèrent par créer en quelques mois un somptueux jardin à la française : des bassins crachaient une eau qu'il fallait faire venir de 20 kilomètres.

Comme **ROSTAND** ne voulait pas de baliveaux, on arracha dans les forêts voisines des arbres de haute taille qui furent plantés selon les dessins du poète. En 1903, commencèrent les travaux de la maison : conçue comme un décor de théâtre, elle fut baptisée du nom d'un torrent de la région, « ARNAGA ». Le luxe des installations rappelle le faste des palais orientaux : des colonnes de marbre, un escalier monumental à la rampe de fer forgé, un salon tapissé de laques de Coromandel. Madame Rostand se baignait dans une baignoire en argent massif. Une trentaine de domestiques s'activaient dans la maison, et, à l'extérieur, un bataillon de jardiniers régnait sur le parc et sur la basse-cour remplie d'animaux que le poète avait voulus tous blancs : blancs les pigeons, les poules, les paons, les chiens-loups, blancs aussi les chevaux.

Dans ce paradis vivaient le couple Rostand et leurs deux garçons. Le premier, chéri de sa maman, versifiait avec elle et faisait preuve d'un penchant homosexuel très marqué. Avec son ami **Jean Cocteau**, venu en visite, il faisait scandale dans le bourg. Une affaire de ballets bleus provoqua l'indignation générale. **Edmond ROSTAND** souffrait de la conduite de son fils.

Aussi dissemblable que possible de son frère aîné, le jeune **Jean Rostand** voyait s'éveiller à « Arnaga » sa vocation de biologiste. On lui avait installé dans le fond du jardin un laboratoire où il se livra à ses premières expériences de génétique.

Les Rostand avaient des amis brillants et raffinés que la personnalité du poète attirait : **Mounet-Sully, Cécile Sorel, Courteline, Loti, Herriot, Blum, Poincaré** faisaient partie des familiers du lieu. Un quatrain, sous le porche d'entrée d'« Arnaga », les accueillait :

*Toi qui viens partager notre lumière blonde*
*Et t'asseoir au festin des horizons changeants*
*N'entre qu'avec ton cœur, n'apporte rien du monde*
*Et ne raconte pas ce que disent les gens.*

◆ **Edmond ROSTAND** fréquentait les plus belles femmes, les plus intelligentes aussi et ses liaisons ne passaient pas inaperçues : **Madame Simone** (morte le 2 novembre 1985, âgée de 108 ans !), **Anna de Noailles, Sarah Bernhardt**, bien sûr. Le ménage s'effritait. Rosemonde Gérard, se consolait avec le falot **Tiarko Richepin**, le fils du poète.

Enfin, le 7 juin 1910, ce fut la première de *CHANTECLER* que le public attendait depuis dix ans. Ce fut un demi-succès ou plutôt un demi-échec. Ces acteurs, vêtus en animaux de basse-cour, surprirent les spectateurs et, bien vite, les ennuyèrent. La pièce comportait pourtant de bien beaux morceaux de bravoure. Notamment l'*HYMNE AU SOLEIL* déclamé par le coq :

> *Je t'adore, Soleil.*
> *Tu mets dans l'air des roses,*
> *Des flammes dans la source, un dieu dans le buisson,*
> *Tu prends un arbre obscur et tu l'apothéoses !*
> *O, soleil, toi sans qui les choses*
> *Ne seraient que ce qu'elles sont !*

Affecté par l'accueil réservé à sa pièce, **Edmond ROSTAND** se retira à « Arnaga ». Pendant la guerre, il ne vécut plus que dans l'attente de la Victoire.
Au cours d'un voyage à Paris, il connut **Mary Marquet** qu'il ramena à « Arnaga » le 28 juillet 1918. Ce fut sa dernière passion. Afin de pouvoir l'épouser, il songeait à demander le divorce. Il voulut être à Paris afin d'assister à la Victoire tant espérée. Il ne se doutait pas qu'il quittait « Arnaga » pour toujours. La veille du départ, sinistre présage, l'un de ses pigeons blancs s'abattit à ses pieds et y mourut. Le 10 novembre, il était à Paris pour assister à la liesse immense qui salua l'armistice. Sa joie fut bien courte : une semaine plus tard, il mourait, victime de la même épidémie de grippe espagnole qui tua un autre poète, **Guillaume Apollinaire.**
**ROSTAND**, sentant venir sa fin, avait écrit :

> *Je ne veux voir que la Victoire.*
> *Ne me demandez pas : « Après » ?*
> *Après, je veux bien la nuit noire*
> *Et le sommeil sous les cyprès.*

◆ Quelques années plus tard, le nom de **ROSTAND** sera de nouveau célèbre, non à cause de **Maurice**, poète frisé et bêlant, mais grâce à **Jean Rostand**, remarquable savant et philosophe qui défendait dans ses écrits une morale fondée sur la croyance en la vérité et le progrès humain. On pourrait le définir comme un humaniste athée qui, toute sa vie, chercha à imposer une religion de l'homme. Écoutez la voix de ce sage :

• *Être le plus homme possible, développer en soi ce qui est le propre de l'homme et pour cela, être le moins bestial, le moins infantile, le moins névrosé.*

• *Être adulte, c'est être seul.*

• *Tout homme est mon frère tant qu'il n'a pas parlé.*

• *Je me sens très optimiste quant à l'avenir du pessimisme.*

• *Ô vérité, toi si belle quand il s'agit des choses, si laide quand il s'agit des hommes...*

• *On tue un homme, on est un assassin. On tue des millions d'hommes, on est un conquérant. On les tue tous, on est un dieu.*

---

## Rousseau (Le douanier) — 1844-1910

◆ Si les morts sont autorisés à se pencher aux balcons du ciel pour regarder ce qui se passe en bas, comme il a dû être heureux, le petit « douanier » de voir, devant le Grand Palais où ses œuvres étaient exposées, les Parisiens faire la queue pour admirer **65** de ses principaux tableaux parmi les quelque **250** dispersés dans le monde. Plus d'un million de visiteurs à Paris du 15 septembre 1984 au 7 janvier 1985.

Puis, une foule de New Yorkais, au Museum of Modern Art, du 5 février au 4 juin, ont vu — et sans rire ! — les œuvres d'**Henri Rousseau.**

◆ Quelle revanche !
*« Peu d'artistes ont été plus moqués durant leur vie que le **Douanier Rousseau** et peu d'hommes opposèrent un front plus calme aux railleries, aux grossièretés dont on l'abreuvait »*, écrivait

celui qui fut son ami, le poète **Guillaume Apollinaire**.

◆ Au XXIIIᵉ Salon des Indépendants, en 1907, un critique note : *« Dans aucune comédie, dans aucun cirque, je n'ai entendu rire comme devant ces tableaux de Rousseau. Et lui, à côté, serein, drapé dans un vieux pardessus, nageait dans la béatitude. Il ne pouvait se douter un seul instant que ces rires lui fussent destinés »* écrit le peintre **Vlaminck**.

◆ Était-ce de l'orgueil ou de l'inconscience ? Plutôt « l'imperturbable force d'un vrai naïf qui ignorait le doute ». Sans la croyance inébranlable qu'il avait en son génie, comment **Henri Rousseau** aurait-il pu supporter la vie dérisoire et misérable qui fut la sienne ?

◆ Il naît à Laval le 20 mai 1844. Son père est ferblantier. Sa mère, petite-fille du colonel Jean-Pierre Guyard, « héros » des guerres de la Révolution et de l'Empire, rêve pour lui d'un grand avenir.
Hélas ! Henri est un cancre qui, à 16 ans, piétine encore en cinquième.
Au travail chez un avoué : il vole une somme de 10 F qu'on lui avait confiée, plus 5 F en timbres-poste ! L'avoué porte plainte. Pour s'assurer la bienveillance de la justice, **Rousseau** s'engage pour sept ans dans l'armée. Il n'en fera que quatre : son père meurt en 1868, il est démobilisé comme « soutien de veuve ».
Le voici à Paris. Il épouse **Clémence Boitard**, la fille de sa logeuse. Elle lui donne 7 enfants dont 6 mourront en bas âge.
Pour faire vivre sa famille, il entre dans l'Administration comme **commis de 2ᵉ classe à l'Octroi**. Cette situation plus que modeste lui laisse des loisirs : Après une nuit de garde, une journée de repos. Il commence à peindre, il ne s'arrêtera plus.

En 1893, sa femme et ses enfants sont tous morts. Il obtient à 49 ans d'être mis à la retraite proportionnelle pour se consacrer entièrement à la peinture.
Comme il est difficile de vivre avec 1 019 F par an, il donne des cours de solfège et de dessin. Il se remarie avec **Joséphine Noury**, une veuve qui mourra quatre ans plus tard. On commence à lui acheter quelques tableaux, ce qui ne signifie pas toujours que son art est reconnu.
**Georges Courteline** fait l'acquisition de

son *portrait de Pierre Loti* pour l'accrocher dans son « musée des horreurs ».
A peine **Rousseau** a-t-il un peu d'argent qu'il le distribue aux pauvres. Sa naïveté est prodigieuse. Il se laisse embarquer par un ami, escroc notoire, dans une affaire minable de chantage à la Banque de France. Avec la commission qu'il touche pour sa complicité, il achètera 4 billets de la Loterie pour les enfants tuberculeux et une obligation de la Ville de Paris ! L'escroquerie découverte, il est enfermé à la Santé. Le Tribunal, jugeant qu'on avait abusé de sa candeur, sera compatissant et ne le condamnera qu'à deux ans de prison avec sursis. **Rousseau** remerciera le président : *Et pour votre gentillesse, je ferai le portrait de votre dame !*

Peu à peu pourtant, un petit cercle d'amis lui exprimera son admiration : Toulouse-Lautrec, Pissaro, Odilon Redon, Signac, Braque, Max Jacob, Vlaminck, Duhamel, Jules Romains, Francis Carco. Mais, il n'aura guère le temps de profiter de cette notoriété tardive. Il mourra en 1910 d'une blessure mal soignée à la jambe où la gangrène se mettra. Le 4 septembre, sept personnes seulement accompagnent sa dépouille jusqu'au cimetière de Bagneux où elle sera abandonnée à la fosse commune.
Un an plus tard, compatissants, le peintre **Delaunay** et **Queval**, son propriétaire, feront transporter ses restes dans une concession décente que signalera une pierre tombale portant une épitaphe d'**Apollinaire**. Cette tombe sera transférée à Laval, sa ville natale, en 1947.

C'est à peine si la presse mentionna la mort d'**Henri Rousseau**. Quelques lignes dans les journaux.
Mais la légende du Douanier commençait.

Qui donc était **Henri Rousseau** ?
*Un génie pictural* selon Apollinaire...
*Un douanier roublard* selon Picasso.

### Était-il vraiment aussi naïf que sa peinture ?

On pourrait en douter à la lecture de certains chapitres troublants de sa biographie. Ce petit employé d'octroi d'abord, n'était pas DOUANIER. Ce surnom lui avait été donné par **Alfred JARRY**, le père d'UBU. Il plut à **Rousseau** (c'était lui donner de l'avancement !) qui le garda.

1. **LE MÉDAILLÉ** : En avril 1791, sept toiles de **Rousseau** sont exposées au Salon des Indépendants lorsque celui-ci apprend qu'un certain Henri **Rousseau** — un homonyme — vient de remporter la médaille d'argent du concours de la Ville de Paris. Aussitôt notre Douanier de se faire imprimer des cartes de visite avec la mention « MÉDAILLÉ DE LA VILLE DE PARIS ».

2. **LE DÉCORÉ** : Une autre fois, les Palmes Académiques sont décernées à un autre **Rousseau**.
Henri l'apprend en lisant le journal et, dès le lendemain, il arbore la rosette violette à son revers.

3. **L'AVENTURIER** : **Rousseau**, qui n'a jamais quitté la France, s'est inventé à peu de frais une vie d'aventure. Il raconte qu'il avait passé sept ans au Mexique comme musicien dans la fanfare du corps expéditionnaire. C'est dans ce pays, prétend-il, qu'il avait eu la révélation de la beauté de la jungle mexicaine.
La réalité est plus prosaïque : lorsqu'il faisait son service militaire à Angers, il rencontra les rescapés des deux bataillons français envoyés cinq ans plus tôt au Mexique pour soutenir l'empereur **Maximilien**. Il les questionna, se fit en détail raconter la campagne militaire, les paysages.

4. **L'INSPIRÉ** : Ses terribles lions, tigres rugissants, **Rousseau** les a peints d'après un album pour enfants intitulé *BÊTES SAUVAGES* édité pour les fins d'années par les GALERIES LAFAYETTE, à moins que ce ne soit d'après les vignettes publicitaires des potages Liebig ou du chocolat Menier.
Son chef-d'œuvre *LA GUERRE* a été copié sur une lithographie du journal *L'Ymagier*.
Sa *BOHÉMIENNE ENDORMIE* est le plagiat d'un tableau de **LÉON GÉROME** *LES DEUX MAJESTÉS*. On l'a retrouvée chez un plombier à qui le tableau servait d'établi. Le musée d'Art Moderne de New York l'a aussitôt acheté.

◆ Rousseau copiait partout, retranscrivait les dessins au pantographe, décalquait sans pudeur aucune.
Et chaque année, on s'esclaffait devant son tableau au Salon des Indépendants *Au fou !, A la douane, le douanier !, A Charenton !*

**Willy**, le mari de Colette, écrivait : « *Monsieur Rousseau, je le crois, peint avec ses pieds, les yeux fermés !* »

En novembre 1908, Picasso organise en l'honneur du douanier Rousseau, un banquet au BATEAU LAVOIR. C'était un énorme canular auquel participaient Apollinaire, **Marie Laurencin**, **Max Jacob**, **Braque**, **André Salmon**, **Léo** et **Gertrude Stein**.

On a installé un trône au douanier, une chaise sur une caisse. Sous les lampions, il racle son violon. Chacun y va de son discours. Le gros rouge et le whisky coulent à flots. Rousseau s'endort, ivre, lui, de satisfaction béate. On le raccompagne au petit matin jusqu'à sa porte. Avant de partir, il lance à **Picasso** : « *Toi et moi, nous sommes les deux plus grands peintres de l'époque : toi, dans le genre égyptien, moi dans le genre moderne !* ».

Le **douanier Rousseau** n'a jamais douté de son génie. Il n'a pourtant aucune culture artistique, aucun métier. Il ne sait pas dessiner, ni maîtriser la perspective. Il peint avec une méthode qu'il a inventée : il mesure le visage et le corps de ses modèles avec un double décimètre avant de les reporter sur la toile. On ne peut pas dire que le résultat soit très ressemblant ! Pour son tableau *LA MUSE INSPIRANT LE POÈTE*, **Rousseau** peint **Marie Laurencin** à la droite du poète. « Mais, je ne suis pas si forte que ça, tout de même ! ». « Que veux-tu, répond le douanier, *Apollinaire est un grand poète, il lui faut une grosse Muse !* ».

◆ Après sa mort, les surréalistes vont être fascinés par l'œuvre de ce peintre du dimanche et par la charge onirique que recèlent ses tableaux. Rousseau se démarque des impressionnistes — sauf peut-être de Gauguin — et il rejette l'art pompier.
« Il apporte à la peinture moderne une innocence picturale sans précédent ». Jamais il n'aura réussi à franchir la distance irréductible qui sépare un douanier qui peint d'un peintre véritable. Mais il aura eu l'appréciable mérite de « décontracter la peinture ». Était-il le dernier des primitifs ou le premier des modernistes ?

**Monsieur le Douanier, qu'avez-vous à déclarer ?**

# *Superlatifs ou... le « plus » en France*

## ◆ LE PLUS HAUT - LE PLUS GRAND...

La plus haute **Ville d'Europe :** **Briançon** (05) : *1 326 m*
La plus haute **Commune d'Europe :** **St-Véran** (05) : de *1 990 m à 2 042 m*
Le plus haut **Col d'Europe :** **Col de Restefond :** *2 802 m* entre Jausiers (05) et St-Étienne-de-Tinée (06)
Le plus haut **Téléphérique du monde :** **Aiguille du Midi** (74) : *3 790 m*
Le plus haut **Phare d'Europe :** **Phare de la Vierge :** *75 m* sur la presqu'île de Ste-Marguerite à l'Aber-Wrac'h (29 N)
La plus haute **Statue de France :** **Notre-Dame du Sacré-Cœur :** *73 m* à Lyon au Mas Rillier (69)
Le plus haut **Donjon de France :** **Elven** (56) : *57 m*
Le plus haut **Chœur Gothique du monde :** **Cathédrale St-Pierre** à Beauvais (60) : *48,20 m*
La plus haute **Colonne de France :** **Colonne de la Grande Armée** à Boulogne-sur-Mer (62) : *53 m*
La plus haute **Cheminée de France :** **Usine E.D.F.** d'Aramon (30) : *250 m*
La plus grande **Stalagmite du monde :** **Aven Armand** (48) : *29 m*
Le plus haut **Menhir de France :** **Men er Hroëch** à Locmariaquer (56) : *29,50 m*
Le plus grand **Arbre de Paris :** **Avenue Foch** (75016) : *42 m*

## ◆ LE PLUS PETIT - LE PLUS COURT...

La plus petite **Agglomération de France :** **Castelmoron-d'Albret** (33) : *3,75 ha*
La plus petite **Mairie de France :** **Saint-Germain-de-Pasquier** (27) : *3 m × 2,70 m*
Le plus petit **Port de France :** **Port Racine** à Saint-Germain-des-Vaux (50) : Longueur : *45 m* - Largeur : *20 m* - Entrée : *8 m*
La plus courte **Rue de Paris :** **rue des Degrés,** entre la rue de Cléry et la rue d'Aboukir : *5,60 m*
La plus étroite **Rue du monde :** à Port Isaac (20)
La plus petite **Maison de Paris :** **39, rue du Château-d'Eau** (75010) - Façade : *1,10 m* - Hauteur : *5 m*

## ◆ LE PLUS LONG...

Le plus long **Tunnel routier de France :** **Tunnel du Mont-Blanc** (74) : *11,6 km*
Le plus long **Tunnel routier du monde :** **Goeschener,** canton d'Uri (Suisse) : *16,285 km*
La plus longue **Rue de Paris :** **la rue de Vaugirard :** *4,350 km* - 407 numéros
Le plus long **Nom de commune de France :** **Saint-Remy-en-Bourzemont-Saint-Genest-et-Isson** (51) : *38 lettres*

Le plus ancien **Monument chrétien** de la
Gaule : **Sarcophage de la Gayole** (38) : *III*°
La plus vieille **Église de France** : **Abbaye de Germiny-des-Prés** (45) : IX°
La plus ancienne **Maison de Paris** : **51, rue de Montmorency** construite par
Nicolas Flamel en *1407*
Le plus ancien **Meuble de France** : **une armoire du XII°** à Aubazine (19)
La plus ancienne **Synagogue de**
**France** : **Carpentras** (84) XIV° et XVIII° siècles
La mieux conservée des **Abbayes cis-**
**terciennes** : **Fontenay** (21) XII° siècle

## ✦ LE PLUS VASTE - LE PLUS GRAND...

La plus importante **Forteresse médié-**
**vale d'Europe** : **Carcassonne** (11)
Le plus grand ensemble de **Vitraux du**
**XIII° siècle** : **Cathédrale de Chartres** (28)
La plus grande **Cathédrale de France** : **Amiens** (80) - Superficie : *7 760 m²* - Lon-
gueur : *133,50 m*
Le plus vaste **Château de la Loire** : **Chambord** (41) : *18 250 m²*
La plus grande **Place de France** : **Place de la Concorde** à Paris (75008) -
*7,5 hectares* (75 000 m²)
Le plus grand **Lac de France** : **Lac du Bourget** (73) : *45 km²* - le Lac
Léman : *582 km²* - appartient à la Suisse :
*348 km²* et à la France : *234 km²*
Le plus grand **Étang de France** (commu-
niquant avec la mer) : **Étang de Berre** (13) : *113 km²*
La plus vaste **Crypte de France** : **Cathédrale de Chartres** (28) IX° et
XI° siècles
La plus vaste **Hêtraie de France** : **Forêt de Lyons** (27) : *1 063 ha*
La plus vaste **Sapinière de France** : **Forêt de Joux** (39). Le sapin « Président »
est âgé de *230 ans*
Le plus puissant **Phare du monde** : **Creac'h** sur l'île d'Ouessant (29). Puis-
sance *500 millions de bougies*
Le plus grand **Four solaire du monde** : **Odeillo-Font-Romeu** (66). Le miroir pa-
rabolique : *2 500 m²* et 63 miroirs orientaux
de 45 m²
Le plus grand **Ensemble mégalithique**
**du monde** : **Carnac** (56) avec *2 722 menhirs*
Le département de France ayant le plus
grand **nombre de Dolmens** : **Aveyron** avec *490* sur les 4 500 recensés

## ✦ LE PLUS... LE PLUS... LE PLUS...

Les **Agglomérations** les plus **ensoleillées de France** - Ex-aequo : **Coaraze** (06) :
toutes les maisons ont des cadrans solaires - **Eus** : prononcez Eousse (66) : ses
habitants s'appellent « les lézards ».
La **Ville la plus décorée de France** : **Verdun** (55).
Le plus riche **Calvaire de Bretagne** : **Guimilliau** (29 N) - fin XVI° siècle - *25 scènes* -
*200 statues.*
Le plus **énigmatique des Monuments mégalithiques du monde** : *Île de Gavrinis* (56)
- *2000 av. J.-C.*

◆ Ce fut une coutume bien française que celle qui consistait à affubler d'un surnom les personnalités les plus en vue de la politique, des arts ou du spectacle.

Il semble que de nos jours, faute de polémistes, cette saine habitude ait tendance à se perdre.

Malheureusement, nombre de ces sobriquets qui enchantaient nos parents et grands-parents, nous sont aujourd'hui totalement hermétiques parce qu'ils faisaient référence à une actualité qui ne nous évoque plus rien. Voici une liste de ceux qui nous semblent avoir le mieux traversé le temps :

- **Napoléon III** : *Badinguet.*
- **Hortense Schneider** : *le Passage des Princes.*
- **Général Trochu** : *Participe passé du verbe « Trop choir »* (V. Hugo).
- **Guy de Maupassant** : *le Taureau triste* (H. Taine).
- **George Sand** : *la Vache bretonne de la littérature* (J. Renard).
- **Émile Zola** : *le Porc épique* (Leconte de Lisle) et aussi - *le Grand Fécal* (Léon Daudet).
- **Jean Lorrain** : *la Bonne Lorraine.*
- **Sainte Beuve** : *Sainte Bévue* (Balzac).
- **Meg Steinheil** (entre les bras de qui trépassa Félix Faure) : *Bouche à « feu ».*
- **Léon Bloy** : *Saint-Jean Bouche d'Égout* (Laurent Tailhade).
- **Louis Lépine** (Préfet de police de petite taille) : *le Mouchard de poche* (Rip).
- **Le Sénateur Béranger** : *le Père la Pudeur* ou *le Vieux Continent.*
- **Le Président Fallières** : *Adipeux Roi* (La Fouchardière).
- **Georges Clemenceau** : *le Tigre.*
- **De Selves** (Ministre des Affaires Étrangères) : *le Con d'Orsay.*
- **Paul Géraldy** (auteur de « Toi et Moi ») lorsqu'il divorça d'avec la cantatrice Germaine Lubin : *Eux... brouillés ?*
- **Henry Bernstein** : *Divan le Terrible.*
- **Comtesse de Caillavet** (Léontine Lippmann) l'égérie d'Anatole France : *la Bonne sous France.*
- **Henri de Jouvenel** : *la Braguette enchantée* (Eugène Merle).
- **Julien Benda** : *un mélancolique passé défini* (Henri Jeanson).
- **Jean Cocteau**, après la mort de Radiguet : *le Veuf sur le toit.*
- **Le Président Albert Lebrun**, qui avait la larme facile : *le Chialant qui passe* (Breffort).

- **Édouard Herriot** : le *discrédit Lyonnais* (Jules Rivet).
- **Mistinguett** : *les Soirées de mes dents* (André Royer).
- **Cécile Sorel et le Comte de Ségur** : *la fossile et le marteau.*
- **Édouard Daladier** : *le taureau de la Camarde* (Breffort).
- **Le Maréchal Pétain** : *Philippe Éteint* ou *le Connétable du Déclin.*
- **Darlan** : *l'Amiral Courbette.*
- **Pierre Laval** : *le Bougnat.*
- **Abel Bonnard** : *la Gestapette.*
- **Serge Lifar** : *la Loïe Führer.*
- **Le ménage Georges Bidault** : *M. et Mme Crapotte* (R. Peyrefitte).
- **Le roi Farouk** : *Porc Royal.*
- **Salvador Dali** : *Avida Dollars* (A. Breton).
- **Edgar Faure** : *Edguère Fort* (Paraz).
- **Montherlant** : *Monsieur Henri « soi-même » de Montherlant* (le Canard enchaîné) ou *un bas du cul qui se prend pour un grand d'Espagne* (J. Prévert).
- **Elsa Triolet** : *l'Aragonzesse* (Jeanson).
- **Roger Richebé** (metteur en scène de films très commerciaux) : *Pauvre C...* (H. Jeanson).
- **Sacha Guitry** : *Sacha qui triche* (Jeanson) - *le Paon total* (Breffort).
- **Yves Allégret** (metteur en scène de films noirs) : *Water-Clouzot.*
- **Simone de Beauvoir** : *la Grande Sartreuse* ou *la Sartreuse de Charme.*
- **Charles Trénet** : *le Fou chantant.*
- **Gilbert Bécaud** : *Monsieur 100 000 volts.*
- **Une péripatéticienne** : *Petite secousse.*
- **Un écrivain fort laid et efféminé** : *« 35 » (parce qu'« il est vilaine »).*
- **Un ministre des finances** : *le bourreau de mes thunes* (J. Rigaux).

# Syllogisme

◆ Qui ne connaît le fameux syllogisme d'**Aristote** ?

*Les hommes sont mortels* (majeure)
*Or, Socrate est un homme* (mineure)
*Donc, Socrate est mortel* (conclusion)

◆ Le syllogisme se présente sous la forme d'un argument en trois propositions : la **majeure**, la **mineure** et la **conclusion** et tel que la conclusion est déduite de la majeure, par l'intermédiaire de la mineure.

Le syllogisme a joué un grand rôle dans l'enseignement au Moyen Age. Pourtant, son usage strict est d'une faible portée dans le raisonnement scientifique et les auteurs n'ont pas manqué de retourner contre lui ses propres armes afin de mieux le ridiculiser.

Par exemple :

*Ce qui est bon marché est rare*
*Or, ce qui est rare est cher,*
*Donc, ce qui est bon marché est cher*

Même le sage et sérieux **Montaigne** a tourné le syllogisme en dérision :

*Le jambon fait boire*
*Or, le boire désaltère,*
*Donc, le jambon désaltère*

Et **Jonathan Swift** :

*Personne n'accepte de conseils*
*Par contre, tout le monde accepte de l'argent*
*Donc, l'argent vaut mieux que les conseils*

En Bavière, on cite ce proverbe ancien qui est un parfait syllogisme en quatre propositions :

*Si tu bois du vin, tu dormiras bien*
*Si tu dors tu ne pécheras pas*
*Si tu ne pèches pas, tu seras sauvé*
*Donc bois du vin, c'est le salut*

Nous avons gardé pour la bonne bouche ce syllogisme bouffon d'**Eugène Ionesco** qui s'attaque précisément au modèle du genre, celui d'Aristote :

*Tous les chats sont mortels,*
*Or, Socrate est mortel,*
*Donc, Socrate est un chat*

(C.Q.F.D.)

---

# Tino (Rossi Constantino, dit) — 1907-1983

◆ Pour parler de lui, inutile de prononcer son nom : les quatre dernières lettres de son prénom suffisent : **TINO**.
Il fut pratiquement le premier chanteur de charme, celui pour qui les Anglo-Saxons inventèrent l'expression de *latin lover*. Dans la chanson, il était l'équivalent de ce que furent **Rudolf Valentino** et **Ramon Novaro** pour le cinéma muet : le séducteur à l'œil de velours et aux cheveux calamistrés avec, en supplément pour **Tino,** la roucoulade et la guitare (dont jamais il ne sut jouer).

◆ **Constantino ROSSI** naquit le 29 avril 1907, au 43 de la rue Fesch à Ajaccio, tout à côté de l'échoppe de tailleur de son père Laurent. Sa mère, Eugénie donna le jour à quatre garçons et à quatre filles ; il était le troisième enfant.
Il mourut le 26 septembre 1983 d'un cancer du pancréas. On lui fit, en l'église de la Madeleine à Paris, des obsèques « pas nationales, non, mais presque » (comme

chantait **Brassens**). Il avait été le parfait exemple de ce que peut être la réussite sociale. Une carrière exemplaire, commencée dans les pâmoisons et les cris hystériques d'un public exclusivement féminin — *la voix de ce chanteur doit agir sur les hormones des dames* avait dit son ami Marcel **Pagnol** — et qui se termina sagement, un demi-siècle plus tard en avril 1982, sur la scène du Casino de Paris, devant un public de septuagénaires et d'octogénaires, **son** public, qui avait vieilli avec lui et lui était resté fidèle. *Cinquante ans d'amour* chantait-il, la bedaine en avant, le geste un peu plus auguste et lent, la voix sensiblement plus basse... mais le courant passait toujours entre la salle et lui. Le miracle **TINO,** un miracle de longévité, de fidélité et d'honnêteté.

Depuis peu, la boutonnière de **Tino Rossi** s'ornait de l'insigne de la Légion d'honneur dont François Mitterrand l'avait fait Commandeur.

◆ Au début des années 1960, **TINO** avait racheté au parfumeur François COTY sa villa **Lo Scudo** sur la route des îles Sanguinaires à Ajaccio. C'est là qu'il vivait heureux et caché aussitôt que sa carrière le lui permettait.

Aujourd'hui, cette maison — à côté de la plage de Marinella ! — est un lieu de pèlerinage comme la maison de Napoléon. Et l'un des boulevards d'Ajaccio porte le nom de **TINO ROSSI.** Comme l'a dit SACHA GUITRY : *c'est le Corse le plus illustre moins un !*

La vie sentimentale « officielle » de **TINO** se résume en trois mariages et un grand amour.

• Il se maria une première fois avec **Anne-Marie,** une petite danseuse de 18 ans, rencontrée au Casino d'Aix-les-Bains, et qui lui donna une fille Pierrette.

• Il convola une deuxième fois avec **Faustine Tratoni,** secrétaire de direction au Casino d'Ajaccio.

• Et il épousera en 1943, Lilia Vetti rencontrée pendant le tournage du film *LE GARDIAN* dont elle était la vedette féminine (on l'apercevait nue dans les roseaux). Ils eurent un fils **Laurent Emmanuel** dit Poupy, né en 1948.

• Le grand amour de TINO fut, de 1938 à 1940, **Mireille Balin** avec laquelle il avait tourné en 1937 *NAPLES AU BAISER DE FEU.*

◆ La carrière de **TINO ROSSI** peut se résumer en trois chiffres : *28 films* (dont un grand nombre de navets) *1 200 titres de chansons* et *200 millions de disques vendus.*

Parmi ses films, on peut citer :
*JUSTIN DE MARSEILLE, LA CINQUIÈME EMPREINTE, LES NUITS MOSCOVITES,*

*L'AFFAIRE COQUELET...* où il avait un rôle modeste.

175

Et puis :
*MARINELLA* - 1936
*AU SON DES GUITARES* - 1936
*NAPLES AU BAISER DE FEU* - 1937
*LUMIÈRES DE PARIS* - 1938
*FIÈVRES* - 1941
*LE CHANT DE L'EXILÉ* - 1942
*L'ILE D'AMOUR* - 1943
*LE GARDIAN* - 1945
*DESTINS* - 1946
*LE CHANTEUR INCONNU* - 1946
*LA BELLE MEUNIÈRE* - 1948
*DEUX AMOURS* - 1948
*ENVOI DE FLEURS* - 1949
*AU PAYS DU SOLEIL* - 1951
*SON DERNIER NOËL* - 1952
*SI VERSAILLES M'ÉTAIT CONTÉ* - 1953
*L'ANE DE ZIGLIARA* - 1970

◆ C'est en 1932 à l'**ALCAZAR** de Marseille que **Constantino ROSSI** fit ses débuts en chantant *Souviens-toi de nos premières amours* de **Saint-Granier** et **Borel Clerc.** Mais, ses véritables débuts officiels, **TINO** les fit, le 14 octobre 1934, dans une revue intitulée « PARADE DE FRANCE ».

C'est dans le film *DESTINS* le dix-neuvième de ses films — que **TINO** chantait une chanson qui allait marquer sa carrière : *PETIT PAPA NOËL.* Ce disque a atteint le total de 30 millions d'exemplaires vendus dans le monde et, chaque année encore, en France, la maison Pathé Marconi vend 120 000 *Petit Papa Noël.*

◆ On a pu se moquer de **Tino Rossi,** des paroles de ses chansons, de sa guitare inutile, de son jeu de scène, rien n'a jamais pu entamer sa sérénité ni son succès. **Tino est une institution.**

Henri Jeanson, redoutable critique à la dent dure avait écrit en 1935 : *Qu'on nous rationne le TINO ROSSI ! De la guimauve, encore de la guimauve, toujours de la guimauve ! Grâce ! Il y a des moments où on a envie de se pendre aux cordes vocales de TINO ROSSI, mais elles ne sont pas assez solides. Écoutez-le — ce ne sont pas des cordes, ce sont des ficelles !*

L'année suivante, Henri Jeanson écrivait pour **Tino Rossi** le scénario de « *NAPLES AU BAISER DE FEU* » !

◆ Octobre 1984 : la municipalité de Paris a décidé de donner le nom de **TINO ROSSI** à un square situé sur la rive gauche de la Seine.

◆ Contraints par l'ambition ou poussés par la nécessité, la plupart de nos contemporains habitent les grandes villes. Une fois achevée leur existence terrestre, c'est sous terre qu'ils se retrouvent dans d'immenses nécropoles, répliques funèbres des cités des vivants, où ils possèdent — caveau modeste ou chapelle résidentielle — un logement correspondant à leur standing passé (parler de « train de vie » eût été impropre !).

Il arrive parfois que des personnages célèbres choisissent de fuir la métropole, théâtre de leur gloire, pour élire domicile dans un minuscule cimetière de campagne, au milieu des champs et des arbres fruitiers. Est-ce de leur part une tardive manifestation d'humilité ou bien l'orgueil posthume de ceux qui préfèrent jouer la vedette dans leur village plutôt que les seconds rôles au Père-Lachaise ?
Que soit bénie leur initiative, car rien n'est moins attristant que ces cimetières campagnards où les puissants d'hier reçoivent, couchés et en toute simplicité, les hommages des touristes, caméra en bandoulière.

◆ Voici une liste de personnalités avec l'adresse de la résidence secondaire qu'ils ont élue pour l'éternité :

## DES ÉCRIVAINS...

- **Henry BATAILLE**, dramaturge, dans la chapelle de Moux (11).
- **Pierre BENOIT** à Ciboure (à côté de Biarritz) (64).
- **Georges BERNANOS** aux côtés de sa mère à Pellevoisin (36).
- **Albert CAMUS** à Lourmarin (84).
- **François-René de CHATEAUBRIAND**, îlot du Grand-Bé (au large de St-Malo, 35).
- **Paul CLAUDEL** à Brangues (à 6 km de Morestel, 38).
- **Jean COCTEAU** dans la Chapelle Saint-Blaise-des-Simples à Milly-la-Forêt (91).
- **André GIDE** au Château de Cuverville à Criquetot l'Esneval (76).
- **Alphonse de LAMARTINE** dans la Chapelle de l'église de Saint-Point, près de Milly (71).
- **Pierre LOTI** dans l'île d'Oléron (17) jardin de la maison des Aïeules.
- **Stéphane MALLARMÉ** à Samoreau (77), près de Fontainebleau.
- **Charles PÉGUY** à l'endroit où il est tombé en septembre 1914 à Villeroy (près de Meaux, 77).
- **Jacques PRÉVERT** à Omonville-la-Petite (50).
- **Romain ROLLAND** à Brèves (57), près de Clamecy.
- **George SAND** dans le petit cimetière de famille à Nohant (36).
- **La Marquise de SÉVIGNÉ** au Château de Grignan (26).
- **Pierre de RONSARD** au Prieuré de Saint-Côme à La Riche (à côté de Tours) (37).
- **Hippolyte TAINE** au Roc de Chère à Menthon-Saint-Bernard (74).

## DES PEINTRES ET DES ARTISTES...

- **Georges BRAQUE** à Varengeville-sur-Mer (76).
- **Le Facteur CHEVAL** à Hauterive (26).
- **Aristide MAILLOL** à Collioures (66).
- **Jean-François MILLET** à Chailly-en-Bière (77).
- **Claude MONET**, au chevet de l'église de Giverny (27).
- **Pablo PICASSO**, sur la terrasse du Château de Vauvenargues (13).
- **Auguste RODIN** à la Villa des Brillants à Meudon, sous sa statue du « Penseur » (92).
- **Théodore ROUSSEAU** à Chailly-en-Bière (77).
- **Henri ROUSSEAU** dit le Douanier, dans le jardin de La Perrine à Laval (53).
- **Henri de TOULOUSE-LAUTREC** à Verdelais (33).
- **Vincent VAN GOGH**, à côté de son frère Théo, à Auvers-sur-Oise (95).

- Luis **MARIANO** à Arcangues (64).
- Gérard **PHILIPE** sous un mimosa à Ramatuelle (83).
- Claude **FRANÇOIS** à Dannemois (91).
- Francis **BLANCHE** à Eze (06).
- **BOURVIL** (André Raimbourg) à Martainville (76).
- Romy **SCHNEIDER** à Boissy-sans-Avoir (78).

## DE GRANDS PERSONNAGES...

- Aristide **BRIAND** à Chambray à côté de Pacy-sur-Eure (27).
- Georges **CLEMENCEAU** à Mouchamps (85).
- Le Pape **CLÉMENT V** à Uzeste (33) à l'intérieur de l'église.
- Charles **DE GAULLE** à Colombey-les-Deux-Églises (52).
- Le Maréchal **JOFFRE** sous un petit temple en rotonde, rue du M$^{al}$ Joffre à Louveciennes (78).
- Jean **DE LATTRE DE TASSIGNY**, aux côtés de son fils à Mouilleron-en-Pareds (85).
- **LOUIS XI** à Cléry-Saint-André (45).
- Raymond **POINCARÉ** au pied du clocher de l'église Saint-Martin à Nubécourt (55).
- Robert **SCHUMAN** dans une chapelle fortifiée du XIII$^e$ s. à Scy-Chapelle (57).

# *La tour Eiffel*

◆ Nous l'avons échappé belle ! La fameuse Tour de 300 mètres qui est, pour le monde entier, le symbole de la France et de sa Capitale a failli, à quelques années près, s'appeler la **TOUR BOENICKHAUSEN**, ce qui, vous l'avouerez, eût manqué de chic parisien !

En l'an 1710, un tapissier allemand **Jean-René Boenickhausen** vient s'établir à Paris, dans le Marais. Ses clients ont bien du mal à retenir son nom. Qu'à cela ne tienne, il y ajoutera celui d'**EIFFEL** qui a le double avantage de se prononcer plus facilement et de lui rappeler sa province natale, le plateau de l'EIFEL, près de Cologne.

Ce nom, que porteront tous ses descendants, ne deviendra le seul patronyme officiel de la famille qu'en 1879. Soit dix ans avant l'inauguration de la Tour.
**François-Alexandre**, arrière-petit-fils du tapissier fit campagne dans les armées de Napoléon et se retrouva sous-officier en garnison à Dijon. Il y épousa **Catherine Moneuse**, fille d'un marchand de bois de la ville. Après huit ans d'union, un garçon prénommé **Gustave** naîtra le 15 décembre 1832.
Si le père est un solitaire qui apprend en autodidacte le latin et le grec, la mère va se révéler une remarquable femme d'affaires qui fera fructifier l'héritage paternel : en dix ans d'efforts, les **EIFFEL**

178 accumulent une fortune de 300 000 francs or. Comme la mère n'a guère le temps de s'occuper de son fils, le jeune Gustave passe son temps dans la maison voisine de l'oncle **Jean-Baptiste Mollerat**, un chimiste réputé qui a inventé un procédé de fabrication du vinaigre de bois.

◆ Après le Collège Royal de Dijon, **Gustave** se retrouve au Collège Sainte-Barbe à Paris. Il échoue à Polytechnique et entre à l'École Centrale des Arts et Manufactures où il décroche un diplôme de... chimiste. Il pensait, bien sûr, prendre la direction de l'usine de Pouilly-sur-Loire de l'oncle vinaigrier.

En 1856, il fait la rencontre de sa vie, celle d'un célèbre ingénieur du matériel des chemins de fer, **Charles Nepveu**, qui l'engage comme secrétaire particulier. Devant l'évidence de ses dons, on lui confie à 26 ans, la direction de la construction du grand pont de **BORDEAUX** (503,60 m de long). C'est un chantier considérable dans la conduite duquel il fera preuve d'exceptionnelles qualités d'organisateur et de meneur d'hommes. Dès lors, il n'arrête plus : on lui commande toute une série d'ouvrages d'art : Les **ponts de CAPDENAC** sur le Lot, de **FLOIRAC** sur la Dordogne, de **BAYONNE** sur la Nive..., etc.

◆ Son activité est incessante. Pour les piles de ses ponts, il remplace la fonte, qu'il jugeait lourde et disgracieuse, par des piles légères faites — comme un jeu de Meccano — de poutrelles de fer entrecroisées.

**Gustave EIFFEL** a trente ans et se sent seul : il demande à sa mère de lui dénicher une bonne épouse. Quinze jours plus tard — mission accomplie ! — elle lui présente **Marie Gaudelet**, âgée d'à peine 17 ans, qu'il épouse le 8 juillet 1862. Femme exemplaire, elle lui donnera cinq enfants avant de mourir, en 1877, âgée de 32 ans.

Le nom d'**EIFFEL** est maintenant célèbre, dans le monde entier. Partout on le sollicite pour étudier des projets de ponts, de viaducs ou d'armatures géantes. Il est l'homme des défis et des miracles. On le surnomme **l'ingénieur de l'Univers**. Pendant vingt ans d'une activité fébrile, il multipliera sur la planète les preuves de son génie.

◆ En France, **BARTHOLDI** lui demande en 1879 de concevoir les structures métalliques destinées à supporter sa **STATUE**

**DE LA LIBERTÉ**. Autre audace : lorsqu'on le chargera de réaliser la **coupole mobile de l'OBSERVATOIRE DE NICE** (22,40 m de diamètre), il imaginera de faire flotter cette masse de cent tonnes sur un bassin annulaire rempli d'une solution de chlorure de magnésium incongelable. Il suffisait ainsi de la main d'une Parisienne pour faire tourner cette coupole qui surpasse de 2 mètres celle du Panthéon.

◆ Et puis, voici l'aventure du **viaduc de GARABIT** qui sera, sans qu'il le sache, une manière de répétition générale de la **tour EIFFEL**. Il s'agit de permettre au chemin de fer de franchir à 124 mètres de hauteur une vallée de 564 mètres de long. Le fantastique arc en porte-à-faux qui enjambe les Gorges de la Truyère fait, encore de nos jours, l'admiration des touristes. Un journaliste écrivait à l'époque : *les tours de Notre-Dame pourraient passer sous le viaduc de Garabit, avec la colonne Vendôme placée dessus pour servir de paratonnerre.*

On reste confondu devant une telle audace et un tel génie constructif déployés pour une petite ligne de chemin de fer d'intérêt local ! **Gustave EIFFEL** a maintenant près de 55 ans et on peut imaginer que cette série de succès tenant du prodige est le couronnement d'une carrière exceptionnelle. Et pourtant, ce qu'on aurait pu prendre pour une fin n'était en fait que le commencement !

## UN SUPPOSITOIRE SOLITAIRE...

◆ Pour commémorer le centenaire de la Révolution française, le gouvernement décida d'organiser une grande **Exposition**. Le clou de cette manifestation, dont l'écho retentirait dans tout l'Univers, serait un monument qui représenterait pour les générations à venir le symbole de l'entrée de la France dans l'ère moderne. Très vite, le choix se porta sur une très haute tour. On balança entre un projet de **TOUR SOLEIL** — sorte de gigantesque Tour de Pise surmontée d'un phare surpuissant — présenté par **Bourdais** l'architecte du Trocadéro et le projet d'une **TOUR MÉTALLIQUE DE 300 M** présenté par **MM. Eiffel, Nouguier et Koechlin**. Grâce à l'appui décisif d'**Édouard LOCKROY**, le ministre du Commerce, c'est, bien sûr, le second projet qui fut retenu. Aussitôt connu le dessin de **la Tour,** ce fut dans le public un tollé général qui prit, au fil des mois, des proportions insoupçonnables. Une pétition, signée de 300 personnalités de l'époque, fut adressée au ministre et publiée dans la presse. On pouvait y lire :

*Nous venons, écrivains, peintres, sculpteurs, amateurs passionnés de la beauté jusqu'ici intacte de Paris, protester de toutes nos forces, de toute notre indignation, au nom du goût français méconnu, au nom de l'art et de l'histoire française menacés, contre l'érection en plein centre de notre capitale de cette inutile et monstrueuse tour EIFFEL.*

*La ville de Paris va-t-elle s'associer plus longtemps aux baroques, aux mercantiles imaginations d'un constructeur de machines pour s'enlaidir irréparablement et se déshonorer ?*

Ce texte était signé entre autres par **François COPPÉE**, Alexandre **DUMAS**, **GOUNOD, LECONTE DE LISLE, MAUPASSANT, MEISSONIER, SULLY PRUDHOMME** et **VICTORIEN SARDOU**.

C'était à qui trouverait pour fustiger la Tour les épithètes les plus péjoratives.
**J.K. HUYSMANS** se déchaînait. Il qualifiait la Tour de *suppositoire solitaire*, de *hideux pylone à grilles*, de *volière horrible*, de *chandelier creux*. Elle était *le tuyau d'une usine en construction, la gloire du fil de fer et de la plaque, la flèche de Notre-Dame de la Brocante...*, etc. **Léon BLOY** parlait d'un *lampadaire véritablement tragique.* **VERLAINE** d'un *squelette de beffroi* et **GOUNOD** de *l'odieuse colonne de tôle boulonnée.*

Ignorant superbement ce torrent d'invectives, **la Tour** avait commencé son ascension irrésistible.

La ville de Paris attribuait au constructeur une subvention de 1 500 000 francs. Pour financer le montant des travaux, **Eiffel** créa une **Société Anonyme au capital de 5 100 000 francs**, réparti par moitié entre lui et un consortium de trois banques.

La construction respectera scrupuleusement le plan prévu. Toutes les pièces, fabriquées au dixième de millimètre, arrivaient sans arrêt par camions hippomobiles de l'usine de Levallois-Perret. Les calculs étaient d'une telle précision que l'assemblage s'effectua sans aucun problème. Il faudra **12 000 pièces** que fixeront **2 500 000 rivets.**

La construction durera **26 mois**. Les travaux commencèrent le **26 janvier 1887**. **Le premier étage** (57,68 m) sera atteint le 15 mars 1888, **le deuxième** (115,75 m) le 14 août et **le troisième** (276,30 m) le 31 mars 1889. Pour célébrer la fin des travaux, **Eiffel** déploya au sommet de sa tour un drapeau de 7,50 m sur 4,50. Le **15 mai 1889**, la tour Eiffel était ouverte au public.

Le public se rua en masse. Pendant les six mois que dura l'**Expo**, la Tour recevra **3 512 000** visiteurs qui rapporteront **6 509 901,80 F**, pratiquement de quoi couvrir le prix de revient. **Elle avait coûté 7 799 401 francs** de l'époque. Un an après l'inauguration, **Eiffel** avait déjà remboursé ses actionnaires.

**La Tour** a toujours été une affaire rentable et **Eiffel** un industriel avisé. En novembre 1887, il avait vendu à **LAGUIONIE**, le fondateur des magasins du Printemps, les *rognures et débouchures provenant de la construction de la Tour* au prix de 8 F les 100 kilos, moyennant 25 % des bénéfices obtenus sur la vente des objets fabriqués avec ces déchets.

Le contrat d'origine lui réservait le droit d'exploitation pour 20 ans, après quoi **la Tour** devait être livrée à la ferraille. Mais le contrat contenait tant d'astuces juridiques qu'il allait permettre à la **Société de Gustave Eiffel** de rester maître des lieux, par reconductions successives jusqu'au 31 décembre 1979.

Le nombre des visiteurs baissa rapidement après l'Expo. En 1899, ils n'étaient plus que 150 000 et, pour l'Exposition universelle de 1900, un million, soit la moitié moins qu'en 1889. Il fallait donc trouver de toute urgence une utilité à la Tour.

A partir de ce moment, **EIFFEL** n'aura de cesse qu'il n'ait prouvé au monde entier le fantastique intérêt scientifique de **sa Tour** et l'extrême privilège que ses dimensions uniques procurent aux hommes de science : laboratoire de biologie, d'astronomie, de météorologie, contrôle de pollution, paratonnerre, centre de soufflerie pour expérimenter les lois de l'aérodynamique.

En 1914, **la tour Eiffel** fut mobilisée... dans les transmissions. Un soir de septembre 1914, elle capta un massage de VON KLUCK qui annonçait son intention de marcher vers le Sud-Est. Ce renseignement capital allait permettre à Joffre d'arrêter l'armée allemande sur la Marne. Mais, il n'était plus nécessaire à **la Tour** de faire la preuve de son utilité. Elle faisait désormais partie du paysage de l'Ile-de-France et les Parisiens l'avaient adoptée à jamais. Depuis 1964, elle est classée à l'inventaire principal des monuments historiques.

## LES RICHES HEURES DE LA TOUR

◆ On retiendra que la première dame qui fit l'ascension de la Tour était une Parisienne qui se nommait **Mme Sommer.**

Sur le registre ouvert au public pendant l'Expo de 1889, chacun se précipita pour apposer sa signature et y aller de son commentaire :

**J. Gregory,** ingénieur à Bordeaux s'engage à baptiser sa première fille *EIFFE-LINE.*

**Un Brésilien :** *Jusqu'où montera le génie français en 1989 ? Les nuages le diront !*

**Le Dr Jauffret,** du Var : *A l'inverse de Fontenoy, nous avons tiré les premiers. A vous, MM. les Anglais... si vous pouvez !*

**Un Belge, Charles Rolland :** *Paris est la capitale du monde !*

**L. Datt,** de St-Galmier : *En voyant la tour EIFFEL, je suis fier d'être Français !*

**F. Fausch** de Kerpezdron : *Merci à M. EIFFEL de nous avoir procuré des pensées élevées.*

**Le Caporal B** du 24ᵉ R.I. : *Pour une fois, je suis au-dessus de mon Colonel !*

**Bloumette,** piqueuse de bottines : *Plus je vois la tour Eiffel, plus je reconnais l'inutilité décourageante des hauts talons.*

**Adam Louis :**
*Du haut de cette tourelle
Je vois le dos de l'hirondelle.*

**Lecocq,** du Havre : *Dieu que c'est beau ! Si mes petits lapins pouvaient voir ça, ils seraient émerveillés !*

**J. Caracas :** *Je ne me suis jamais mouché si haut !*

**Fanny Barjaud,** Paris : *C'est dommage qu'il pleut !*

◆ Les visiteurs célèbres n'ont cessé de se bousculer pour être les premiers à escalader **la Tour** : le 10 juillet 1899, **Sadi Carnot,** le président de la République, après avoir fait vérifier le fonctionnement des ascenseurs. Les 1ᵉʳ août, **Nesser Eddin,** le Shah de Perse. Le 13 août, à 9 h, **Thomas Edison...** et puis les rois de Grèce, du Portugal, le Prince de Galles, la famille royale du Japon... et Buffalo Bill.

★ Le 20 octobre 1901, **Santos Dumont** remporte le *Prix DEUTSCH* (100 000 F). Avec son dirigeable, il parvint à faire le tour... de **la Tour** et à regagner St-Cloud, son point de départ.

★ En octobre 1909, le **Comte de Lambert,** sur un avion Wright vint planer au-dessus de **la Tour.**

★ En 1912, **Reichel,** tailleur à Longjumeau, expérimenta, à partir du premier étage, un étrange costume d'« homme-oiseau », avec des voiles en caoutchouc et des courroies de cuir. En s'écrasant au sol, il creusa un trou de 37 cm.

★ **Pierre Labric,** futur maire de la Commune libre de MONTMARTRE fit le pari — et le gagna — de descendre à vélo les 363 marches qui séparent le 1ᵉʳ étage du sol.

★ Pour son 85ᵉ anniversaire, l'éléphante du cirque **Bouglione** fait, à pattes, l'ascension du 1ᵉʳ étage.

★ Des aviateurs ont tenté de voler entre les piliers de **la Tour** : l'un s'est écrasé ; l'autre — plus récemment — a réussi, aux commandes de son Beechcraft.

★ Deux jeunes Anglais en 1984 ont sauté en parachute du troisième étage et se sont posés en douceur sur le Champ-de-Mars.

★ On se suicide beaucoup en se jetant du haut de **la Tour**. Mais, curieusement, le premier suicidé de la Tour fut un pendu, **Louis Charrier**, dans la nuit du 22 au 23 août 1891.

◆ Aucun autre de ces désespérés n'aura eu la chance de l'inconnue, baptisée **Christiane** par la presse, qui le 6 novembre 1964, enjambant la rembarde du premier étage, atterrit, après un saut de 57 mètres, sur le toit de la Dauphine d'un technicien de Télédiffusion de France qui amortit le choc et lui sauva la vie.

◆ Depuis sa naissance, la **tour Eiffel** a grandi passant de **300,51** mètres en 1889 à **320,75** m en 1982. Elle a maigri aussi : au cours de 27 mois de travaux (février 1981 - juin 1983) elle a été allégée de 1 000 tonnes de poids excédentaire.
Tous les sept ans, **la Tour** fait sa toilette. Une armée de 40 peintres recouvre de 3 500 kilos de peinture marron ses 50 000 m² de métal.

◆ **La tour Eiffel** se console volontiers de ne plus être aujourd'hui la plus grande : depuis 1929, elle a dû céder son record au **Chrysler Building de New York** (313 mètres) puis à l'**Empire State Building** (381 m) et maintenant à la **Sears Tower de Chicago** (443 m). Elle est restée la plus belle et la plus aimée.
Le 18 juin 1959, on célébrait la 35 millionième ascension de **la Tour**. C'est Julien Bertin un garçon de 10 ans, venu de Quincampoix avec son école, qui avait gagné une SIMCA !
En 1983, **la Tour** a reçu 3 701 558 visiteurs et le 8 septembre de la même année, on fêtait la cent millionième visite, celle d'une jeune femme de Nevers.
On attend 4,2 millions de visiteurs en 1989, et 5 millions en l'an 2000.
**La Tour de M. EIFFEL** peut aborder confiante, le XXIᵉ siècle.
**Gustave EIFFEL** est mort, le 27 décembre 1923, à l'âge de 91 ans. Son buste sculpté par Antoine Bourdelle, se dresse depuis le 2 mai 1929 près du pilier Nord. Quel est le personnage illustre qui peut se vanter d'avoir une stèle d'une telle hauteur !

## Trains (les petits)

◆ Confortablement abandonné dans son fauteuil, arrivé aussitôt que parti, le voyageur d'aujourd'hui bâille d'ennui dans son compartiment climatisé, capitonné, pressurisé, insonorisé, pasteurisé. Vous appelez ça un voyage, vous ?
Parlez-moi des petits trains de jadis, crachotants, cahotants et poussifs : on s'embarquait pour des journées entières pour arriver — enfin ! — le dos moulu par un long séjour sur les banquettes en bois, le visage machuré d'escarbilles.
A voyager trop vite et trop bien, nous avons perdu le sentiment de la distance, et oublié le plaisir de l'attente. Les avions, les autoroutes et le T.G.V. ont eu la peau des petits trains sympathiques qui pénétraient au plus secret de la France profonde. Le progrès est impitoyable : A la ferraille les locos, écroulés les tunnels, rouillés les rails, à la retraite les garde-barrières, morts les petits trains.

Morts ou presque ! Juste avant qu'il ne soit trop tard, une poignée d'amateurs enthousiastes et têtus se sont battus pour

rendre vie à quelques locomotives au rencart et à des wagons de bois pourrissants. Grâce à eux, le bon vieux temps n'est pas tout à fait aboli et quelques vaches privilégiées peuvent encore rêvasser devant un tortillard qui passe en fumant.
Nous avons dénombré en France une trentaine de petits trains dont les trajets, mis bout à bout, atteignent une longueur de 900 kilomètres. (Nous ne pouvons citer — hélas ! — dans cette liste tous les trains-jouets qui desservent les parcs, qui trimballent les voyageurs dans les grottes, le long des plages.)

## RÉGION PARISIENNE

### ● CHEMIN DE FER DE SAINT-EU-TROPE
(Près d'Évry) — Dessert les attractions du parc — Longueur : 2,500 km — *Vapeur et locotracteur.*

## RÉGION NORD

### ● CHEMIN DE FER TOURISTIQUE DU VALMONDOIS
De Saint-Quentin à Origny-Sainte-Benoîte en passant par Ribemont — Longueur : 25 km — *Vapeur et autorail.*

### ● CHEMIN DE FER DE LA BAIE DE SOMME
Du Crotoy à Cayeux-sur-Mer — Longueur : 27 km — *Locotracteurs.*

### ● CHEMIN DE FER TOURISTIQUE FROISSY-DOMPIERRE
De Froissy à Dompierre en passant par Cappy — Longueur : 7 km — *Vapeur et diesel.*

## RÉGION EST

### ● CHEMIN DE FER FORESTIER D'ABRESCHVILLER (57)
D'Abreschviller à Grand Soldat — Longueur : 5 km — *Vapeur et diesel.*

### ● TRAIN FOLKLORIQUE DE ROSHEIM-OTTROTT (67)
De Rosheim à Ottrott (au pied du Mont Sainte-Odile) — Longueur : 8 km — *Vapeur et diesel.*

### ● CHEMIN DE FER TOURISTIQUE DE LA VALLÉE DE LA DOLLER (68)
De Cernay à Sentheim — Longueur : 17 km — *Vapeur et diesel.*

### ● CHEMIN DE FER TOURISTIQUE DE LA VALLÉE DU RABODEAU (88)
De Senones à Étival — Longueur : 10 km — *Vapeur.*

## RÉGION RHÔNE-ALPES

### ● CHEMIN DE FER TOURISTIQUE DE BLIGNY-SUR-OUCHE (21)
Longueur : 3 km — *Vapeur et diesel.*

### PETIT CHEMIN DE FER DE LA MURE (38)
De Saint-Georges-de-Commiers à la Mure — Longueur : 30 km — *Traction électrique.*

### CHEMIN DE FER TOURISTIQUE DU BREDA (38 - 73)
De Pontcharra à La Rochette — Longueur : 14 km — *Vapeur et autorail.*

### CHEMIN DE FER A CRÉMAILLÈRE DE LA MER DE GLACE (74)
De Chamonix au Montenvers (878 m de dénivellation) — Longueur : 5,5 km — *Traction électrique.*

### TRAMWAY DU MONT-BLANC (74)
De Saint-Gervais-Le-Fayet au Nid d'Aigle — Dénivellation : 1 819 m — Longueur : 12 km — *Traction électrique.*

## RÉGION SUD — OUEST

### ● CHEMIN DE FER DE LA SEUDRE (17)
De Saujon à La Tremblade par Mornac — Longueur : 21 km — *Locos vapeur du XIX$^e$ et diesel.*

### ● TRAIN TOURISTIQUE GUITRES - MARCENAIS (33)
De Guitres à Marcenais en passant par Lapouyade — Longueur : 13 km — *Draisines et vapeur.*

### ● CHEMIN DE FER TOURISTIQUE DES LANDES DE GASCOGNE (40)
De Labouheyre à Sabres — Longueur : 21,5 km — *Vapeur et diesel.*

### ● LIGNE DE LA VALLÉE DU LOT (46)
De Cahors à Capdenac — Longueur : 72 km — *Autorails.*

### ● CHEMIN DE FER A CRÉMAILLÈRE DE LA RHUNE (64)
Du col de Saint-Ignace à la Rhune (887 m) — Longueur : 4 km — *Traction électrique.*

### ● TÉLÉPHÉRIQUE ET CHEMIN DE FER DU LAC D'ARTOUSTE (64)
Altitude moyenne : 2 000 m. Le plus haut d'Europe — Longueur : 10 km — *Locotracteur diesel.*

### ● PETIT TRAIN JAUNE DE LA LIGNE DE CERDAGNE (66)
De Villefranche à la Tour-de-Carol en passant par Mont-Louis et Font-Romeu. La plus haute ligne de France sans crémaillère — Longueur : 63 km — *Automotrices électriques.*

### ● CHEMIN DE FER TOURISTIQUE DU TARN (81)
Saint-Lieux-les-Lavaur — Longueur : 8 km — *Vapeur et diesel.*

## RÉGION CENTRE — OUEST

• **CHEMIN DE FER TOURISTIQUE** (37)
De Chinon à Richelieu — Longueur :
20 km — *Vapeur.*

• **PETIT TRAIN A VAPEUR DE PITHIVIERS A BELLEBAT** (45)
Du Musée des Transports de Pithiviers
jusqu'au bois de Bellebat — Longueur :
8 km — *Tramway à vapeur.*

• **CHEMIN DE FER TOURISTIQUE DE LA SARTHE** (72)
De Connerré-Beillé au bois de Bonnétable — Longueur : 17 km — *Vapeur et diesel.*

• **PETIT TRAIN DE VENDÉE** (85)
De Mortagne-sur-Sèvre aux Epesses (à
côté du château du Puy-du-Fou) — Longueur : 16 km — *Vapeur.*

## RÉGION SUD — SUD-EST

• **CHEMIN DE FER DE PROVENCE** (04 - 06)
De Nice à Digne — Longueur : 151 km —
*Diesel.*

• **CHEMIN DE FER DE DUNIÈRES A SAINT-AGRÈVE** (07 - 43)
De Dunières à Saint-Agrève en passant
par le Chambon sur Lignon — Longueur :
37 km — *Vapeur et autorails.*

• **CHEMIN DE FER DU VIVARAIS** (07)
De Tournon à Lamastre — Longueur :
33 km — *Vapeur et autorails.*

• **CHEMIN DE FER DES ALPILLES** (13)
D'Arles à Fontvieille — Longueur : 9 km
— *Vapeur - locotracteur - autorail.*

• **TRAIN A VAPEUR DES CÉVENNES** (30)
D'Anduze à Saint-Jean-du-Gard — Longueur : 13 km — *Vapeur.*

• **CHEMIN DE FER DE LA CORSE** (20)
De Bastia à Ajaccio — Longueur : 157 km
— *Locotracteurs et autorails.*

• **CHEMIN DE FER DE LA CORSE** (20)
De Calvi à Ponte-Leccia-Bastia — Longueur : 73 km — *Locotracteurs et autorails.*

Ouvrage consulté : Guide des petits
trains touristiques en France (Éditions
Horay)

---

## Vers célèbres (cent)

• *Ah ! Frappe-toi le cœur, c'est là qu'est le génie.*
(ALFRED DE MUSSET, *Premières Poésie*, « A mon ami Édouard B.)

• *Albe vous a nommé, je ne vous connais plus*
(PIERRE CORNEILLE, *Horace*, acte II, scène 3)

• *Amants, heureux amants, voulez-vous voyager ?*
(JEAN DE LA FONTAINE, *Fables*, « Les Deux Pigeons »)

• *A noir, E blanc, I rouge, U vert, O bleu, voyelles*
(ARTHUR RIMBAUD, *Voyelles*)

• *A qui venge son père, il n'est rien d'impossible*
(PIERRE CORNEILLE, *Le Cid*, acte II, scène 2)

• *Ariane, ma sœur, de quel amour blessée*
*Vous mourûtes aux bords où vous fûtes laissée*
(Jean Racine, *Phèdre*, acte I, scène 3)

• *Beau ciel, vrai ciel, regarde-moi qui change*
(Paul Valéry, *Charmes*, « Le Cimetière marin »)

• *Car le jeune homme est beau, mais le vieillard est grand*
(Victor Hugo, *La Légende des siècles*, « Booz endormi »)

• *Ce que je sais le mieux, c'est mon commencement*
(Jean Racine, *Les Plaideurs*, acte III, scène 3)

• *Ce siècle avait deux ans, Rome remplaçait Sparte*
(Victor Hugo, *Les Feuilles d'automne*)

• *C'était pendant l'horreur d'une profonde nuit*
(Jean Racine, *Athalie*, acte II, scène 5)

• *Cette faucille d'or dans le champ des étoiles*
(Victor Hugo, *La Légende des siècles*, « Booz endormi »)

• *Cette obscure clarté qui tombe des étoiles*
(Pierre Corneille, *Le Cid*, acte IV, scène 3)

• *Ceux qui pieusement sont morts pour la patrie*
(Victor Hugo, *Les Chants du crépuscule*)

• *Comme on voit sur la branche au mois de mai la rose*
(Pierre de Ronsard, *Sur la mort de Marie*)

• *Comme un vol de gerfauts hors du charnier natal*
(José Maria de Heredia, *Les Conquérants*)

• *Cueillez dès aujourd'hui les roses de la vie*
(Pierre de Ronsard, *Sonnets pour Hélène*, livre II)

• *Dans le grand parc solitaire et glacé*
(Paul Verlaine, *Colloque sentimental*)

• *Dans un mois, dans un an, comment souffrirons-nous...*
(Jean Racine, *Bérénice*, acte IV, scène 5)

• *Dans Venise la rouge*
*Pas un bateau ne bouge*
(Alfred de Musset)

• *De la musique avant toute chose*
(Paul Verlaine, *Art poétique*)

• *Deux coqs vivaient en paix ; une poule survint*
(Jean de La Fontaine, *Fables*, « Les Deux Pigeons »)

• *Deux pigeons s'aimaient d'amour tendre*
(Jean de La Fontaine, *Fables*, « Les Deux Pigeons »)

• *Donne-lui tout de même à boire, dit mon père*
(Victor Hugo, *La Légende des siècles*, « Après la bataille »)

• *Écoutez la chanson bien douce*
*Qui ne pleure que pour vous plaire*
(Paul Verlaine)

- *En cette foi je veux vivre et mourir*
  (FRANÇOIS VILLON, *Ballade pour prier Notre-Dame*)

- *Entends ma chère, entends la douce nuit qui marche*
  (CHARLES BAUDELAIRE, *Recueillement*)

- *Et le combat cessa, faute de combattants*
  (PIERRE CORNEILLE, *Le Cid*, acte IV, scène 3)

- *Et nous les petits, les obscurs, les sans-grade*
  (EDMOND ROSTAND, *L'Aiglon*)

- *Et qui n'est chaque fois, ni tout-à-fait la même*
  *Ni tout-à-fait une autre, et m'aime et me comprend*
  (PAUL VERLAINE, *Poèmes saturniens*, « Mon rêve familier »)

- *Et rose elle a vécu ce que vivent les roses*
  (FRANÇOIS DE MALHERBE, *Consolations à Du Périer*)

- *Et s'il n'en reste qu'un, je serai celui-là !*
  (VICTOR HUGO, *Les Châtiments* « Ultima verba »)

- *Et tout le reste est littérature*
  (PAUL VERLAINE, *Art poétique*)

- *Heureux qui comme Ulysse a fait un beau voyage*
  (JOACHIM DU BELLAY, *Les Regrets*)

- *Homme libre toujours tu chériras la mer*
  (CHARLES BAUDELAIRE, *Les Fleurs du mal*, « L'homme et la mer »)

- *Horloge ! Dieu sinistre, effrayant, impassible*
  *Dont le doigt nous menace et nous dit « souviens-toi »*
  (CHARLES BAUDELAIRE, *Les Fleurs du mal*, « L'Horloge »)

- *Il pleure dans mon cœur*
  *Comme il pleut sur la ville*
  (PAUL VERLAINE, *Romances sans paroles*)

- *J'aime le son du cor, le soir, au fond des bois*
  (ALFRED DE VIGNY, *Poèmes antiques et modernes*, « Le Cor »)

- *J'ai perdu ma force et ma vie*
  *Et mes amis et ma gaieté*
  (ALFRED DE MUSSET, *Tristesse*)

- *J'ai plus de souvenirs que si j'avais mille ans*
  (CHARLES BAUDELAIRE, *Les Fleurs du mal*, « Spleen »)

- *Je suis le Ténébreux, le Veuf, l'Inconsolé*
  (GÉRARD DE NERVAL, *Les Filles du feu*, « El desdichado »)

- *Je suis venu trop tard dans un monde trop vieux*
  (ALFRED DE MUSSET, *Poésies nouvelles*, « Rolla »)

- *J'étais seul l'autre soir, au Théâtre français*
  (ALFRED DE MUSSET, *Poésies*, « Une soirée perdue »)

- *Je fais souvent ce rêve étrange et pénétrant*
  (PAUL VERLAINE, *Mon rêve familier*)

- *Je meurs de soif auprès de la fontaine*
  (FRANÇOIS VILLON)

- *Je veux de la poudre et des balles*
  (VICTOR HUGO, *Les Orientales*, « L'enfant »)

- *La chair est triste, hélas ! et j'ai lu tous les livres*
  (STÉPHANE MALLARMÉ, *Brise marine*)

- *Laisse faire le temps, ta vaillance et ton roi*
  (PIERRE CORNEILLE, *Le Cid*, acte V, scène 7)

- *La mer, la mer toujours recommencée*
  (PAUL VALÉRY, *Charmes* « Le Cimetière marin »)

- *La nature est un temple où de vivants piliers*
  (CHARLES BAUDELAIRE, *Les Fleurs du mal* « Correspondances »)

- *Le ciel est par-dessus le toit*
  (PAUL VERLAINE *Sagesse*)

- *Le coup passa si près que le chapeau tomba*
  (VICTOR HUGO, *La Légende des siècles* « Après la bataille »)

- *Le jour n'est pas plus pur que le fond de mon cœur*
  (JEAN RACINE, *Phèdre*, acte IV, scène 2)

- *Le laboureur m'a dit en songe « fais ton pain »*
  (SULLY PRUDHOMME, *Stances et poèmes*, « Une songe »)

- *Les sanglots longs*
  *Des violons*
  *De l'automne*
  (PAUL VERLAINE, *Poèmes saturniens*, « Chanson d'automne »)

- *Le temps a laissé son manteau*
  *De vent, de froidure et de pluie*
  (CHARLES D'ORLÉANS, *Rondeaux*)

- *Le vent se lève, il faut tenter de vivre*
  (PAUL VALÉRY, *Charmes* « Le Cimetière marin »)

- *Le vierge, le vivace et le bel aujourd'hui*
  (STÉPHANE MALLARMÉ, *Sonnets*)

- *L'homme est un apprenti, la douleur est son maître*
  *Et nul ne se connaît tant qu'il n'a pas souffert*
  (ALFRED DE MUSSET, *La Nuit de mai*)

- *L'inflexion des voix chères qui se sont tues*
  (PAUL VERLAINE, *Poèmes saturniens*, « Mon rêve familier »)

- *L'œil était dans la tombe et regardait Caïn*
  (VICTOR HUGO, *La Légende des siècles*, « La Conscience »)

- *Lorsque l'enfant paraît, le cercle de famille*
  *Applaudit à grands cris*
  (VICTOR HUGO, *Les Feuilles d'automne*)

- *Mais aux âmes bien nées*
  *La valeur n'attend pas le nombre des années*
  (PIERRE CORNEILLE, *Le Cid,* acte II, scène 2)

- *Mais le vert paradis des amours enfantines*
  (CHARLES BAUDELAIRE, *Les Fleurs du mal*, « Maesta et Errabunda »)

- *Mais où sont les neiges d'antan ?*
  (FRANÇOIS VILLON, *Ballade des dames du temps jadis*)

- *Mars qui rit malgré les averses*
  *Prépare en secret le printemps*
  (THÉOPHILE GAUTIER, *Émaux et camées*)

- *Mes chers amis, quand je mourrai*
  *Plantez un saule au cimetière*
  (ALFRED DE MUSSET, *Poésies*, « Lucie »)

- *Midi, roi des étés, épandu sur la plaine*
  (LECONTE DE LISLE, *Poèmes antiques*, « Midi »)

- *Mignonne, allons voir si la rose*
  (PIERRE DE RONSARD, *Odes*, « A Cassandre »)

- *Mon âme a son secret, ma vie a son mystère*
  (FÉLIX ARVERS, « Mes heures perdues »)

- *Mon père, ce héros, au sourire si doux*
  (VICTOR HUGO, *La Légende des siècles*, « Après la bataille »)

- *Ne pas monter bien haut, peut-être, mais tout seul*
  (EDMOND ROSTAND, *Cyrano de Bergerac*, acte II, scène 8)

- *Nous aurons des lits pleins d'odeurs légères*
  (CHARLES BAUDELAIRE, *Les Fleurs du mal*, « La mort des amants »)

- *Objets inanimés avez-vous donc une âme...*
  (ALPHONSE DE LAMARTINE, *Harmonies poétiques et religieuses*, « Milly ou la terre natale »)

- *O ! combien de marins, combien de capitaines*
  (VICTOR HUGO, *Les Rayons et les ombres*, « Oceano nox »)

- *O mort, vieux capitaine, il est temps, levons l'ancre*
  (CHARLES BAUDELAIRE, *Les Fleurs du mal*, « Le voyage », VIII)

- *O rage, O désespoir, O vieillesse ennemie*
  (PIERRE CORNEILLE, *Le Cid*, acte I, scène 4)

- *O saisons, O châteaux*
  *Quelle âme est sans défauts ?*
  (ARTHUR RIMBAUD, « Derniers vers »)

- *O soleil ! Toi sans qui les choses*
  *Ne seraient que ce qu'elles sont*
  (EDMOND ROSTAND, *Chantecler*)

- *O temps suspends ton vol ! Et vous heures propices*
  (ALPHONSE DE LAMARTINE, *Méditations poétiques*, « Le Lac »)

- *O toi que j'eusse aimée, O toi qui le savais !*
  (CHARLES BAUDELAIRE, *Les Fleurs du mal*, « A une passante »)

- *Poète, prends ton luth et me donne un baiser*
  (ALFRED DE MUSSET, « La Nuit de mai »)

- *Pour qui sont ces serpents qui sifflent sur vos têtes*
  (JEAN RACINE, *Andromaque*, acte V, scène 5)

188 • *Pour réparer des ans l'irréparable outrage*
(JEAN RACINE, *Athalie*, acte II, scène 5)

• *Prends l'éloquence et tors-lui son cou*
(PAUL VERLAINE, *Jadis et Naguère*, « Art poétique »)

• *Quand vous serez bien vieille, au soir, à la chandelle*
(PIERRE DE RONSARD, « Sonnets pour Hélène », livre II)

• *Que ces vains ornements, que ces voiles me pèsent*
(JEAN RACINE, *Phèdre*, acte I, scène 3)

• *Que dis-je c'est un cap ? c'est une péninsule !*
(EDMOND ROSTAND, *Cyrano de Bergerac*, acte I, scène 4)

• *Que vouliez-vous qu'il fît contre trois ? — Qu'il mourût !*
(PIERRE CORNEILLE, *Horace*, acte III, scène 6)

• *Qu'il est joli garçon l'assassin de papa*
(GEORGES FOUREST, *La Négresse blonde*)

• *Rodrigue, as-tu du cœur ?*
(PIERRE CORNEILLE, *Le Cid*, acte I, scène 5)

• *Rome, l'unique objet de mon ressentiment*
(PIERRE CORNEILLE, *Horace*, acte IV, scène 5)

• *Rome n'est plus dans Rome, elle est toute où je suis*
(PIERRE CORNEILLE, *Sertorius*)

• *Ses ailes de géant l'empêchent de marcher*
(CHARLES BAUDELAIRE, *Les Fleurs du mal*, « L'Albatros »)

• *Sois sage, O ma douleur, et tiens-toi plus tranquille*
(CHARLES BAUDELAIRE, *Les Fleurs du mal*)

• *Sous le pont Mirabeau coule la Seine*
(GUILLAUME APOLLINAIRE, *Alcools*)

• *Tel qu'en lui-même enfin l'éternité le change*
(STÉPHANE MALLARMÉ, « Le Tombeau d'Edgar Poe »)

• *Une rose d'automne est plus qu'une autre exquise*
(AGRIPPA D'AUBIGNÉ, *Les Tragiques*)

• *Un étranger vêtu de noir*
*Qui me ressemblait comme un frère*
(ALFRED DE MUSSET, *Les Nuits de Décembre*)

• *Un frais parfum sortait des touffes d'asphodèle*
(VICTOR HUGO, *La Légende des siècles*, « Booz endormi »)

• *Un seul être vous manque et tout est dépeuplé*
(ALPHONSE DE LAMARTINE, *Méditations poétiques*, « L'isolement »)

• *Voici des fruits, des fleurs, des feuilles et des branches*
*Et puis voici mon cœur qui ne bat que pour vous*
(PAUL VERLAINE, *Romances sans paroles*, « Green »)

• *Voici venir l'hiver tueur de pauvres gens*
(JEAN RICHEPIN, « La chanson des gueux »)

## Vers (petites pièces de)

◆ Tout le monde ne peut pas avoir composé la *LÉGENDE DES SIÈCLES* et avoir laissé à la postérité des kilomètres d'alexandrins.

A côté des poètes officiels croulant sous les honneurs, statufiés et solennels, ont existé, Dieu merci, des « poëtaillons » de rien du tout, buveurs et paillards, moins soucieux de construire une œuvre immortelle que de se faire applaudir de leurs compagnons de cabaret. Ou bien encore des philosophes souriants et indulgents, rimant pour leur plaisir, des quatrains sans prétention et d'autant plus charmants.

◆ Voici quelques bijoux qui ne se rencontrent jamais dans les anthologies poétiques :

*On entre, on crie
Et c'est la vie.
On baille, on sort
Et c'est la mort.*

AURORE DE CHANCEL (1836)

*On s'enlace,
Puis un jour
On s'en lasse :
C'est l'amour !*

VICTORIEN SARDOU (1831-1908)

◆ Le marquis de **BOUFFLERS** en 1782 a composé ce poème-express en mémoire du pauvre Loth, amoureux de ses deux filles :

*Il but,
Il devint tendre,
Et puis il fut
Son gendre.*

◆ D'un libertin anonyme ce quatrain très osé :

*Ma main qui se sent efficace
Dans son pantalon de pilou
Hésite à jouer à pile ou
Face.*

◆ Le bon **Raoul PONCHON** (1848-1937) sut chanter comme personne les joies de la bouteille. Quelques-uns de ses courts poèmes méritent d'être déclamés en chœur au cours de soirées bien arrosées :

*Quand mon verre est vide,
Je le plains.
Quand mon verre est plein
Je le vide.*

Ou bien :

*Si les femmes étaient sans fesses,
Qu'est-ce
Que nous ferions de nos mains
Pauvres humains ?*

Ou encore :

*Quand nous partîmes de Melun,
Nous étions un !
En arrivant à Carcassonne,
Y avait plus personne !*

Pour terminer ce mini-festival **PONCHON,** voici sa très connue invective contre l'église Saint-Sulpice :

*Je hais les tours de Saint-Sulpice
Si par hasard je les rencontre
Je pisse
Contre.*

◆ L'auteur dramatique **Eugène SCRIBE** (1791-1861) a dédié ce bien charmant quatrain **à son parapluie** :

*Ami commode, ami nouveau
Qui contrairement à l'usage
Te montres dans les jours d'orage
Et te caches quand il fait beau.*

**Tristan BERNARD,** lui, n'hésite pas à se moquer gentiment de la mythologie avec **l'Amazone et le Centaure** :

*L'Amazone passait. Sur le bord de la route,
Un Centaure « y pensait », des plus visiblement...
Lors, l'Amazone triste et qu'assaille le doute :
Est-ce à moi qu'il en veut, ou bien à ma jument ?*

## Vers ridicules

◆ Qui donc prétend que le ridicule tue ?
Bien au contraire, il lui arrive de conférer
à certains vers une sorte d'immortalité.
Emportés par leur élan créateur, les poètes ou les dramaturges qui les ont conçus
n'ont pas remarqué — ou alors trop tard
— qu'un de leurs pompeux alexandrins
acquérait à la déclamation une irrésistible
vertu comique.

◆ Voici quelques exemples célèbres nés sous le signe du... vers sot.

> *Plus le désir s'accroît*, **plus l'effet se recule.**
> <div align="right">CORNEILLE, <i>Polyeucte</i> (1638)</div>

> *J'en sortirai du camp, mais quel que soit mon sort,*
> *J'aurai montré, du moins, comme* **un vieillard en sort.**
> <div align="right">ADOLPHE DUMAS, <i>Le Camp des Croisés</i>, (drame en 5 actes)</div>

> *J'habite à la montagne et* **j'aime à la vallée**
> *Sur le sein de l'épouse,* **il écrasa l'époux**
> <div align="right">Ces deux vers sont dus au VICOMTE D'ARLINCOURT<br>dans <i>Le Siège de Paris</i> (1827)</div>

> *Car ce n'est pas régner qu'être* **deux à régner**
> <div align="right">CORNEILLE (encore !), <i>La Mort de Pompée</i></div>

> *Le roi de* **Perse habite,** *inquiet, redouté...*
> <div align="right">VICTOR HUGO, <i>La Légende des siècles</i></div>

La palme du ridicule revient peut-être à ces vers tirés de *Daire* (Darius), tragédie (!) de
JACQUES DE LA TAILLE DE BOUDAROY (1562) :

> *O Alexandre, adieu ! Quelque part que tu sois,*
> *Ma mère et mes enfants aie en recommanda...*
> *... il ne put achever, car la mort l'en garda.*

Dans le Crapouillot, JEAN-GALTIER BOISSIÈRE citait, mais sans pouvoir préciser ses sources, ce vers superbe :

> *Quoi ! Je ne t'ai point dit* **quelle était ma querelle ?**

Ce qui est presque aussi beau que ce vers de CORNEILLE (toujours !) dans la première
version d'*Horace* (Acte I - Scène I) et qu'il a modifié en 1656 :

> *Je suis* **Romaine, hélas !** *puisque mon* **époux l'est**

# Table des matières

Achevé d'imprimer
le 5.5.86
par Printer Industria
Gráfica S.A.
Provenza, 388   08025 Barcelona
pour France Loisirs
Depósito Legal B. 16418-1986

Numéro d'éditeur : 11504
Dépôt légal : mai 1986
Imprimé en Espagne
Photocomposition : PFC-39100 Dole